Manual de estilo

Guía práctica
para escribir mejor

Biblioteca espiral

Arturo Ramoneda

Manual de estilo

Guía práctica para escribir mejor

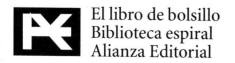

El libro de bolsillo
Biblioteca espiral
Alianza Editorial

1.ª edición: 1999 (febrero)
1.ª reimpresión: 1999 (marzo)
2.ª reimpresión: 1999 (junio)
3.ª reimpresión: 1999 (agosto)
4.ª reimpresión: 2000 (enero)
5.ª reimpresión: 2000 (junio)
6.ª reimpresión: 2001 (mayo)
7.ª reimpresión: 2002 (enero)
8.ª reimpresión: 2003 (febrero)
9.ª reimpresión: 2003 (octubre)

Diseño de cubierta: Ángel Uriarte
Maquetación: Antonio Serrano

© Arturo Ramoneda, 1998
© Alianza Editorial, S. A., Madrid, 1999, 2000, 2001, 2002, 2003
    Calle Juan Ignacio Luca de Tena, 15;
    28027 Madrid; teléf. 91 393 88 88
    www.alianzaeditorial.es
    ISBN: 84-206-6866-4
    Depósito legal: M. 39.418-2003
    Impreso en Closas-Orcoyen, S. L. Polígono Igarsa
    Paracuellos de Jarama (Madrid)
    Printed in Spain

Nota previa

Este *Manual de estilo* sólo pretende ayudar a resolver dudas lingüísticas, de acuerdo con las normas oficiales por las que se rige la lengua escrita y hablada. Se prescinde, por tanto, en él de las disquisiciones teóricas que pueden encontrarse en cualquier Gramática.

Para evitar la obligada dispersión de los diccionarios, se han sintetizado bajo cada epígrafe de las dos primeras partes (Ortografía y Morfosintaxis) los problemas comunes a los signos de puntuación, las letras mayúsculas, las diferentes consonantes, el artículo, el sustantivo, el adjetivo, el pronombre, el verbo, el adverbio, la conjunción, la preposición y la interjección. Este deseo de unidad nos ha llevado a agrupar términos de parecida forma, pero que realizan diferente función gramatical (*porque, por qué, por que* y *porqué; sino* y *si no*, por ejemplo). Los índices del final permiten localizar fácilmente cualquier duda que surja.

Los vocablos que, ordenados alfabéticamente, figuran a continuación son los que hoy se emplean, demasiadas veces, erróneamente. Los significados que damos de los extranjerismos son los que se han impuesto en nuestra lengua, aunque no siempre correspondan a los que les son propios. Los gentilicios que hemos seleccionado son los de más difícil localización. Por último, hemos incluido la lista de siglas y abreviaturas que con mayor frecuencia aparecen en los escritos y en los medios de comunicación y unas sucintas recomendaciones sobre expresiones tópicas o forzadas de las que no conviene abusar.

I. Ortografía

Llevan acento ortográfico o tilde:

Las palabras **agudas**, de más de una sílaba, que terminan en vocal, en **n** o en **s**: *compró, camión, estás, café, Perú*. No lo llevan, en cambio, cuando terminan en doble consonante, aunque la última sea *n* o *s*: *Mayans, Vicens, Orleans, Llorens*.

Las palabras **llanas** que no terminan en vocal, en **n** o en **s**: *Pérez, mármol, árbol, áspid, alférez, clímax, tórax, mártir*. Si la palabra termina con doble consonante, aunque la segunda sea *s*, también se pone tilde: *bíceps, fórceps, tríceps*.

Todas las palabras **esdrújulas** o **sobresdrújulas**: *mágico, cítara, máquina, música, héroe, dígenselo, cuéntamelo*.

Los términos latinos se ajustan también a estas normas: *plácet, ítem, memorándum, tedéum, réquiem, currículum, accésit, ídem, ibídem, quórum, per cápita*.

La **y** final, aunque suene como semivocal, se considera consonante a efectos de acentuación. Por tanto, no llevan acento palabras como *virrey, carey, convoy, Uruguay*. También lo pierden las palabras que terminan en *u*, de origen catalán: *Salou, Palau*.

> La Academia recomienda que, para evitar errores de pronunciación o confusiones en la interpretación de los vocablos, se mantenga la acentuación en las mayúsculas: ÁFRICA, PALAMÓS, CÓRDOBA.

► Acentuación de los monosílabos

Los monosílabos sólo llevan acento cuando, aunque sean iguales en la forma, realizan una diferente función gramatical. En estos casos actúan como tónicos y átonos:

él (pronombre personal)
el (artículo)

tú (pronombre personal)
tu (adjetivo posesivo)

mí (pronombre personal)
mi (adjetivo posesivo apocopado o nota musical)

sé (persona de los verbos *ser* o *saber*)
se (pronombre personal)

dé (tiempo del verbo *dar*)
de (preposición)

más (adverbio comparativo o de cantidad: *Tengo más valor
     que tú*; *En el teatro había más de mil personas*;
     sustantivo: *El más y el menos*; en exclamaciones
     ponderativas: *¡Qué obra más interesante!*; en locuciones
     adverbiales o familiares: *a más no poder*; *de más*; *más
     bien*; *más o menos*; *por más que*; *sin más ni más*; *más y
     más*; *ni más ni menos*; *sus más y sus menos*)
mas (conjunción adversativa equivalente a *pero*)

sí (adverbio de afirmación o pronombre reflexivo)
si (conjunción o nota musical)

té (planta y bebida)
te (pronombre personal)

aún (cuando puede sustituirse por *todavía* sin que se
     altere el sentido de la frase. Es bisílabo)
aun (con el significado de *hasta*, *también*, *inclusive*, *ni
     siquiera*; antepuesto a *cuando*, con el significado
     de *aunque*. Es monosílabo).

> Los monosílabos iguales y de diferente significado no se acentúan cuando son tónicos: *sal* (del verbo salir) y *sal* (sustantivo); *fue* (del verbo ir), *fue* (del verbo ser); *son* (del verbo ser), *son* (sustantivo), etc.

La conjunción ***o*** debe llevar acento cuando, por ir colocada cerca de una cifra, puede confundirse con el cero: *8 ó 9* (pero *ocho o nueve*); *6 ó más*.

Debe recordarse que *ti*, siempre pronombre, nunca se acentúa.

 ## Diptongos y triptongos

Cuando se produce un diptongo o un triptongo, el acento recae sobre la vocal más abierta (***a, e, o***): *huésped, cáustico, tengáis, vuélvase, santiguáis, amortiguáis, murciélago, después, averigüéis, despreciéis*.

Si las dos vocales son cerradas (***ui***) el acento se coloca sobre la última: *cuídate, benjuí, atribuí, casuística*.

 ## Vocales en hiato

Las vocales en hiato, es decir, juntas, pero sin formar diptongo fonético, se ajustan a las reglas generales de acentuación: *Díaz, guión, crió, rió, lié*.

Sin embargo, existen las siguientes excepciones:

– Si la vocal tónica es ***i*** o ***u***, lleva tilde, aunque no le corresponda según las reglas generales, para destruir el diptongo: *caída, raíz, reúno, sonreír, transeúnte, ataúd, poesía, acentúo, púa, país*. Lo mismo ocurre en algunas formas verbales en las que una vocal cerrada (***i*** o ***u***) va seguida de un diptongo y ***s*** final: *comprendíais, decíais*.

– En cambio, se suprime la tilde si las dos vocales que se juntan son *ui*: *jesuita, destruir, huir, fortuito.* Esta regla no se cumple con las formas *huí, huís, huía, huían,* del verbo *huir.*

> Debe tenerse en cuenta que la **h** muda no impide el hiato: *vahído, búho, ahíto, prohíben.*

 Palabras compuestas

En las palabras compuestas, el acento sólo se pone, si le corresponde, en la última: *abrelatas, vaivén, cefalotórax, entrevía, bajorrelieve, correveidile, radiotelegrafía.* De ahí que, si van colocadas en primer lugar, lo pierdan las palabras que lo llevaban cuando eran independientes: *tiovivo, decimotercero, asimismo, rioplatense.* Lo mismo ocurre con las compuestas de verbo, pronombre enclítico y complemento: *sabelotodo, metomentodo.*

Se exceptúan los adverbios en **mente**, que, en realidad, tienen dos acentos: uno en el adjetivo y otro en el nombre *mente*: *cortésmente, rápidamente, lícitamente, ágilmente.* Estas palabras nunca deben pronunciarse como si fueran llanas. Tampoco pierden el acento las formas verbales a las que se les añaden enclíticos: *miróle, perdíme, dénos, convenciólos, deténte.*

Si las dos palabras van unidas por un guión, cada una de ellas conserva su independencia: *físico-químico, cántabro-astur, histórico-crítico-bibliográfico.*

> Si cuando se juntan varias palabras se forma un vocablo compuesto esdrújulo, debe ponerse el acento:
>
> *canta+le > cántale   mira+la > mírala*
> *dame+lo > dámelo   admiraba+se+le > admirábasele*

Interrogaciones y exclamaciones

Algunas palabras exigen tilde cuando van en oraciones interrogativas directas o indirectas y en exclamativas:

qué: *¡Qué sencillo!*
¿Qué prefieres?
No sé a qué se dedica.

cuál, cuáles: *¿Cuál es?; ¿Cuáles prefieres?.*

quién, quiénes: *¿Quién es?; ¡Quién supiera escribir!*
Se planteó a quién podría decírselo.

cuánto, cuántos, cuánta, cuántas:
¿Cuántos años tienes?
¿Cuánto cuesta?
¡Cuánto me he esforzado!

cuándo: *¿Cuándo volverás?*
¡Nadie sabe cuándo ocurrirá!
¿Cuándo aprenderás?

cómo: *¡Cómo ha crecido!*
¿Cómo van tus asuntos?
No sabes cómo me alegro.

dónde, adónde: *¿Dónde está?*
No recuerdo dónde estuvimos.
¿Adónde irá ahora?

En caso contrario, no llevan tilde: *Quien lo sepa, que lo diga; Cuando la visité, estaba muy animada; No está donde la habías puesto; Quienes lo vieron quedaron asombrados; Lo hice como me indicaste.*

Debe tenerse en cuenta que estas palabras pueden ir en oraciones interrogativas y exclamativas, pero con diferente función gramatical, y entonces tampoco llevan acento: *¿Eras tú quien estaba en el parque?; ¡Que te caes!; ¡Vendrás cuando te lo pida!; ¿No es ahí donde nos encontramos?*

Palabras con doble acentuación

Algunas palabras tienen doble acentuación. La Academia se inclina por la que figura en primer lugar:

acné – acne	*laureola – lauréola*
alveolo – alvéolo	*lítotes – litotes*
amoníaco – amoniaco	*medula – médula*
atmósfera – atmosfera	*metempsicosis – metempsícosis*
aureola – auréola	*meteoro – metéoro*
balaustre – balaústre	*misil – mísil*
beréber – bereber	*nigromancia – nigromancía*
bimano – bímano	*olimpiada – olimpíada*
cantiga – cántiga	*omóplato – omoplato*
cardíaco – cardiaco	*ósmosis – osmosis*
cartomancia – cartomancía	*pabilo – pábilo*
celtíbero – celtibero	*parásito – parasito*
chófer – chofer	*pecíolo – peciolo*
cíclope – ciclope	*pelícano – pelicano*
cóctel – coctel	*pensil – pénsil*
conclave – cónclave	*pentagrama – pentágrama*
cuadrumano – cuadrúmano	*período – periodo*
dinamo – dínamo	*policíaco – policiaco*
égida – egida	*policromo – polícromo*
elixir – elíxir	*polígloto – poligloto*
exegesis – exégesis	*raíl – rail*
exegeta – exégeta	*reptil – réptil*
fríjoles – frijoles	*reuma – reúma*
fútbol – futbol	*siriaco – siríaco*
gladíolo – gladiolo	*termostato – termóstato*
hemiplejía – hemiplejia	*tortícolis – torticolis*
ibero – íbero	*utopía – utopia*

Con las formas terminadas en **–iaco** existen vacilaciones. En su última edición (1992), el *Diccionario* de la Academia prefiere *cardíaco, demoníaco, elegíaco, maníaco, paradisíaco* y *amoníaco*. Pero antepone *austriaco, egipciaco* y *zodiaco*.

► Acentuación de los plurales

Los nombres en plural mantienen el acento en la misma vocal que en singular: *cárcel*, *cárceles*; *sillón*, *sillones*. Constituyen una excepción los vocablos *carácter*, *régimen* y *espécimen*, cuyos plurales son *caracteres*, *regímenes* y *especímenes*.

Acentuaciones incorrectas

Con frecuencia, algunas palabras se acentúan mal. Debe escribirse:

adecua (no *adecúa*)
cenit (no *cénit*)
expedito (no *expédito*)
evacua (no *evacúa*)
fútil (no *futil*)
intervalo (no *intérvalo*)

licua (no *licúa*)
libido (no *líbido*)
metamorfosis (no *metamórfosis*)
perito (no *périto*)
táctil (no *tactil*)

 ► Acentuación de nombres extranjeros

Los nombres extranjeros que se hayan adaptado a la fonética del castellano han de acentuarse de acuerdo con las normas generales: *París*, *Berlín*, *Nápoles*, *Milán*, *Támesis*. Si no ha ocurrido así, deben respetarse los acentos que existen en el original: *Valéry*, *Fénelon*, *Mozart*, *Wagner*. La regla es válida incluso para los nombres de pila, aunque éstos coincidan con los españoles: *Victor Hugo*, *Dario Fo*, *Oscar Wilde*.

En cambio, sí deben acentuarse, cuando lo exijan, los nombres procedentes de idiomas que emplean caracteres no latinos (ruso, hebreo, árabe, griego, etc.), ya que se trata de una transcripción fonética: *Antón Chéjov, Simón Peres, Saíd Auita, León Trotski.*

Algunas excepciones

☞ La palabra *solo* carece de tilde cuando es adjetivo: *Siempre estoy solo.* En cambio, la lleva cuando es adverbio (equivale a *solamente*) y puede producirse anfibología: *Lo encontrarás solo* (sin compañía) *en el parque; Lo encontrarás sólo* (únicamente) *en el parque. Sola, solos* y *solas* nunca llevan acento.

☞ Los demostrativos *este, esta, estos, estas; ese, esa, esos, esas; aquel, aquella, aquellos* y *aquellas* no se acentúan cuando van delante de un nombre: *este niño, esta casa, aquellos árboles.*

Cuando funcionan como pronombres pueden llevar acento, aunque no es obligatorio. Sí lo es cuando, en construcciones casi siempre forzadas, pueden tener doble significado: *Dijeron aquellas [aquéllas] cosas curiosas.* Sin acento, *aquellas se refiere a cosas;* con acento, alude a unas personas mencionadas con anterioridad.

☞ Los pronombres neutros *esto, eso* y *aquello* nunca se acentúan.

Signos de puntuación

 El punto

El **punto**, con el que se separan unidades autónomas de cierta extensión y con sentido completo, es la mayor pausa sintáctica que señala la ortografía. En la lectura, la duración de dicha pausa, aunque puede variar según el sentido y la interpretación del lector, siempre es superior a la que señalan la *coma* y el *punto y coma*.

Existen tres clases de puntos: el *punto y seguido*, el *punto y aparte* y el *punto final*.

Con el **punto y seguido** se indica que, terminada una oración, en la que sigue se continúa tratando del mismo asunto o se abordan aspectos diferentes de una misma idea. El texto se prolonga en el mismo renglón, o en el siguiente, sin blanco inicial.

Con el **punto y aparte** se señala que se va a pasar a otro asunto o a tratar del mismo desde otra perspectiva. Los períodos separados por este signo tienen entre sí menor relación, en cuanto a continuidad del pensamiento, que los separados por el punto y seguido. El texto sigue en otro renglón más entrado o más saliente que los demás de la plana.

También se emplea punto y aparte en el diálogo después de cada intervención de los interlocutores.

El **punto final** señala la terminación de un escrito o una división importante en un texto: parte, capítulo, etc.

Otras consideraciones:

☞ A partir de cuatro cifras, las cantidades llevan punto para separar los millares de las centenas: *1.950 sacos*; *14.500 aves*; *130.000 ejemplares*. También las horas se separan de los minutos mediante un punto: *15.30*; *20.40*. Por el contrario, no llevan punto las cifras que indican años: *1996*, *1997*.

☞ No debe ponerse punto después de los signos de exclamación o de interrogación: *¡Qué calor! ¿Dónde estabas?*

☞ Tampoco deben llevarlo, cuando sean breves, las diferentes entradas de una enumeración, apartado o listado (precedidas de letras, números o guiones):

a) Libros	1. Libros	— Libros
b) Cuadernos	2. Cuadernos	— Cuadernos
c) Lápices	3. Lápices	— Lápices

☞ El punto se usa también detrás de las abreviaturas: *Sr.*, *Dr.*, *Ilmo.*, etc.

 **La coma**

La **coma** sirve para señalar una pausa breve y para delimitar los componentes de un enunciado. Aunque a veces su colocación depende de la apreciación personal, debe emplearse en los siguientes casos:

○ Con el nombre en vocativo, independientemente de su colocación:

> *Juan, espérame.*
> *Espérame, Rafael.*

¿Serás, amor,
un largo adiós que no se acaba?
Vivir, desde el principio, es separarse.

(Pedro Salinas)

Se exceptúan los encabezamientos de las cartas, en los que se ponen dos puntos.

○ Siempre que se empleen seguidas palabras u oraciones con idéntica función gramatical, excepto cuando vayan unidas por las conjunciones *y*, **ni**, *o*:

Los niños, los hombres y las mujeres.
Bueno, malo o regular.
No ha venido ni ha llamado por teléfono.

Sí se debe poner coma cuando dichas conjunciones se repiten:

No me agradó ni el argumento de la obra,
ni la interpretación, ni la escenografía.

○ Para separar oraciones con distinto sujeto o los miembros de una cláusula, independientes entre sí, vayan o no precedidos de conjunción:

Nuestro teatro nacional, el más rico de los románticos, sin excepción del inglés, se va encerrando, más de cada vez, hasta amenazar ahogarse entre las cuatro paredes en que ingenios y críticos comineros pretenden aprisionarle: ¡a él!, al teatro español, que hallando estrecho el mundo inventaba regiones, idealizaba las conocidas, convertía los desiertos en regiones florecientes, exploraba las islas encantadas, trasponía mares y continentes, escalaba el cielo, llevaba a las almas seráficas las pasiones de los mortales, y a todos los climas, y a todas las razas, y a todas las clases el ropaje de púrpura y oro que se llama el verso, jamás igualado, de Calderón a Lope.

(Clarín, *Solos de Clarín*)

> *Algunos se quedaron en el aula, y los demás salieron al pasillo.*
>
> *Pedid, y se os dará; llamad, y se os abrirá.*

○ En las interrupciones que se producen en una oración para aclarar o ampliar lo que se está diciendo:

> *Es evidente, decía el filósofo, que la razón humana es imperfecta.*
>
> *Más vale, creo yo, que haya ocurrido así.*
>
> *Enrique Vila-Matas, el autor de la obra, ha mostrado su satisfacción por las críticas recibidas.*

Suelen ir entre comas los adverbios y las locuciones adverbiales o conjuntivas **esto es, es decir, en fin, por último, por consiguiente, en ese caso, así, además, en cambio, sin embargo, no obstante, efectivamente, en realidad, con todo, por ejemplo, aun así, en síntesis, en una palabra, o sea, esto es, a saber.**

○ Cuando se invierte el orden regular de las proposiciones de la cláusula, adelantando lo que había de ir después, debe ponerse coma al final de la parte que se anticipa:

> *Me quedé asombrado cuando me lo dijeron >*
> *Cuando me lo dijeron, me quedé asombrado.*
>
> *No salgas aunque te encuentres mejor >*
> *Aunque te encuentres mejor, no salgas.*
>
> *Estudia si decides examinarte >*
> *Si deseas examinarte, estudia.*

○ En las oraciones consecutivas:

> *Hacía tanto calor, que me quedé en casa.*
>
> *Pienso, luego existo.*

○ Debe ponerse delante de las proposiciones introducidas por **pero**, **mas**, **excepto** y **salvo**:

> *Iremos mañana, pero regresaremos pronto.*
>
> *Todos estuvieron presentes, excepto tú.*

○ Si desaparece el verbo:

> *Tú, tranquilo (Tú manténte tranquilo).*

○ Cuando se suprime un verbo, por ser el mismo de la oración anterior, en su lugar se coloca una coma:

> *Antonio fue al concierto; Pedro, al teatro.*

○ También pueden separarse por comas otros complementos antepuestos al verbo, sobre todo si tienen una extensión considerable:

> *A quien madruga, Dios le ayuda.*
>
> *A todos los que están encargados de velar*
> *   por nuestros intereses, hay que respetarlos.*

○ La palabra *etcétera* y su abreviatura *etc.* deben separarse por comas.

○ No debe colocarse una coma entre *pero* y una oración interrogativa. Tampoco antes de un paréntesis.

○ Nunca debe ponerse una coma entre el sujeto y el verbo.

Téngase en cuenta que este signo ortográfico tiene la virtud de cambiar el sentido de una misma frase:

> *No lo hizo como lo ordenaste*
> y *No lo hizo, como lo ordenaste*

significan, respectivamente, que "lo hizo de otra forma" y que "siguió las instrucciones".

⁑ ➤ Punto y coma

Sirve para marcar una pausa más intensa que la de la coma y menos intensa que la del punto y seguido. Sin embargo, la elección entre estos signos depende muchas veces del gusto y de la subjetividad del que escribe. Donde unos autores ponen punto y coma, otros se inclinan por el punto y seguido.

Debe emplearse:

○ Para separar oraciones completas estrechamente relacionadas y para diferenciar cláusulas en las que hay alguna coma:

> *La primera intervención fue interesante, pero corta; la segunda, en cambio, resultó excesivamente prolija; con la tercera, todos bostezábamos.*

> *Está muy inquieto; su enfermedad es grave.*

> *Comía temprano y se iba al Luxemburgo. Gustaba ir en el metro; lo tomaba en una de las estaciones de la plaza de la Concordia; subía hasta la plaza de la Estrella; aquí cambiaba de línea y bajaba en la estación de Denfert-Rocherau. Recorría entonces largos y anchos pasillos, todos muy limpios; pasaba por unas pasarelas, en que tenía que mostrar su billete, y ascendía por ancha escalera; recorría otro breve trecho, y de nuevo ascendía por una escalinata.*

> (Azorín, *María Fontán*)

○ Para separar dos oraciones, unidas por una conjunción, que no tienen entre sí un perfecto enlace:

Joshé recordó a Arizmendi que tenía dentadura postiza, a su mujer que se ponía añadidos, y a la hija mayor el novio, con quien había reñido; y, después de otra porción de cosas igualmente oportunas, se marcharon las dos máscaras dando brincos.

(Pío Baroja, *Zalacaín el aventurero*)

Se usará en las frases de alguna extensión, delante de las expresiones **mas, pero, aunque, sin embargo, por tanto, no obstante, por consiguiente, en cambio,** con las que se exponen aspectos diferentes de una misma idea o se indica un hecho y su consecuencia:

Te agradecemos los cuadernos, lápices y bolígrafos que nos enviaste; sin embargo, echamos de menos algún libro.

Durante el verano estuvo muy distraído y apenas estudió; no obstante, logró aprobar en septiembre dos asignaturas.

Si la frase es corta, basta con una coma:

Vendrá, pero no sé a qué hora.

Me invitó, aunque tenía poco dinero.

 Los dos puntos

Tienen como finalidad llamar la atención sobre lo que sigue. La pausa que exigen es menor que la impuesta por el punto.

Deben emplearse en los siguientes casos:

○ Después del encabezamiento de una carta:

Muy señor mío: Le ruego que tenga en cuenta mi proposición, etc.

Querido amigo: Acabo de llegar a Londres, etc.

En estos casos, lo que va después de los dos puntos debe iniciar, siempre en mayúscula, un renglón aparte.

○ Al comienzo del texto de una conferencia o de un discurso:

> *Señoras y señores:*
>
> *Distinguido público:*

○ En los escritos oficiales, después de las palabras *ordeno y mando, fallo, certifico, hago saber, declaro, suplica, expone,* etc. (lo que sigue suele empezar, en mayúscula, un párrafo aparte). Téngase en cuenta que aquí los dos puntos pueden ir seguidos de la conjunción *que*:

> *HAGO SABER: Que por orden del señor alcalde, etc.*
>
> *EXPONE: Que ha presentado la documentación, etc.*

○ Antes de la reproducción de una cita literal, que se inicia con mayúscula:

> *Cuando nos encontramos por vez primera me*
> *   comentó: —Te imaginaba con otro aspecto.*
> *Yo le contesté: —¿Mejor o peor?*
>
> *Dijo la zorra al busto*
> *después de olerlo:*
> *"Tu cabeza es hermosa,*
> *pero sin seso".*

○ A continuación de las expresiones *verbigracia, a saber, por ejemplo,* etc. En estos casos los dos puntos dan al texto mayor intensidad expresiva que la coma:

> *Hay varias cosas que no soporto; por ejemplo: la mala*
> *   educación y la falta de respeto a los demás.*

○ Para presentar una enumeración explicativa:

> *Es un alumno modélico: tiene inteligencia,*
> *   estudia y no da la lata a los profesores.*

> *La tesis se dividía en varios apartados:*
> *introducción, estudio de la vida y de la obra*
> *del autor, conclusiones e índice.*

> *Como Tigre Juan era epítome de habilidades y cen-*
> *tón de conocimientos, acudían a su puesto gentes*
> *de las más heterogéneas e inesperadas: estudian-*
> *tes, a empeñar libros a principios de curso y a com-*
> *prarlos en vísperas de examen; señoras grávidas en*
> *busca de nodriza; criadas de servir a que les escri-*
> *biesen un mensaje para el cortejo ausente.*
>
> (Ramón Pérez de Ayala, *Tigre Juan*)

○ Para cerrar una enumeración y precisar lo que ella representa:

> *Generoso, desenvuelto y siempre alegre:*
> *así era él.*

> *Salud, dinero y amor: ahí están las metas*
> *de todos nosotros.*

En estos casos, como en los del apartado anterior, la palabra que sigue a los dos puntos debe ir en minúscula, excepto cuando se trata de una enumeración compuesta por varias oraciones independientes:

> *Me gustaría que me aclararas lo siguiente:*
> *¿Dónde habéis estado durante todos estos años?*
> *¿Qué ocurrió con el dinero que os llevasteis?*
> *¿Venís para quedaros?*

○ Cuando a una o varias oraciones sigue otra que es consecuencia, resumen o causa de lo que antecede:

> *Siempre me dice lo mismo: que estudie.*

> *Pocas cosas son tan perjudiciales como el juego:*
> *por él muchas personas se han arruinado; por*
> *él, se pierde la vergüenza y la estimación de*
> *los demás.*

Al brillar un relámpago nacemos,
y aún dura su fulgor cuando morimos:
¡tan corto es el vivir!

(G. A. Bécquer)

Obsérvese que en el segundo ejemplo los dos puntos podrían sustituirse por una conjunción causal: ***ya que, porque***.

Recuérdese que los dos puntos no pueden ir precedidos por la conjunción *que*. Son incorrectas construcciones como esta:

Entonces él dijo que: "Sería conveniente que nos reuniéramos".

 ► Los puntos suspensivos

Los **puntos suspensivos** (siempre tres y juntos: ...) se emplean para indicar que una idea se interrumpe o para provocar una reacción emocional en el lector. Nunca debe abusarse de ellos. Pueden ir seguidos de la coma, del punto y coma o de los dos puntos (para su colocación hay que seguir las normas generales sobre cada uno de estos signos, independientemente de los puntos suspensivos que anteceden).

Debe tenerse en cuenta que los puntos suspensivos van después de los signos de interrogación y de admiración, excepto cuando no se termina una palabra o la oración no tiene sentido completo:

¡Qué barbaridad!...
¡Óyeme bien, hijo de p...! Aquí nadie se ríe de mí.
¡Cuantas veces habré de decirte...!

Se utilizan, generalmente, en los siguientes casos:

○ Cuando al escritor le interesa dejar la oración incompleta
y el sentido suspenso:

> *Debería contárselo a usted... Pero no...,*
> *es preferible no decir nada.*

> *Toco las palmas... El eco... ¡Manuel!... Nadie... De*
> *pronto, un rápido rumor grande y redondo... El*
> *corazón late con un presentimiento de todo su*
> *tamaño. Me escondo, con Platero, en la higuera*
> *vieja...*

> (Juan Ramón Jiménez, *Platero y yo*)

○ Cuando se quiere dejar una frase incompleta, pero con un
sentido que el lector se ve obligado a imaginar o, por su
conocimiento de lo que se omite, a completar:

> *Ahora está hecho una ruina. ¡Pero si lo hubieras*
> *visto de joven!...*

> *Como dice el refrán: "Quien a buen árbol se arrima..."*

> *—Mujer, es lógico que los chicos pregunten. Por*
> *primera vez en su vida se encuentran ante una*
> *persona desnuda. No hay por qué hacer aspa-*
> *vientos.*
> *—¡Yo no hago aspavientos! ¿Es que te parece*
> *bien que mis hijos...?*
> *—Dora, por otra parte, no han sido sólo nuestros*
> *hijos. Y mira, Dorita no está allí. ¿Qué quieres*
> *que se le haga? A su edad...*

> (J. García Hortelano, *Tormenta de verano*)

○ Si el hablante interrumpe su discurso o habla de forma
intermitente:

> *No sé..., es posible que tengas razón..., estoy*
> *desorientado.*

○ Para indicar que una enumeración podría continuar. En este caso equivale a *etcétera*:

> *Allí podrás encontrar de todo: libros, discos, revistas...*

○ Cuando en una cláusula de completo sentido gramatical se hace una pequeña pausa, ya sea debida al temor, a la inseguridad o a la duda del que se expresa. Lo mismo ocurre cuando el hablante desea sorprender al lector con una salida inesperada (irónica, jocosa, inquietante, etc.):

> *¿Le diré que no le han dado la plaza?...*
> *No sé si me atreveré.*
>
> *Me gustaría intentarlo... Pero no me siento con*
> *fuerzas.*
>
> *Díselo tú..., será mejor.*
>
> *Yo en los hombres exijo muchas cosas. Me gusta*
> *que sean guapos, altos, que tengan salud,*
> *talento, gracia y... dinero.*
>
> *Inundaron la ciudad con carteles de propaganda*
> *del libro, hicieron numerosas presentaciones,*
> *y se vendieron... cien ejemplares.*

○ En narrativa, cuando inician un diálogo interrumpido, deben ir junto al guión y separados por un espacio del texto que sigue:

> *—... pero aunque no lo creáis —insistió Antonio—,*
> *volveremos a intentarlo.*

Se emplean también tres puntos, que no son propiamente suspensivos, para señalar que en un texto que se transcribe literalmente se ha suprimido algo. En este caso deben ir entre paréntesis o, mejor, entre corchetes —(...) [...]—, con un espacio antes y otro después.

La interrogación y la admiración

Los signos de interrogación (¿ ?) y de admiración (¡ !) se colocan siempre al comienzo (¿ o ¡) y al final (? o !) de la oración que deba llevarlos. No se escribe punto después de los signos de cierre:

> *¿Te veré esta tarde?*
>
> *¡Era lo último que hubiera esperado!*
>
> *Las guías gastronómicas son rutinarias y en la sección de esta ciudad no consta la paella valenciana. ¿Paella valenciana en un clima frío y brumoso? ¡Tan lejos del sol y de los sabores del Mediterráneo!*
>
> (Antonio Pereira, *Las ciudades del Poniente*)

No debe imitarse a los escritores que, por influencia de algunas lenguas extranjeras en las que sólo se usa el signo de cierre, suprimen el signo de apertura. También debe evitarse el empleo de más de un signo de admiración seguido, algo no del todo extraño en obras literarias:

> *Nuño.- ¡¡Cielos!!*
> *Magdalena.-¡¡Qué horror!!*
> *Pero.-¡¡Magdalena!! ¡¡Yo te maldigo!!*
> *Alfonso.- ¡¡Qué espanto!!*
> *Magdalena.-¡¡Don Pero!!*
> *Nuño.-¡¡Atrás, miserable!!*

> (Pedro Muñoz Seca,
> *La venganza de don Mendo*)

○ Si las oraciones con interrogación o admiración son varias, breves y seguidas, sólo irá encabezada por letra mayúscula la primera:

> *¿Qué piensa?, ¿qué dice?, ¿qué se propone?*
> *¡Cuánto engaño!, ¡cuánta hipocresía!*

En estos casos, las distintas oraciones van separadas por comas (también podría emplearse el punto y coma). Si no, todas ellas habrían de comenzar con letra mayúscula.

Lo escrito después de la interrogación o de la admiración, cuando es complemento de lo que antecede, deberá empezar con letra minúscula:

> *¿Por qué me tratáis así?, preguntó el reo.*
>
> *¡A las armas!, gritaron todos.*

○ Estos signos se colocarán sólo donde empiece y termine la pregunta o la exclamación, aunque sea en el centro del período:

> *Camarero, ¿puede traerme un café?*
>
> *¡No! Me niego a aceptar eso.*
>
> *Si estás a disgusto, ¿por qué te quedas?*

Según el *Esbozo* de la Academia, si la oración es interrogativa y exclamativa a la vez, puede ponerse el signo de interrogación al principio y el de exclamación al final, o viceversa:

> *¿Qué persecución es esta, Dios mío!*

○ Los signos de exclamación sirven de marco a las interjecciones o a las frases interjectivas:

> *¡Oh! ¡Eh! ¡Ay! ¡Caramba! ¡Qué barbaridad!*

A veces, para indicar sorpresa, duda, asombro o incredulidad ante un hecho absurdo o ante un error se usa un signo de admiración o de interrogación, siempre de cierre, entre paréntesis: (!), (?):

> *Aseguraba que había estado con extraterrestres (!).*
>
> *Ella siempre hablaba de su relación (?) con desaparecidos.*

 El paréntesis

El paréntesis se usa en los siguientes casos:

○ Cuando se interrumpe el discurso con elementos aclaratorios o incidentales, por lo general más independientes de lo que antecede y sigue que los elementos que enmarcan la coma y la raya. Sin embargo, las fronteras con esta última no siempre están trazadas con nitidez para el que escribe:

> *Ayer me encontré con un antiguo compañero (Alberto creo que se llamaba).*

> *María viene con frecuencia a casa (es como de la familia), y nosotros vamos a la suya.*

> *Cuando ellos vienen (afortunadamente no lo hacen con mucha frecuencia) toda la casa se alborota.*

> *Era un pueblo caliente y soleado, bastante rico en olivos y guarros (con perdón), con las casas pintadas tan blancas, que aún me duele la vista al recordarlas.*

> > (Camilo José Cela,
> > *La familia de Pascual Duarte*)

○ En las obras dramáticas, para señalar lo que los interlocutores dicen aparte y para indicar, en cursiva, las acotaciones del autor. En estos casos el punto final va colocado dentro del paréntesis:

> *JUANA: Óyeme... Tú necesitas una novia. (Pausa. Ignacio comienza a reír levemente.)* ¡Te ríes! *(Risueña.)* ¡Pronto acerté!

> > (Antonio Buero Vallejo,
> > *En la ardiente oscuridad*)

○ Para encerrar noticias y datos aclaratorios: significado de siglas y de abreviaturas, topónimos más asequibles para el lector que los que anteceden, traducciones de frases o de palabras extranjeras, fechas de acontecimientos históricos o de nacimiento y muerte de personajes, número de los capítulos o páginas de un texto, año de publicación de una obra, etc. También cuando, en un texto comercial, se añade a la cantidad en letras la cantidad en números:

> *Antonio Machado (1875-1939) fue uno de los más destacados poetas de este siglo.*
>
> *César dijo: "Alea iacta est" (La suerte está echada).*
>
> *En el libro mencionado (pág. 60) puede encontrarse abundante información sobre esto.*
>
> *Federico García Lorca es autor de* Yerma *(1934) y de* La casa de Bernarda Alba *(1936).*
>
> *La guerra civil española (1936-1939) constituye uno de los hechos más dramáticos de este siglo.*
>
> *El COI (Comité Olímpico Internacional) se reunió ayer.*
>
> *El Comité Olímpico Internacional (COI) se reunió ayer.*
>
> *Entonces tenía una finca en Écija (Sevilla).*
>
> *Le envío veinte mil pesetas (20.000 ptas.).*

○ En las bibliografías pueden emplearse para especificar el lugar y año de edición de una obra y la fecha de publicación del número de una revista:

> César Antonio Molina, *Sobre la inutilidad de la poesía* (Madrid, 1995).
>
> Leonardo Romero Tobar, "Forma y contenido en la novela popular: Ayguals de Izco", en *Prohemio,* II (abril de 1972), págs. 45-90.

○ Cuando un inciso encierra a su vez otro, el primero se indicará con rayas; el segundo, con paréntesis:

> *—Cuando me lo encontré, estaba muy deprimido*
> *(al menos así me lo pareció)—, comentó*
> *Antonio.*

Aunque también puede invertirse el orden cuando el segundo inciso se refiere a un personaje que habla en primera persona:

> *Es humano y es legítimo; y todos nosotros, sin*
> *excluir al propio señor gobernador (aun*
> *reconociendo sus altas preocupaciones e intereses*
> *superiores, voy a permitirme no excluirlo —agregó*
> *con una mirada de reto cordial, que el dignatario*
> *acogió benévolamente—); todos nosotros, digo,*
> *incluso él, afrontamos la expatriación.*
> (Francisco Ayala, *Historia de macacos*)

○ Cuando se cita una obra, el nombre del traductor o prologuista puede ir entre paréntesis:

> Jack London, *Relatos de Los mares del Sur*
> (traducción de Carmen Criado), Madrid,
> Alianza, 1970.

> Aunque esta norma no siempre se respeta, cuando
> el paréntesis termine la cláusula de que depende, el
> punto irá antes del paréntesis de cierre cuando
> el paréntesis de apertura vaya después de punto o
> empiece párrafo. En los demás casos, va después del
> paréntesis.

○ Antes del paréntesis de apertura nunca se pone coma.

○ Se emplea un solo paréntesis (de cierre) para indicar las distintas partes de una relación, ya sea mediante números o letras (éstas deben ir en cursiva aunque el paréntesis sigue en redondo):

a) ...	*b*) ...	*c*) ...	*d*) ...
1) ...	2) ...	3) ...	4) ...

a) ...	1) ...
b) ...	2) ...
c) ...	3) ...
d) ...	4) ...

En el caso de que se usen números, pueden sustituirse los paréntesis por puntos.

> Recuérdese que, con el fin de que no se pierda el hilo general de lo que se está diciendo, el texto entre paréntesis debe leerse en un tono más bajo que el normal.

Las comillas

Las comillas, que pueden ser españolas, angulares o latinas (« ») y voladas o inglesas (" "), deben emplearse en los siguientes casos:

○ Para enmarcar una cita reproducida textualmente:

> *Entonces dijo: «Eso es lo que siempre había querido».*

○ En las obras narrativas para reproducir los pensamientos de los personajes:

> *«No fue allí donde nos encontramos», recordó Antonio.*

Cuando se trata de diálogos cortos y sueltos pueden emplearse las comillas o la raya:

> *Entonces él dijo: «Esto es inaguantable», y se fue.*
>
> *Entonces él dijo: —Esto es inaguantable—, y se fue.*

Téngase en cuenta que cuando se reproduce una cita en estilo directo no puede emplearse **que**.

○ En los apodos, sobrenombres y alias que acompañan a un nombre propio (si van solos, se suprimen las comillas):

> *Miguel Báez, «Litri».*
>
> *Manuel Benítez, «El Cordobés».*

○ En los neologismos, vulgarismos, barbarismos y términos extranjeros o en palabras usadas en un sentido diferente al que les corresponde, con el fin de indicar que se han seleccionado intencionadamente y no por error:

> *Mi hermano es un «scout».*
>
> *En este sitio hay un ambiente «guay».*
>
> *La «movida» madrileña de los años ochenta se ha valorado excesivamente.*
>
> *Todavía conservaba un «seiscientos».*

Debe tenerse en cuenta que, en estos casos, la cursiva sustituye muchas veces a las comillas:

> Intentaré, ahora, una crónica social madrileña. Crónica social quería decir, entonces, lo opuesto de hoy. Hacía referencia al llamado "gran mundo", el *beau monde* francés, el *high life* de los ingleses. Es decir, lo social no tenía un carácter socialista sino todo lo contrario.
>
> (Juan Gil-Albert, *Crónica general*)

○ Cuando una palabra se utiliza de forma irónica:

> *Le dio cinco pesetas. Ya sabes que es muy*
> *«generoso».*

○ El punto se pone delante de las comillas de cierre cuando la frase entrecomillada empieza el párrafo o sigue a otro punto. En caso contrario, va después.

En las frases entrecomilladas, la coma, los dos puntos y el punto y coma se pondrán, cuando corresponda, después de las comillas de cierre:

> *«Me gustaría ayudarle»*, *le dijo.*

Los signos de admiración y de interrogación van siempre dentro de las comillas si abarcan la palabra o frase entrecomillada en su totalidad. Si no, donde corresponda:

> *«¡Quítese de ahí!»*, *le ordenó.*
>
> *¿Quién me iba a decir que aquel «desgraciado»*
> *me traicionaría?*

○ Cuando se reproduce el título de obras de arte, películas, canciones, conferencias, prólogos, charlas, secciones de un periódico, ponencias, seminarios, exposiciones, poemas, relatos breves y artículos incluidos en periódicos, revistas o libros:

> *En la antología se recoge el famoso poema de*
> *Rubén Darío «Divagación».*
>
> *El artículo creo que se titulaba «El poder de la mente».*
>
> *Dio un curso titulado «La novela española*
> *del siglo xx».*
>
> *La exposición «Pintura realista española» puede*
> *verse en el Museo Reina Sofía.*

También para destacar los títulos de obras literarias, científicas y técnicas y de periódicos, revistas, folletos y fascículos. En estos casos, sin embargo, las comillas suelen sustituirse en los libros impresos por la cursiva (en la escritura, por el subrayado).

○ Cuando el texto reproducido continúe a lo largo de varios párrafos separados por punto y aparte pueden emplearse comillas de cierre al comienzo de cada uno de ellos.

○ Suelen ponerse también con nombres de barcos, aviones y cohetes espaciales:

El buque «Cristóbal Colón» partió ayer de Cádiz.

Cuando una frase entrecomillada encierra una palabra o un período que requiere comillas, conviene utilizar las comillas inglesas o las simples (' '):

Entonces se levantó y dijo:
«Para mí 'Las Meninas' es el mejor cuadro del mundo».

«Me di cuenta de que esto era el principio del Barrio Chino. "El brillo del diablo", del que me había hablado Angustias, aparecía empobrecido y chillón en una gran abundancia de carteles de retratos de bailarinas y bailaores».

(Carmen Laforet, *Nada*)

Las comillas simples sirven también para indicar que una palabra está usada en su valor conceptual o como definición de otra:

No debe confundirse 'espiar' con 'expiar'.

○ No es necesario emplear comillas para enmarcar nombres de congresos, de grupos musicales, de marcas comerciales (de coches, bebidas, armas, etc.), de nombres oficiales de empresas, instituciones y establecimientos comerciales, de formaciones políticas, de competiciones deportivas, ni con nombres de calles, plazas y edificios.

 La raya

La **raya**, también denominada **menos**, **guión mayor** y **guión largo**, tiene mayor extensión que el guión con el que se dividen las palabras.

Debe utilizarse en los siguientes casos:

○ En los diálogos, para separar cada uno de los parlamentos de los interlocutores. Aquí sólo se usa una sola raya al principio:

> —Ya no aspiro a la buena vida, Nina —declaró casi llorando la señora—: sólo aspiro al descanso.
> —¿Quién piensa en la muerte? Eso no: yo me encuentro muy a gusto en este mundo fandanguero, y hasta le tengo ley a los trabajillos que paso.
> (Benito Pérez Galdós, *Misericordia*)

Aunque no es muy corriente, a veces se sustituyen las rayas por comillas:

> El Rabino Chico se llegó donde don Zósimo, el Curón, y le dijo: «¿No es la cruz la señal del cristiano, señor cura?» «Así es —respondió el Curón». Y agregó el Rabino Chico: «¿Y no dijo Cristo: Amaos los unos a los otros?». «Así es» —respondió el Curón. El Rabino Chico cabeceó levemente. Dijo: «Entonces, ¿por qué ese hombre de la cruz ha matado a mi padre?».
> (Miguel Delibes, *Las ratas*)

También se emplea en las aclaraciones o incisos con los que se interrumpe un período. Dichos incisos, por el sentido, están más desligados de lo que antecede y sigue que los que están separados por comas:

> Los celtíberos —no siempre habían de ser
> juguetes de Roma— ocasionaron la muerte
> de los Escipiones.

> Aseguraba, sin embargo —y a los espectadores
> agrupados alrededor de ambos jerarcas se les
> reían los ojos—, aseguraba muy serio —y algu-
> nos querían reventar de risa—, que no; que las
> ventajas del trato fueron recíprocas, lo reco-
> nocía.

> (Francisco Ayala, *Historia de macacos*)

Téngase en cuenta que la coma, si ha de ponerse, va después del inciso:

> —Creo que, ante lo dicho —puntualizó Ana—,
> lo mejor es retirarse.

Si la aclaración va colocada antes de punto final sólo se emplea una raya. Aunque muchos autores omiten la segunda, deben ponerse las dos, para evitar confusiones, cuando se emplea punto y seguido:

> —Creo que no podré soportarlo —confesó.

> —Vuelve —dijo ella—. Quiero que hablemos
> con calma.

○ Para determinar quien es la persona que se expresa en estilo directo:

> —Mañana salgo de viaje —dijo Antonio—, pero
> procuraré estar de vuelta pronto.

○ Para enmarcar expresiones que dan mayor énfasis a algún aspecto de la narración:

> *Todos deseábamos —¡y cómo!— que aquello acabara bien.*

○ En las bibliografías o en los índices alfabéticos de un libro para indicar la palabra que ha de suplirse en un mismo renglón o para advertir que la obra pertenece al mismo autor o autores que aparecen en la referencia anterior:

> Verbos intransitivos.
>
>   — transitivos.
>
>   — irregulares.
>
> José Luis Cano, *El tema de España en la poesía contemporánea* (Madrid, 1964).
>
>   — *Poesía española contemporánea. Las generaciones de posguerra* (Madrid, 1974).

El guión

El **guión**, de menor extensión que la raya, se emplea:

○ Para separar las sílabas de una misma palabra en dos renglones diferentes.

En dicha división debe respetarse siempre la integridad de las sílabas:

> *re-cuer-do, ten-táis, in-hi-bi-ción,*
> *sub-si-guien-te, san-ti-guáis,*
> *pers-pi-ca-cia, in-no-var, trans-gre-dir.*

Se exceptúan las partes de una palabra que, después de la división, tienen sentido. La primera sílaba de *nosotros*, *desamparo*, *desaparecer* puede separarse de forma tradicional(*no-sotros*, *de-samparo*, *de-saparecer*), pero también así: *nos-otros*, *des-amparo*, *des-aparecer*.

Téngase en cuenta que no debe aislarse la vocal inicial o final de una palabra:

> *a-éreo; tore-o; recibí-a, o-veja.*

En el caso de palabras compuestas, la consonante **rr** se reduce a **r** al comienzo de un renglón:

> *contrarreforma> contra-reforma;*
> *corresponder> co-responder.*

En los demás casos se siguen las normas mencionadas (ca-rreta, pe-rro).

Hay que evitar al final o al comienzo de renglón una parte malsonante de la palabra dividida:

> *espectá-culo; pedo-filia; sa-cerdote.*

El guión se emplea también para enlazar los compuestos de nueva creación en los que entran dos adjetivos (el primero conserva invariable la terminación masculina singular; el segundo concuerda en género y número con el nombre correspondiente):

> *tratado teórico-práctico; lección teórico-práctica;*
> *cuerpos técnico-administrativos.*

○ Cuando los gentilicios de dos pueblos o territorios forman un compuesto aplicable a una tercera entidad geográfica o política en la que se han fundido los caracteres de ambos pueblos o territorios, dicho compuesto se escribirá sin separación de sus elementos:

> *hispanoamericano, afroasiático.*

También cuando la fusión se produce con términos que hacen referencia al campo de la cultura, de la política, de la economía, de la medicina, de la moral, de la geografía, del sexo, etc.:

> *grecolatino, judeocristiano, sadomasoquismo, cardiovascular, psicosomático, narcotraficante.*

Cuando no hay fusión, sino oposición o contraste entre los elementos componentes, se unirán estos con guión:

> *franco-prusiano, árabe-israelí, germano-soviético, italo-española.*

Se usa, además, para separar fechas y cifras y para denominar los modelos y las marcas de algunos productos, siempre que se empleen sus siglas o su letra inicial:

> *1994-1995; 13-V-1985; págs. 16-30; 23-f (23 de febrero); R-19 (modelo Renault 19).*

○ Debe respetarse en los nombres franceses que lo llevan:

> *Jean-Paul; Saint-Germain-des-Prés.*

○ No se emplea después de los prefijos **anti, auto**, **co**, **contra, infra, bio, inter, intra, neo, pan, pluri, pos, pre, pro, semi, sub, super** o **vice**:

> *antibalas, autoestima, infrarrojo, intercontinental, coedición, intramuscular, neocolonialismo, posgraduado, progubernamental, semidesnatado, superventas, vicepresidente, contraluz, etc.*

Aunque a veces se pone, tampoco es necesario después del adverbio **no** en "la no violencia", "la no intervención" y en otras expresiones parecidas.

Otros signos ortográficos

La diéresis (¨)

☞ Se usa para indicar que ha de pronunciarse la **u** en las combinaciones **gue**, **gui**: *pingüino, vergüenza, argüir, lingüística, halagüeño, cigüeña.*

En poesía se emplea para deshacer un diptongo, con lo que la palabra tiene una sílaba más. El verso de Garcilaso de la Vega "No las francesas armas odïosas" tendría sólo diez sílabas sin la diéresis.

Barra (/)

Se utiliza:

☞ Para separar los versos que se reproducen seguidos (si se trata de estrofas se emplean dos barras):

> "*Coged de vuestra alegre primavera | el dulce fruto, antes que el tiempo airado | cubra de nieve la hermosa cumbre. || Marchitará la rosa el viento helado, | todo lo mudará la edad ligera | por no hacer mudanza en su costumbre*".
>
> (Garcilaso de la Vega)

☞ En los quebrados y en algunos símbolos técnicos con el significado de **por** (km/h).

Corchetes ([ ])

Se emplean únicamente:

☞ Para encerrar, como hemos visto, puntos suspensivos con los que se indica que algo se omite en un texto que se reproduce literalmente.

☞ Para enmarcar un dato o una aclaración en una frase que va entre paréntesis.

☞ En textos o citas de otros autores, para introducir comentarios o aclaraciones o para llamar la atención, mediante [sic], sobre un error o una afirmación sorprendente.

Asterisco (*)

☞ Es una estrellita que se pone, sencilla, doble o triple, en ciertas palabras de un texto, como llamada a una nota que en el margen o al pie de la plana va encabezada con el mismo signo. Para igual fin se emplean también letras, números, etc.

Apóstrofo (')

☞ Solía emplearse antiguamente, sobre todo en poesía, colocado a la mayor altura de los palos de las letras, con el fin de indicar la omisión o elisión de una vocal: *d'aquel*; *l'aspereza*.

☞ Por influencia del inglés se usa a veces para suplir las centenas en las referencias a acontecimientos culturales, deportivos o comerciales: *Expo '92*. Si se desea esta construcción, es preferible suprimir el apóstrofo: *Expo 92*.

Manecilla (☞)

☞ Puesta al margen o en el texto de un escrito, da a entender que lo señalado por ella es particularmente útil o interesante.

Letras mayúsculas

Se escriben con letra inicial mayúscula:

○ Todo nombre propio:

> *Sócrates, Zeus, Antonio, Carmen, Europa, Italia, Sevilla, Guadiana.*

○ Las palabras con que se designa a Dios y a la Virgen:

> *Creador, Redentor, Madre del Salvador.*

○ Los títulos y nombres de dignidad:

> *Sumo Pontífice, Duque de Lerma, Jefe del Estado.*

○ Los títulos y apodos con que se distingue a determinadas personas:

> *el Gran Capitán; los Reyes Católicos; el Libertador.*

La primera palabra de un escrito y la que va después de punto y de un signo de cierre de interrogación (?) o de admiración (!), si no se interpone una coma.

Después de dos puntos se pone minúscula, excepto cuando se trata de la palabra que sigue al encabezamiento de una carta (por lo general, suele empezar en línea aparte) o cuando se reproduce una cita de alguien.

○ La primera palabra de los títulos de obras literarias y artísticas, películas, artículos, revistas, periódicos, etc.:

> *Prosas profanas, El entierro del Conde de Orgaz, La ventana indiscreta, Cruz y Raya, La Vanguardia.*

Los tratamientos, especialmente si están en abreviatura:

*Sr. D. (Señor Don), S.E. (Su Excelencia),
Excmo. Sr. (Excelentísimo Señor)*, etc.

Cuando se escribe con todas las letras, **usted** no debe empezar con mayúscula.

○ Las denominaciones de organismos, instituciones, centros, corporaciones, empresas, sociedades, partidos políticos, asociaciones, tribunales, etc.:

Comunidad Europea, Ministerio de Educación y Ciencia, Universidad Complutense, Facultad de Filosofía y Letras, Junta de Andalucía, Fundación Miró, Tribunal Constitucional, Banco Español de Crédito, Museo de Bellas Artes, Real Academia de la Historia.

○ Los puntos cardinales y los adjetivos que acompañan a un topónimo:

Norte, Sur, Este, Oeste, Corea del Norte, Extremo Oriente, Asia Menor.

○ Los premios, distinciones y condecoraciones y las colecciones literarias o científicas:

Legión de Honor; premios Nobel, Planeta, Adonais, Nadal; Alianza Tres.

○ Los nombres de ciudades y lugares con artículo antepuesto:

El Escorial, El Cairo, La Habana, La Haya.

○ Los edificios, calles, avenidas, paseos, etc., de países extranjeros:

Via Veneto, Central Park, Quinta Avenida, Barrio Latino, Arco del Triunfo.

○ Puede utilizarse la mayúscula o la minúscula en los sustantivos y adjetivos que entren en el título de cualquier obra:

> *Historia de la Literatura Española* o *Historia de la literatura española; Código Civil* o *Código civil.*

○ Las festividades de tipo religioso, institucional, patriótico o popular y los acontecimientos deportivos o culturales importantes:

> *Semana Santa; Primero de Mayo; Año Nuevo; Feria de Abril; Juegos Olímpicos; el Quinto Centenario; Año Internacional de la Mujer.*

También pueden llevar mayúscula inicial:

☛ Las palabras representativas de seres o conceptos que quien escribe desea destacar por veneración, respeto o énfasis: Tú, Ti, Vos, Él, Ella, referidos a Dios o a la Virgen, el Derecho, la Ley, la Psicología, la Geografía, la Historia, etc.

☛ Los nombres de períodos históricos, de hechos relevantes y de movimientos religiosos, políticos o culturales consagrados por el uso:

> *la Antigüedad, la Edad Media, el Siglo de Oro, la Reforma, el Renacimiento, el Siglo de las Luces, la Semana trágica, la Segunda República, el Telón de Acero, el Nuevo Periodismo,* etc.

○ Si no forman parte de un título, deben escribirse con minúscula los nombres de los días de la semana, de los meses y de las estaciones del año y de las notas musicales.

○ Los poetas modernos suelen encabezar sus versos con minúscula (salvo cuando las normas generales exigen lo
contrario). Sin embargo, algunos de ellos, como Jorge
Guillén y Luis Cernuda, siempre emplean la mayúscula.

○ En las palabras que empiezan por *ch* y *ll* sólo va con mayúscula la C o la L iniciales, si les corresponde: *Ch*, *Ll*.

○ Se recuerda que es obligatorio el uso del acento en las vocales en mayúscula que, según las normas expuestas, deben llevarlo:

África, COLÓN, Ávila, SÁNCHEZ.

Letras de ortografía dudosa

 B-V-W

La **b** y la **v** se pronuncian igual en español. Es incorrecto dar a la **v** el tratamiento de labiodental.

Sin embargo, muchos vocablos cambian de significado según se escriban con **b** o con **v**:

baca (de los coches)	**vaca** (animal)
bacante (referido a Baco)	**vacante** (que no está ocupado)
bacilo (microbio)	**vacilo** (de vacilar)
balido (de balar)	**valido** (favorito)
barón (título nobiliario)	**varón** (hombre)
basto (rudo; plural: palo de la baraja)	**vasto** (extenso)
bello (hermoso)	**vello** (pelo)
bota (calzado)	**vota** (de votar)
cabila (tribu)	**cavila** (de cavilar)
rebelar (sublevarse)	**revelar** (explicar algo oculto)
sabia (mujer de amplios conocimientos)	**savia** (jugo de las plantas)
tubo (pieza hueca)	**tuvo** (del verbo tener)

Se escriben con B:

○ Los infinitivos terminados en *-bir*, *-buir*, *-aber* y *-eber* y todas las formas de estos verbos: *escribir*, *atribuir*, *saber*, *deber*. Se exceptúan *hervir*, *vivir*, *servir*, *precaver*, *atrever(se)* y *entrever*.

○ Las terminaciones de los pretéritos imperfectos de indicativo (*-ba*, *-bas*, *-bamos*, *-bais*, *-ban*) correspondientes a los verbos de la primera conjugación:

> *amaba, cantabas, andábamos, rodabais, esperaban.*

○ El pretérito imperfecto de indicativo del verbo *ir*:

> *iba, ibas,* etc.

○ Los vocablos que principian con *bibl-*, *bu-*, *bur-*, *bus-*, *bea-*, *abo-*, *abu-*:

> *bula, burla, buscar, biblioteca, beato, abogado, abusar.*

> Se exceptúan: *Vuecencia* y las formas *vea, veas,* etc., del verbo *ver.*

○ Las palabras que empiezan por *al-* y *ar-*:

> *alba, alcoba, arbusto, árbitro.*

> Se exceptúan: *Álvaro, alveolo, altivo, altivez, altavoz.*

○ Las palabras que empiezan por los prefijos *bi-* (dos), *bien-* y *bene-* (en el sentido de *bueno* o *a favor de*) y por *bon-*, *bor-*, *bog-* y *bot-*:

> *bimestre, bigamia, benevolencia, beneficio, bondad, bordar, bogar, botella.*

> Se exceptúan: *vorágine, voracidad* y *voto.*

○ Las palabras que empiezan por **baj-**, **bar-** y **bat-**:

  bajel, barbero, batería.

  Se exceptúan: *vajilla, vara, Vargas, varices, varón* (masculino de hembra), *Vaticano, varicela, Varsovia, vaticinar, varar, vatio* y *vate.*

○ Los vocablos acabados en **-bilidad** y en **-bundo** y **-bunda**:

  habilidad, errabunda, tremebundo.

  Se exceptúan *movilidad y civilidad.*

○ Las palabras que empiezan por **es-**:

  estribillo, esbirro, escabel, escarabajo, escribano, escoba.

  Se exceptúan: *esclavo, esquivar, eslavo, espolvorear, estival* y sus derivados.

○ Las palabras que comienzan por **ca-**, **ce-**, **co-**, **cu-**, **go-**, **gu-**, **ha-**, **he-**, **hi-**, **ja-**, **ju-**, **la-**, **lo-** y **nu-**:

  cábala, caballo, cabeza, cabo, cebada, cebolla, cobarde, gobierno, gubernamental, hábito, hebilla, hibernación, jabalí, júbilo, laberinto, lobo, nube.

  Se exceptúan: *cavar, caverna, caviar, Covadonga, covacha, Java, Javier, juventud, lavar.*

○ Se escribe *b* después de las sílabas **ra-**, **ri-**, **ro-**, **ru-**, **sa-**, **si-**, **so-**, **su-**, **ta-**, **te-**, **ti-**, **to-**, **tu-**, **tre-**, **tri-**, **tur-**, **ur-**:

  rabo, rubí, sábado, soberano, súbito, taberna, tibio, tobillo.

  Existen excepciones como *savia, tuve, soviético* y *rivalidad.*

Se escriben con V:

○ Las palabras que comienzan por **ad**-:

advertencia, adviento.

○ Las que empiezan por **di**-:

diván, divulgar, divisa, divorcio, diverso, divertir, divagar, división.

Se exceptúan: *dibujo, dibujar, dibujante, diabólico y disturbio.*

○ Los vocablos que comienzan por **eva**-, **eve**-, **evi**-, **evo**-, **cal**-, **cer**-, **cla**-, **con**-, **cur**-:

evasión, evitar, evolución, calvo, calvario, cerveza, clavo, convenio, curva, evangelio, eventual, evidente.

Se exceptúan *ébano, ebanista, ebonita, cerbatana.*

○ Los que lo hacen por **jo**-, **le**-, **mal**-, **mo**-, **lla**-, **lle**-, **llo**-, **llu**-:

joven, levantar, malvado, móvil, llave, llevar, llover, lluvia.

Se exceptúa *mobiliario.*

○ Los que comienzan por **na**-, **ne**-, **ni**-, **no**-:

navaja, nevar, nivel, novicia.

Se exceptúan: *nabo, nibelungo, Nabucodonosor, nebulosa, nobiliario, notabilidad.*

○ Las voces llanas terminadas en **-viro**, **-vira**, y las esdrújulas que lo hacen en **-ívora**, **-ívoro**:

Elvira, carnívoro, herbívoro, insectívora.

Como excepción figura *víbora.*

○ Las palabras que empiezan por **pa-**, **par-**, **pre-**, **pri-**, **pro-**, **pol-**:

> *pavoroso, párvulo, prevenir, privado, provincia, polvo. Proverbio* lleva también **v** en primer lugar.

> Se exceptúan: *pabilo, pabellón, pábulo, prebenda, probar.*

○ Las que empiezan por **sal-**, **se-**, **sel-**, **ser-**, **sil-**, **sol-**:

> *salvar, severo, silva, servir, silvestre, solvente.*

> Se exceptúan *Sebastián, sebo, silbar* y sus derivados.

○ Los vocablos terminados en **-ava**, **-ave**, **-avo**, **-eva**, **-eve**, **-evo**, **-iva**, **-ive**, **-ivo**, **-ívora**, **-ívoro**, **-viro**, **-vira**:

> *cava, grave, nueva, breve, medioevo, cautiva, declive, activo, carnívoro, triunviro, Elvira.*

> Se exceptúan *árabe, lavabo, criba, arriba, rabo, cabo* y *víbora.*

○ Los verbos terminados en **-ervar** y **-olver**:

> *conservar, volver.*

> Se exceptúan *desherbar* y *exacerbar.*

○ Se pone también **v** después de las consonantes **b**, **d** y **n**:

> *obvio, subversivo, adverbio, invariable, invento.*

La w

La **w**, llamada *v doble*, se emplea en voces de procedencia extranjera: *Wamba, Wagner, Westfalia*. Se pronuncia como *v*, consonante con la que se han incorporado al español algunas de ellas: *vagón, vals, vatio*. Los vocablos que provienen

del inglés conservan a veces la pronunciación de *u* semicon-
sonante: *Washington.* Lo mismo ocurre con *whisky,* aunque
se haya castellanizado como *güisqui.*

 C y Z

La **c** tiene dos sonidos: uno idéntico al de la **k**, cuando va seguida de *a, o, u,* y otro semejante al de la **z**, cuando va antes
de *e, i: canario, comer, cine, cebolla, relación,* etc.

La z aparece ante las vocales **a, o, u** y al final de sílaba:
caza, rezo, pellizco, vejez, luz.

Se exceptúan las palabras: *zigzag, Ezequiel, Zenón, zipiza-
pe, Zebedeo, elzeviriano, nazismo, nazi, zéjel* y *enzima* (fer-
mento).

> Algunas palabras pueden escribirse con **c** y **z** (la RAE
> recomienda la que va en primer lugar):
>
> | | | | |
> |---|---|---|---|
> | **ácimut** | azimut | **herciano** | hertziano |
> | **ázimo** | ácimo | **zeda, zeta** | ceda, ceta |
> | **cebra** | zebra | **zelandés** | celandés |
> | **cinc** | zinc | **zeugma** | ceugma |
> | **eccema** | eczema | **zigoto** | cigoto |

En zonas del sur de España, en Canarias y en Hispanoamérica se produce el fenómeno denominado **seseo**, consistente en la pronunciación de la **z** y de la **c+e, c+i** como **s**.
De esta forma se unifican en la pronunciación palabras de
contenido diferente: *caza-casa*; *pazo-paso*; *zumo-sumo*; *roza-
rosa.*

Téngase en cuenta que la pronunciación de la **s** no es la
misma en las diferentes zonas del dominio del castellano.

El ***ceceo***, que afecta a Cádiz y a otros lugares de Andalucía (su presencia en Hispanoamérica es reducidísima), tiene lugar cuando la **s** se articula como la **z**. Ahora, *casa, paso, sumo* y *rosa* se equiparan a c*aza, pazo, zumo* y *roza*.

○ Llevan **c**, con el sonido de **z**, los verbos terminados en -***ecer***, y el final de los nombres derivados de verbos terminados en -***ar*** y en -***izar***:

> *enriquecer, engrandecer, amanecer, plantación (de plantar), perturbación (de perturbar), movilización (de movilizar), vocalización (de vocalizar).*

También, con la excepción de *Hortensia* y de algunos términos que derivan del griego (*magnesia, eutanasia, anestesia*, etc.), se escriben con **c** las palabras terminadas en -***ácea***, -***áceo***, -***ancia***, -***encia***, -***acia***, -***cia*** y -***cio***:

> *rosácea, elegancia, paciencia, acacia, vigencia.*

○ Se escribe *c* con el sonido de **k** al final de sílaba, ante **c** y **t**:

> *reducción, perfección, actor, lectura*, etc.

> Se exceptúa *azteca*.

También se emplea *c* ante otras consonantes que no sean *c* y ***t***, en estas palabras:

> *facsímil, anécdota, pirotecnia, estricnina, técnico, arácnido.*

En los demás casos la consonante que aparece es ***g***:

> *enigma, ignorar, benigno*, etc.

○ Se usa, además, la *c* al final de algunas palabras, por lo general de origen extranjero:

> *coñac, zinc, bistec, vivac, frac, tictac*, etc.

Con **k** termina *cok* (aunque es preferible *coque*: combustible).

○ La consonante **c** se duplica en algunos vocablos:

> *accidente, acceder, dirección, occidente, aflicción, traducción,* etc.

En estos casos, la segunda **c**, con la que se empieza una sílaba independiente de la primera (*ac-ción, ac-ce-der*), tiene el sonido de **z**. La primera, aunque equivale a **k**, algunas veces, erróneamente, desaparece en la pronunciación (*dotor, inyeción, restrición*) o se confunde con el sonido de la **z** (*azto, direztor, pazto*). Sin embargo, es correcto y recomendable pronunciar esa **c** con un sonido cercano al de la **g** (*agción, dogtor*). De hecho, la pronunciación demasiado marcada de la **c** como **k** puede resultar afectada.

Llevan una sola **c** estas palabras:

> *afición, atrición, coalición, contrición, dilación, discreción, relación, tradición, concreción, discreción, inflación, objeción, sujeción.*

En cambio, llevan doble **c**:

> *abstracción, accidente, aflicción, infracción, afección, diccionario, satisfacción, sección, sustracción, producción, seleccionar, perfección, calefacción, convicción, corrección, deducción, dicción, dirección, elección, ficción, fracción, fricción, inducción, inyección, reducción.*

Adición (suma) se opone a *adicción* (entrega, adhesión, hábito).

○ La *c* con una coma en su curva inferior (**ç**), letra llamada
   cedilla, se reserva hoy para las reproducciones de textos
   antiguos en que aparece y para palabras extranjeras:

   Eça de Queiroz, Aleçon, Valençay, etc.

 ► D

○ Llevan esta consonante al final las segundas personas
   del plural de todos los imperativos:

   mandad, comed, id.

   Aunque delante de *l*, *m* y *n* se escribe normalmente *t,*
   llevan **d**:

   *adlátere, adminículo, administrar, admirar,
   admitir* y *admonición.*

○ En algunas zonas de España el sonido de la **d** en sílaba
   trabada (es decir, al final de dicha sílaba) o cuando termina una palabra sufre diversas alteraciones:

   a) Tiende a omitirse cuando va delante de una pausa:

   verdá, Madrí.

   b) Se transforma en *t*, en especial si los hablantes se
   expresan habitualmente en catalán:

   soledat, calidat.

   c) Tiende a transformarse en *z*:

   Valladoliz, saluz.

   En todos estos casos debe pronunciarse, aunque de
forma más suave y relajada que la **d** en otras posiciones.

kq ▸ K y Q

El sonido **k** se representa gráficamente, como hemos visto, con **c** cuando siguen *a*, *o*, *u* (*cada*, *cómodo*, *cuando*). Ante *e*, *i* toma la forma de **qu** (quiero, queso).

La RAE permite que se escriban con **k** o **q**, aunque se inclina por la palabra que va en primer lugar:

kan	*can* (*entre los tártaros, príncipe o jefe*)
curdo	*kurdo* (*natural del Curdistán*)
quermes	*kermes* (*insecto parecido a la cochinilla*)
kermés	*quermés* (*fiesta popular, al aire libre*)
quif	*kif* (*hachís, un estupefaciente o narcótico*)
kilo	*quilo*
kilogramo	*quilogramo*
kilométrico	*quilométrico*
kilómetro	*quilómetro*
quinesiología	*kinesiología* (*conjunto de los procedimientos terapéuticos encaminados a restablecer la normalidad de los movimientos del cuerpo humano*).
kilolitro	*quilolitro*
quiosco	*kiosco*
kirie	*quirie*
quivi	*kiwi* o *kivi* (*fruto comestible*).
vodka	*vodca*
biquini	*bikini*
eusquera	*euskera*

La **k** se mantiene en las siguientes voces: *káiser* (título de algunos emperadores de Alemania), *kantiano* (perteneciente o relativo a Kant o al kantismo), *kárate* (modalidad de lucha japonesa), *kilocaloría* (unidad de energía térmica), *kilovatio* (unidad de potencia equivalente a mil vatios), *krausismo* (sistema filosófico ideado por el alemán Krause), *krausista*, *kremlin* (recinto amurallado de las antiguas ciudades rusas).

 G

La **g** tiene un sonido suave cuando va delante de *a*, *o*, *u*, *gue*, *gui* o de consonante (*ganado, gusano, goma, glotón, guerra*).

En cambio, se confunde con el sonido de la **j** delante de *e*, *i*. A este último caso nos referimos a continuación.

Se escribe **g** delante de **e**, **i**:

○ En las palabras que empiezan por ***geo-***, ***leg-***, ***gest-***, con la excepción de *lejía* y *lejitos*:

> *geografía, geocéntrico, geórgica, legislación,*
> *legible, legendario, gesticular, gesto, gestión.*

○ En las palabras cuyas iniciales sean ***in-***, ***an-***, ***ar-***, ***co-***, ***con-***, ***fla-***, ***lon-***:

> *ingenuo, ingeniar, indulgente, ángel, anginas,*
> *artilugio, argelino, argentino, coger, corregir,*
> *contagio, congelar, congestión, cónyuge,*
> *longitud, flagelar, longevo.*

> Se exceptúan *injerto, injertar, cojera, cojear,*
> *cojinete, cojín, conjetura, conjeturar, lonjista,*
> *lonjear.*

○ En las palabras que terminan en **-gio**, **-gia**, **-gía**, **-gio-so**, **-inge**:

> *arpegio, regio, egregio, refugio, alergia, nostalgia, cirugía, biología, fisiología, orgía, apología, energía, prodigio, prodigioso, contagioso, laringe, demagogia, estrategia, magia.*

> Se exceptúan *bujía, apoplejía, herejía, hemiplejía, paraplejía, monjío, canonjía, bajío, almejía, crujía.*

○ También en las palabras que terminan en **-gélico**, **-génico**, **-genio**, **-genario**, **-géneo**, **-génito**, **-gésico**, **-gesimal**, **-gésimo**, **-gético**, **-giénico**, **-ginal**, **-gíneo**, **-ginoso**, **-gión**, **-gional**, **-gionario**, **-gioso**, **-gírico**, **-giroso**, **-gismo**, **-ogia**, **-ógica**, **-ógico**, **-ígena**, **-ígeno**, **-ígera**, **-ígero**:

> *angélico, ingenio, sexagenario, homogéneo, heterogéneo, pedagógico, primogénito, analgésico, sexagesimal, vigésimo, higiénico, ingente, apologético, marginal, virgíneo, región, regional, legionario, vertiginoso, religioso, panegírico, neologismo, lógica, geológico, oxígeno, indígena.*

> Se exceptúan *paradójico, espejismo* y *salvajismo*, que derivan, respectivamente, de *paradoja, espejo* y *salvaje.*

○ En las palabras que llevan la sílaba **ges** y el grupo **gen**:

> *vigente, gente, ingente, aborigen, margen, gesto, gestor, genealogía, virgen, digestión, indigente, imagen, origen, género, generoso, genuino, ginecólogo, digestión, generar, progenitor.*

> Se exceptúan las palabras *majestad, comején, berenjena, jenízaro, Jenaro, jengibre, Jenofonte* y las que van precedidas de **a** u **o** en el grupo **gen** (*ajenjo, ajeno, enajenar, ojén*).

○ Los verbos cuyo infinitivo termina en **-ger**, **-gir**, **-igerar**:

proteger, infligir, infringir, afligir, dirigir, emerger, ungir, recoger, elegir, rugir, aligerar, regir.

Se exceptúan *tejer, destejer* y *crujir.*

○ En los tiempos de los verbos que llevan **g** en el infinitivo:

corregimos (de corregir), *recogiste* (de recoger), *emergió* (de emerger).

○ En los compuestos y derivados de palabras que llevan esa letra:

agenciarse, prodigioso, gigantesco, regional.

La RAE permite que se escriban con **gn** o **n**, aunque da preferencia a la forma que ponemos en primer lugar:

gnómico   nómico (*se dice de los poetas que escriben o componen sentencias y reglas de moral en pocos versos, y de las poesías de este género*).

gnomo   nomo (*ser fantástico, enano*)

gnosticismo   nosticismo (*doctrina filosófica y religiosa de los primeros siglos de la Iglesia con la que se pretendía tener un conocimiento misterioso de las cosas divinas*).

 ▶ J

Llevan **j** delante de **e**, **i**:`

○ Las palabras que empiezan por **aje-**, **eje-**:

ajedrez, ajeno, ejercicio.

Se exceptúan *agencia, agenda, agenciar, agente, egeno, hegemonía.*

○ Los vocablos terminados en **-aje**, **-eje**, **-jería**, **-jero** y **-jera**:

> *hereje, mensaje, personaje, garaje, homenaje, masaje, paje, traje, coraje, cerrajero, vinajera, linaje, conserjería, relojería.*

> Se exceptúan *cónyuge, auge, compage, hipálage, ambages* (en la expresión *sin ambages*), *ligero, flamígero, belígero* y, por supuesto, los tiempos de los verbos que en el infinitivo llevan **g** en la última sílaba (*protege, cogería, emergería* se escriben con **g** porque proceden de los verbos *proteger, coger* y *emerger*).

○ Los tiempos de los verbos que no tienen **g** ni **j** en el infinitivo:

> *trajera* (de traer), *dijera* (de decir), *introdujera* (de introducir), *condujera* (de conducir), *aduje* (de aducir), *deduje* (de deducir), etc.

○ Las formas de los verbos cuyo infinitivo lleva **j**:

> *cruje* (de crujir), *teje* (de tejer), *injerto* (de injertar), *cojeo* (de cojear), *flojeo* (de flojear), *trabaje* (de trabajar), *deje* (de dejar), *granjee* (de granjear), *baje* (de bajar), *canjee* (de canjear), *lisonjeo* (de lisonjear).

○ Los compuestos y derivados de otras palabras que se escriben con **j**:

> *cajista, rojizo, herejía, cejijunto, ajillo, cajetilla.*

El diccionario de la RAE acepta que se escriban con **g** o **j**, aunque prefiere la forma que va en primer lugar:

gibraltareño	jibraltareño
hégira	héjira
jiennense o **jienense**	giennense (aunque en jiennénse se remite a jaenés)

➤ H

Esta letra, que puede preceder a todas las vocales, no tiene hoy sonido en castellano. La **h** aspirada (es decir, la que se pronuncia como *j* suave), que todavía se conserva en algunas zonas de España y de América, aparece con frecuencia en los poetas clásicos.

Aunque en muchos casos no se pueden dar reglas seguras para su empleo, llevan **h**:

○ Las palabras que empiezan por *ue-*, *ie-*, *ia-*, *ui-*:

> *huella, hueste, huevo, hierático, hiena, hialino, hiato, huidizo, huelga, huérfano, huerta, hueso.*

De ahí que aparezca en algunas formas de los presentes de indicativo, subjuntivo e imperativo del verbo *oler* que empiezan por *ue-*:

> *huelo, hueles, huele, huelen, huela,* etc.

Por el contrario, la pierden los gentilicios *onubense* y *oscense* (habitantes de Huelva y Huesca, respectivamente) y los términos relacionados con *hueco* (oquedad), *huérfano* (orfandad y orfanato), *hueso* (osar u osario, óseo, osamenta, osificarse, etc.) y *huevo* (óvalo, óvulo, ovario, ovíparo, oval, etc.).

Se exceptúan *iatrogénico* y *uebos* (en el sentido de *necesidad, cosa necesaria*).

Tampoco la lleva *ueste* (oeste), que todavía recoge el diccionario de la RAE.

○ Los vocablos que empiezan con los sonidos **idr-**, **iper-**, **ipo-**, **osp-**:

> *hidra, hidrógeno, hipérbole, hipócrita, hipótesis, hospital, hospedaje.*

○ Las palabras que empiezan por **um-**, **olg-**, **ebr-**, **ist-**, **orr-** y **or+m-**, **or+n-**:

> *humedad, humor, humanidad, hebreo, historia, horma, horno, horrible, holgazán, holgura.*

> Se exceptúan: *umbilical, umbral, umbrío, Ebro, ebrancado, ebrio, istmo, ormesí, ornar, ornamentar, ornitología, ornitorrinco* y el nombre propio *Olga*.

○ Las palabras que empiezan por **er+m** o **er+n**:

> *hermano, hermoso, hernia.*

> Se exceptúan: *ermita, ermitaño, ermitorio, ermunio* y *Ernesto*.

○ Las sílabas **za-** y **mo-** seguidas de vocal:

> *zaherir, zahorí, zahúrda, moho, mohíno.* No la llevan *zaino, moabita, moaré* y *Moisés.*

○ Todas las formas de los verbos **hacer**, **haber**, **hallar**, **hablar** y **habitar**.

○ El adverbio **he**:

> *he aquí, he ahí.*

○ Las palabras que comienzan por los prefijos **hecto** (cien), **hemi** (mitad), **helio** (sol), **hepta** (siete), **hexa** (seis), **hetero** (otro, desigual, diferente), **homo** (igual):

> *hectómetro, hemiplejía, heliotropo, heptasílabo, heterogéneo, hexasílabo, homogéneo.*

Téngase en cuenta que otras muchas palabras empiezan por **emi** y **exa**, sin **h**:

> emigrado, eminencia, emisario, emisor, examen,
> exagerar.

○ Las vocales que funcionan como interjecciones:

> ¡ah!, ¡eh!, ¡oh!

También en otras interjecciones:

> ¡hala!, ¡bah!, ¡hola!, ¡huy!, ¡hum!

No la llevan

> ¡ay!, ¡ea!, ¡aúpa!, ¡ojalá!, ¡olé! ¡Uf! puede
> escribirse también con h.

○ Todos los compuestos y derivados de palabras que tengan esta letra.

> Se exceptúan, como hemos visto, los derivados
> de *hueco*, *huérfano*, *hueso* y *huevo* que no
> empiezan con el diptongo **ue**.

○ Con frecuencia se confunden las formas *hecho*, *hecha* (del verbo hacer) y *echo*, *echa* (del verbo echar). También se vacila entre *deshecho* (participio de deshacer) y *desecho* (desperdicio, residuo). El participio *desechado* va siempre sin **h**:

> He hecho todo lo que me pediste. Echa a la basura
> lo que te sobra. Ha desechado materiales que
> podía haber aprovechado para su trabajo.
> Ha echado a perder lo que le pediste.

○ El diccionario de la RAE prefiere *fanega* (medida) a *hanega*.

Palabras que se escriben con h intercalada

Abraham
adherir
adhesivo
ahí
ahijado
ahijar
ahínco
ahíto
ahogar
ahondar
ahora
ahorcar
ahorrar
ahuecar
ahumar
ahuyentar
alcahuete
alcohol
aldehuela
alhaja
alhelí
almohada
anhelar
anhídrido
anhidro
azahar
bahía
bienhechor
bohemio
bohío
buhardilla
búho
buhonero

cacahuete
cohabitar
coherente
cohesión
cohete
cohibir
dehesa
desahogar
desahuciar
deshacer
deshidratar
deshilar
deshilvanar
deshojar
deshora
enhebrar
enhiesto
enhorabuena
enmohecer
exhalar
exhaustivo
exhausto
exhibir
exhortar
exhumar
fehaciente
inhábil
inhabitable
inhalar
inherente
inhibir
inhóspito
inhumar

Jehová
mahometano
malhechor
mohín
mohíno
moho
mohoso
nihilismo
parihuela
prohibir
prohijar
quehacer
rehabilitar
rehacer
rehén
rehogar
rehusar
retahíla
sahumerio
tahona
tahúr
trashumante
truhán
vahído
vaho
vehemencia
vehículo
vihuela
zaherir
zahúrda
zanahoria

Palabras cuyo significado varía con el añadido de una h

a (preposición)
¡ah! y ha (interjección y forma del verbo haber,
          respectivamente).

abría (del verbo abrir)
habría (del verbo haber).

acedera (planta empleada como condimento)
hacedera (fácil de hacer).

ala (apéndice para volar)
¡hala! (interjección).

anega (inunda, ahoga)
hanega o fanega (medida).

aremos (del verbo arar)
haremos (del verbo hacer).

as (carta de la baraja; persona que sobresale en algo)
has (del verbo haber).

asta (cuerno, arma, palo que sostiene una bandera)
hasta (preposición).

atajo (lugar por donde se abrevia un camino)
hatajo o atajo (pequeño grupo de ganado).

ato (del verbo atar)
hato (ropa, porción de ganado).

avía (verbo aviar)
había (verbo haber).

aya (mujer que cuida a niños)
haya (del verbo haber y árbol).

desojar (romper el ojo de un instrumento)
deshojar (quitar las hojas).

e (letra)
¡eh! y he (interjección y foma del verbo haber,
          respectivamente).

errar (no acertar, divagar, vagabundear)
herrar (poner herraduras, marcar con un hierro).

ice, izo (del verbo izar)
hice, hizo (del verbo hacer).

o (conjunción)
¡oh! (interjección).

ojear (mirar con atención, espantar la caza)
hojear (pasar las hojas).

ola (onda que se forma en la superficie de las aguas)
hola (fórmula de saludo).

onda (elevación que se forma al perturbar la superficie
    de un líquido)
honda (femenino de hondo; tira para lanzar piedras).

ora (del verbo orar y conjunción)
hora (unidad de tiempo).

uso (del verbo usar, costumbre)
huso (utensilio para hilar).

yerro (falta, equivocación)
hierro (metal).

Palabras que pueden escribirse con h o sin ella

La RAE acepta los siguientes casos, aunque da preferencia
a los términos que van en primer lugar:

acera	hacera	reprender	reprehender
armonía	harmonía	sabiondo	sabihondo
arpa	harpa	albahaca	albaca
arpía	harpía	alhelí	alelí
arriero	harriero	barahúnda	baraúnda
urraca	hurraca	rehala	reala (*rebaño de ovejas de distintos dueños*)
hogaño	ogaño		
comprensivo	comprehensivo	hierba	yerba
rendija	rehendija	hiedra	yedra

 **I, Ll, Y**

Se emplea la i:

○ Al comienzo de una palabra si va seguida de consonante. También en algunas voces que ofrecen la combinación **hia**, **hie**:

> *hiato, hierro, hiel, hiena, enhiesto.*

La RAE acepta la alternancia *hierba-yerba*, *hiedra-yedra* (sin embargo, es más frecuente emplear *hierba* y *hiedra*). El gerundio del verbo *ir* es *yendo*.

○ Se escribe **i** al final de palabra si va acentuada:

> *viví, hurí, benjuí, leí, allí.*

Se emplea la y:

○ Cuando es la conjunción **y**:

> *Pedro y Juan; tú y yo.*

○ Al final de palabra si no recae sobre ella el acento:

> *¡ay!, buey, rey, convoy, muy.*

○ En las voces que comienzan por **yer-** o que contienen la sílaba **yec**:

> *yerto, yermo, trayecto, inyectar.*

○ En los tiempos de los verbos que tienen ese sonido:

> *cayó, huyó, yerro, haya, oyó, poseyó.*
>
> Obsérvese que el infinitivo no lleva **ll** ni **y**:
> *caer, huir, errar, haber, oír, poseer.*

○ Después de los prefijos *ad*, *dis* y *sub*:

   adyacente, disyuntiva, subyugar.

Se emplea ll:

○ En las palabras que comienzan por *lla*, *lle*, *llo*, *llu*, *fa*, *fo*, *fu* y en las terminadas en *illo*, *illa*:

   llegar, llorar, llevar, lluvia, falla, folleto, cuchillo, molinillo.

   Se exceptúan: *yacer, yambo, yarda, yate, yegua, yodo* y *yuca.*

La ll y la y pueden determinar el cambio semántico de una palabra:

pollo-poyo	valla-vaya
olla-hoya	huya-hulla
callado-cayado	haya (verbo haber)-
pulla-puya	halla (verbo hallar)

○ Cuando en la pronunciación se confunde la **ll** con la **y** tenemos el fenómeno denominado *yeísmo.*

► M y N

○ Se escribe siempre **m** delante de *b* y de *p*:

   impulso, imbécil, lámpara, hombre, templo.

   Se exceptúan algunos nombres extranjeros, como *Hartzenbusch* y *Gutenberg.*

○ **N** se usa siempre que sigue *v*:

   enviar, invicto.

○ Se escribe **m** delante de las sílabas *na*, *ne*, *ni*, *no*:

> *solemne, indemnizar, insomnio, gimnasia, omnipotente, alumno.*

> Se exceptúan la palabra *perenne* y los compuestos de los prefijos **en**, **in**, **circun**, **con**, **sin**: *ennoblecer, innovar, connivencia, connatural, ennoblecer, sinnúmero, innegable, innecesario, circunnavegación.*

○ El prefijo ***in-*** se convierte en ***im-*** delante de **b** y **p**:

> *imborrable, imposible.*

> Se cambia en **ir** cuando precede a una palabra que empieza por **r** (*irremediable*) y se transforma en **i** delante de **l** (*ilegal*).

○ La **m** nunca se duplica en castellano. Sólo la llevan doble el adjetivo *commelináceo*, las letras griegas *gamma* y *digamma* y los nombres propios *Emma, Mariemma* y *Emmanuel.*

○ Llevan **m** final los latinismos y algunas palabras procedentes de otras lenguas:

> *álbum, ídem, tedéum, ultimátum, memorándum, Abraham, tótem, mare mágnum.*

La RAE admite las formas *harén* (más recomendada) y *harem.*

○ En ciertas palabras la **m** es letra inicial que precede inmediatamente a la **n**:

> *mnemónica, mnemotecnia, mnemotécnico.*

La RAE prefiere estas formas a las de grafía simplificada:

> *nemónica, nemotecnia* y *nemotécnico.*

► P

En el caso de **ps** inicial, se admite la alternancia **ps-s**, aunque en la pronunciación se omite normalmente la **p**, en las siguientes palabras (la RAE prefiere la que ponemos en primer lugar):

psicoanálisis	sicoanálisis	**psicopatía**	sicopatía
psicología	sicología	**psicosis**	sicosis
psicológico	sicológico	**psicoterapia**	sicoterapia
psicólogo	sicólogo	**psiquiatría**	siquiatría
psicópata	sicópata	**psíquico**	síquico

○ La RAE recomienda escribir sin **p** las palabras que empiezan por ***pseudo***.

De hecho, en el diccionario de esta institución sólo figura *pseudología*.

○ En las sílabas que terminan con **p**, la RAE admite *sétimo* y *setiembre*, aunque prefiere *séptimo* y *septiembre*. En los demás casos es obligatorio su mantenimiento en la escritura y, aunque a veces se olvida, en la pronunciación:

diptongo, concepto, aceptar, dioptría.

 ► S y X

La pronunciación de la **x** (*ks*, *gs*) se mantiene entre vocales: *examen, exuberante.* Cuando va entre una vocal y una consonante (*extremo, excursión, exposición*) o al principio o final de palabra (*xilografía, xerografía, xenofobia, xilófono, tórax, Félix*) se simplifica frecuentemente en *s*, sin que por ello deba despreciarse la pronunciación completa del grupo consonántico. Debe tenerse en cuenta que la **x** nunca puede ir seguida de **s** ya que engloba a esta última consonante.

Empleo de la x:

○ Delante de las sílabas *pla*, *ple*, *pli*, *plo*, *pre*, *pri*, *pro*:

explanada, explicación, explosión, expresar, expropiar, exprimir.

Se exceptúan *esplendor, esplendidez, espliego, esplenio.*

○ En las palabras que empiezan por *ex+vocal* o *h*:

exabrupto, exhibir, exhortar, exilio, exuberante, exhalar, exhaustivo, exhausto, exhortar, exiguo, éxito, exorbitante, exaltar, exasperar, exótico.

Se exceptúan *esófago, esencia, esencial, esópico, esenio* y los demostrativos *ese, esa, esos, esas, eso.*

○ Aunque la RAE prefiere Méjico y mejicano, pueden escribirse, por razones históricas, México y mexicano. En estos casos el sonido es también el de la consonante velar *j*.

○ De las palabras terminadas en *-ión*, llevan **x**:

conexión, anexión, flexión, genuflexión, complexión, crucifixión, reflexión, inflexión.

En los demás casos se emplea **cc** (*acción, distracción*), **c** (*predicación, revolución*, etc.) o **s** (*explosión, composición*, etc.).

○ Llevan **x** las palabras compuestas por el prefijo latino *extra-*. Otros vocablos que no proceden del latín se escriben con **s**.

Se escribe s:

○ Delante de *b*, *d*, *f*, *g*, *l*, *m* y *q*:

> *esquela, esbelto, esbirro, asfalto, esbozo,
> esqueleto, desbocado, esdrújulo, esfuerzo,
> esgrimir, eslabón, esmero, esquina, esquiar.*

Se exceptúan *exquisito* y *exfoliar.*

○ En las palabras que empiezan por *seg-* y *sig-*:

> *siguiente, seguido, segar, segunda, seguro, siglo,
> signo, significado.*

Se exceptúan *cigala, cigarra, cigarrero, cigarro,
cigoñal* o *cigüeñal, cigüeña, cegato, cegrí,
cegar* (perder la vista).

○ En los nombres derivados de los verbos terminados
en *-der*, *-dir*, *-tir* y *-sar*, excepto cuando conservan
la *d*, la *t* o la sílaba *sa* del verbo:

> *cesión* (ceder), *confusión* (confundir), *expulsión*
> (expulsar).

Pero *repartición* (de repartir), *medición* (de medir)
y *conversación* (de conversar).

○ En los gentilicios terminados en *-ense*:

> *bonaerense, gerundense, onubense,* etc.

La RAE admite las alternancias, aunque prefiere la que
va en primer lugar, entre las voces:

> *mistificar-mixtificar* (engañar, embaucar);
> *mistificación-mixtificación* y *mixtura-
> mistura* (mezcla, juntura o incorporación
> de varias cosas).

Palabras con doble significado, según lleven s o x:

esplique (trampa para cazar pájaros)
explique (del verbo explicar).

espolio o **expolio** (conjunto de bienes que heredaba la Iglesia de algunos clérigos)
expolio o **espolio** (acción de despojar con violencia o con iniquidad).

estático (que permanece en un mismo estado; el que se queda parado de asombro o de emoción)
extático (que está en éxtasis).

estirpe (linaje)
extirpe (del verbo extirpar).

esportada (lo que cabe en una espuerta)
exportada (del verbo exportar).

contesto (del verbo contestar)
contexto (entorno en el cual se considera un hecho).

seso (juicio, cerebro)
sexo (condición orgánica que distingue al macho de la hembra).

testo (del verbo testar)
texto (conjunto de palabras que componen un documento escrito).

esotérico (oculto, reservado)
exotérico (común, accesible para el vulgo, es decir, lo contrario de esotérico).

espiar (acechar, observar disimuladamente)
expiar (borrar las culpas).

espira (cada una de las vueltas de una espiral)
expira (del verbo expirar).

 ► R y RR

La **r** tiene dos sonidos: uno simple y otro múltiple.

○ El simple se representa con una sola **r**:

pera, cacarear, cárcel, amor, placer.

○ El múltiple se representa con **r** doble (**rr**):

barruntar, corral, cerro, carreta.

A principio de palabra y después de las consonantes *l*, *n* y *s* se emplea una sola **r**:

razón, alrededor, enrejar, honrado, posromántico, posrenacentista, Israel.

Lo mismo ocurre después de ***sub-***:

subrogar, subrayar, subreino.

También en las palabras compuestas, si van separadas por un guión:

vice-rector, greco-romano, hispano-romano
(frente a vicerrector, grecorromano e
hispanorromano).

Algunas palabras pueden escribirse con **rr** o **r** (la RAE aconseja las que ponemos en primer lugar):

aturrullar	aturullar
bacará	bacarrá
cimborrio	cimborio
garapiñar	garrapiñar
harapo	harrapo o arrapo

► T

○ Se escribe **t** antes de *l*, *m* y *n*:

> *istmo, atmósfera, atleta, rítmica, etnología, etnografía, aritmética.*

Como excepciones figuran:

> *adlátere, adminículo, administrar, admirar, admitir, admonición.*

○ Algunas palabras, por lo general procedentes de otros idiomas, terminan en **t**:

> *cenit, robot, vermut, mamut, complot, déficit, carnet, azimut.*

II. Morfosintaxis

Los artículos, a los que tradicionalmente se ha dividido en **determinados** o **definidos** (*el*, *la*, *lo*, *los*, *las*) e **indeterminados** o **indefinidos** (*un*, *una*, *unos* y *unas*), son los determinantes o actualizadores que con más frecuencia preceden al sustantivo. *Lo*, que carece de plural y tiene valor neutro, sirve para la sustantivación de adjetivos: *lo bueno*, *lo dulce*, etc.

Otros determinantes, es decir, aquellas palabras que tienen como misión limitar la extensión significativa del nombre, son los **demostrativos**, los **posesivos**, los **numerales**, los **distributivos**, los **indefinidos**, el **interrogativo** y el **exclamativo** (*qué*) y el **relativo** (*cuyo*). A ellos nos referiremos en algunos de los apartados que siguen.

El por La y Un por Una

La sustitución del artículo *la* por *el* se produce delante de un sustantivo femenino que comience por *a-* o *ha-* tónicas: *el agua*, *el acta*, *el águila*, *el hambre*, *el habla*, *el álgebra*, *el África*.

Se exceptúan de esta regla una ciudad, *La Haya*, los nombres propios y los apellidos, cuando se refieren a una mujer, y las letras del alfabeto: *la Águeda*, *la Ana*, *la Álvarez*, *la a*, *la hache*.

También el determinante *una* adopta la forma *un* ante un femenino que empiece por *a-* tónica: *un águila*, *un arpa*, *un ave*. Los mismo ocurre con *veintiún* (*veintiún aves*) y, aunque en la lengua cuidada se mantienen las formas plenas (*alguna* y *ninguna*), con *algún* y *ningún*: *algún arma*; *ningún arma*.

Tanto en el empleo de **el** y de **la** como en el de **un** y de **una** debe tenerse en cuenta lo que sigue:

☞ Los adjetivos que empiezan por **a-** o **ha-** tónicas llevan el artículo en femenino:

   la agria naranja; una árida llanura

☞ Si se intercala una palabra entre el artículo y el sustantivo, hay que servirse del femenino:

   la maravillosa hada; una dulce arpa

☞ El adjetivo pospuesto al sustantivo va en femenino:

   el águila majestuosa; un hacha terrorífica

☞ Con el sustantivo en plural se emplea el femenino:

   las hachas, las águilas; unas arpas

☞ Cuando se hace uso de otras formas gramaticales ante el sustantivo siempre hay que emplear el femenino:

   de esta agua no beberé; otra alma; toda área; poca hambre

☞ Debe recordarse que ante **a** átona hay que poner siempre **la** y **una**:

   la atmósfera; una alcancía

 A y **de** + **el**

La regla que obliga a contraer las preposiciones **de** y **a** y el artículo **el** en **al** y **del** no se cumple cuando el artículo forma parte de un nombre geográfico, del título de una obra literaria o artística o de una firma comercial: *Llegaron a El Escorial*; *Esta cita procede de «El mayorazgo de Labraz»*; *Esta tarde iremos a El Corte Inglés*. Sin embargo, en la pronunciación debe realizarse la contracción. La Academia acepta *Ciudad del Cabo*, aunque aisladamente se escribe *El Cabo*. También, según esta institución, «la escritura parece evitar dos contracciones seguidas: *Los sublevados se apoderaron de el* (palacio) *del duque de Ascoli*».

 ## Uso del artículo con nombres propios geográficos

Se usan sin artículo los nombres propios geográficos referidos a continentes (aunque *Asia* y *África* lo admiten), países, regiones, islas y ciudades: *Madrid, Barcelona, Andalucía, Francia*. Existen algunas excepciones que no siempre se respetan: *el Líbano, la India, el Piamonte, la Mancha, el Yemen, El Cairo, La Habana*, etc. (téngase en cuenta que, cuando se trata de ciudades, el artículo debe ir en mayúscula). En otros casos se producen vacilaciones, aunque con el artículo estos nombres resultan a veces más eufónicos: (el) *Perú*, (el) *Brasil*, (el) *Uruguay*, (el) *Japón*, (la) *Argentina*, (la) *China*, (el) *Canadá*, (el) *Ecuador*, etc.

Con los nombres en plural o compuestos suele emplearse el artículo: *las Landas, el Franco Condado, los Países Bajos, el Reino Unido*. *Estados Unidos*, sin artículo, concuerda en singular con el verbo (*Estados Unidos ha decidido...*); con artículo, en plural (*Los Estados Unidos han decidido...*).

> En los nombres simples es obligatorio el artículo si se añade un adjetivo o un complemento:
>
> *la Italia del siglo XIV; la dulce Francia;*
> *la gran Sevilla; la España actual*

Los nombres de ríos, mares, lagos y montes van acompañados del artículo, ya que llevan implícito el nombre geográfico correspondiente: *el* (río) *Guadalquivir*; *el* (mar) *Cantá-brico*; *los* (montes) *Apeninos*. Los nombres de ríos pierden el artículo cuando siguen a un nombre de pueblo: *Aranda de Duero*, *Miranda de Ebro*, *Alcalá de Henares*, *Belmonte de Tajo*, *San Adrián de Besós*. Como excepciones pueden citarse: *Villanueva del Huerva* y *Páramo del Sil*.

Con los nombres de ciudades se vacila a la hora de adjudicarles un género determinado. Se suele emplear el femenino con las que terminan en –a átona:

> *La Sevilla del siglo pasado; la bella Salamanca; la Atenas de Pericles*

En los demás casos se tiende al masculino:

> *el Bogotá de hoy; el Toledo monumental; el Madrid de los Austrias.*

A pesar de esto, existe una notable flexibilidad en el uso del femenino o del masculino. Es frecuente, por ejemplo, el empleo, con **todo, medio, un, propio** y **mismo**, de este último género con nombres de población que terminan en **a**:

> *todo Málaga*, *el mismo Valencia*, etc.

 ► **El artículo con nombres propios**

En el lenguaje vulgar se emplea a veces el artículo ante el nombre de pila: *la Juana*, *el Antonio*. Este uso se ve favorecido cuando se trata de formas familiares: *la Trini*, *la Conchi*, *el Paco*.

En el habla culta es frecuente su aparición delante de los apellidos de escritoras y artistas: *la Pardo Bazán*, *la Coronado*, *la Caballé*, *la Jurado*.

Los nombres de pila y los apellidos utilizados en sentido genérico, cuando van acompañados de un adjetivo calificativo o de un complemento, llevan artículo: *el divino Garcilaso*; *la dulce Micaela*; *el Picasso de la primera época*. También se coloca ante nombres de persona en plural: *los Velázquez del museo*; *los Austrias*; *visité a los González*; *los Antonios superan aquí con mucho a los Pepes*.

Se emplea el artículo ante el nombre de un autor o editor de un libro que lo lleva por antonomasia (el *Alborg*, en lugar de la *Historia de la literatura española* de Juan Luis Alborg) y ante el nombre propio con el que se designa una obra que lo contiene en el título: el *Quijote*, el *Gil Blas*.

 ## Supresión del artículo

El artículo puede suprimirse en algunos refranes (*Agua pasada no mueve molino*; *A enemigo que huye, puente de plata*), ante sustantivos abstractos (*Tengo calor*; *Eso me produce pánico*), en series de nombres (*Madre e hija se visten de forma parecida*), en el lenguaje publicitario (*Se vende piso*), ante nombres en plural (*Llevaremos abrigos*) y cuando tiene sentido partitivo (*come pan*; *bebe vino*).

> En el complemento que sigue a **la mayoría de, la mayor parte de, la mayor cantidad de, el resto de, la mitad de,** o en otras expresiones semejantes, a veces se omite, erróneamente:
>
> *La mayoría de estudiantes*; *La mayor parte de empleados*, por *La mayoría de los estudiantes*; *La mayor parte de los empleados*
>
> También es obligatorio su uso en frases como ésta:
>
> *A los tres meses de hacerse cargo* (no *a tres meses*)

El artículo resulta redundante en expresiones que tienen sentido sin él: *una media docena*; *un gran número de concursantes*; *un año y medio*. Tampoco hay por qué emplear **un** o **una** delante de un nombre que complementa a otro en aposición: *El doctor López, un profesor de Barcelona, expuso su teoría* (correcto: *El doctor López, profesor de Barcelona...*). Tampoco debe anteponerse a nombres de profesiones, si estos no llevan complementos: *Su madre es una profesora* (sí es correcto: *Su madre es una profesora muy conocida*).

Con frecuencia se abusa del artículo con el infinitivo sustantivado. En lugar de *El comer y el beber en demasía no es bueno*, puede decirse: *Comer y beber...*

El sustantivo

 El género

Sustantivos de género dudoso

Cuando se trata de profesiones, cargos o títulos ostentados por mujeres, debe emplearse el femenino en *a*: *la diputada*, *la sastra*, *la oficiala*, *la letrada*, *la catedrática*, *la académica*, *la arquitecta*, *la ministra*, *la jueza*, etc.

La RAE aún no ha dado carta blanca a *fiscala*, a pesar de su paralelismo con *jueza*. *Peatona* y *huéspeda* existen, pero se usan poco.

Gobernante es masculino; *gobernanta* sólo se emplea con el significado de "encargada de la administración de una casa o institución, o de las personas de servicio que en los hoteles realizan la limpieza".

> Más raro resulta que de un femenino se haya desgajado un masculino. La RAE admite el *modisto*, como masculino de la *modista*, aunque respeta otros vocablos con la terminación **-ista** que designan actividades y profesiones masculinas y femeninas:
>
> *periodista*, *ebanista*, *telefonista*, *pianista*, *electricista*, *dentista*, *oculista*, etc.

El femenino de *poeta* es *poetisa*. Sin embargo, debido a las connotaciones peyorativas de que se ha impregnado esta última forma, muchas de las interesadas prefieren hablar de *la poeta*.

Aunque muchas veces se olvida, son del género femenino: *apócope*, *apófisis*, *apoteosis*, *hambre*, *hemorroide*, *índole*, *parálisis* y *vislumbre*. *Contraluz*, considerada por la Academia como palabra femenina, suele emplearse en masculino. *Color*, *calor* y *puente*, que figuran en numerosas obras literarias precedidas del artículo **la**, se emplean hoy en masculino.

Algunos participios activos que actúan como sustantivos deben ir en femenino, ya que se sobrentiende la palabra "circunstancia": *la atenuante*, *la agravante*, *la eximente*.

El término *antípoda* se emplea generalmente en masculino y en plural (la Academia acepta, como locución adverbial, *en los* o *en las antípodas*).

A *maratón*, aunque es del género masculino, se le antepone con frecuencia el artículo en femenino. *Pus* sólo admite el masculino.

El masculino y el femenino están formados a veces por dos palabras distintas: *yerno-nuera*; *madre-padre*; *carnero-oveja*; *caballo-yegua*; *varón-hembra*; *padrino-madrina*.

Algunos masculinos adoptan una forma especial en el femenino:

> *abad>abadesa; actor>actriz; alcalde>alcaldesa;*
> *barón>baronesa; conde>condesa;*
> *diablo>diabla o diablesa; duque>duquesa;*
> *emperador>emperatriz; guarda>guardesa;*
> *héroe>heroína; instructor>institutriz;*
> *jabalí>jabalina; juglar>juglaresa;*
> *príncipe>princesa; profeta>profetisa;*
> *sacerdote>sacerdotisa; tigre>tigresa;*
> *zar>zarina.*

El femenino de *director*, cuando se emplea como adjetivo, es *directriz* (como sustantivo, el femenino es *directora*, aunque en geometría, y con el sentido de 'norma fundamental', se emplea *directriz*).

Sustantivos comunes

Con el artículo se puede determinar el género de los sustantivos comunes: *el agente-la agente*; *el artista-la artista*; *el ayudante-la ayudante*; *el cantante-la cantante*; *el consorte-la consorte*; *el cónyuge-la cónyuge*; *el escribiente-la escribiente*; *el estudiante-la estudiante*; *el flautista-la flautista*; *el mártir-la mártir*; *el negociante-la negociante*; *el penitente-la penitente*; *el pianista-la pianista*; *el suicida-la suicida*; *el testigo-la testigo*, etc. En el lenguaje familiar, a veces con valor despectivo, se oye *la estudianta, la negocianta*. La palabra *tipa* se usa siempre de forma despectiva. Con *parienta* se refiere, familiarmente, el marido a su mujer.

La Academia, aunque considera que *tránsfuga* es un sustantivo común (*el tránsfuga* y *la tránsfuga*), registra también la forma masculina (*el tránsfuga*, frente a *la tránsfuga*).

También mantienen la misma forma en el masculino y en el femenino, sin que el artículo varíe, los sustantivos llamados epicenos:

*el caracol, la hormiga, la liebre, el mosquito,
la pantera, la pulga, la rata, el ruiseñor*, etc.

Sustantivos ambiguos

Los sustantivos ambiguos (*apóstrofe, armazón, arte, azúcar, cochambre, dote, esperma, herpe* o *herpes, interrogante, linde, mar, pelambre, pringue, reuma* o *reúma, testuz, tilde, tizne*, etc.) admiten, en el singular, el artículo masculino y el femenino, sin que el significado varíe. Sin embargo, en el lenguaje cotidiano, en contraposición a veces al poético, se ha impuesto uno de ellos: *el apóstrofe, la armazón, el arte, el azúcar, la cochambre, la dote, el esperma, el herpe, el interrogante, la linde, el mar, la pelambre, la pringue, el reuma, la testuz, la tilde, la tizne. Arte*, por comenzar con ***a*** acentuada, sólo admite ***el*** (pero se dice *el arte poética* y *el arte románico*). En plural sólo existe, en la práctica, una forma para muchos de estos vocablos: *los armazones, las artes, los azúcares, las dotes, las lindes, los mares, los apóstrofes.*

La palabra **mar**, aunque se emplea normalmente en masculino, exige la forma femenina con determinados adjetivos, en frases hechas y en construcciones ponderativas:

> *alta mar, mar picada, mar rizada, hacerse a la mar, pelillos a la mar, la mar de público, ¡mecachis en la mar!*

Margen se emplea más en femenino cuando significa «extremidad u orilla de una cosa». Con el significado de «espacio que queda en blanco a cada uno de los lados de una página manuscrita o impresa», se prefiere el masculino.

Canal se suele emplear en femenino cuando se refiere a la teja que sirve para formar en los tejados los conductos por donde corre el agua y a la res muerta y abierta, sin las tripas y demás despojos. En los otros casos predomina el masculino.

El sustantivo **orden** es masculino en las siguientes expresiones:

> *el orden del día* (de una reunión); *el orden sacerdotal*; *el orden dórico, el jónico y el corintio*; *el orden público*; *la virtud del orden*.

El femenino aparece en:

> *la orden del día* (consigna que se da en la vida militar); *las sagradas órdenes*; *la orden* que se da para que se cumpla; *la orden franciscana, la orden de los dominicos*, etc.

Homónimos

Existen sustantivos que, siendo iguales por su forma, tienen distinta significación en masculino y en femenino. Así ocurre, entre otros muchos, con:

el **cabeza** (de familia)
la **cabeza** (parte superior del cuerpo)

el **capital** (caudal, patrimonio)
la **capital** (población principal)

el **clave** (instrumento músico de cuerdas y teclado)
la **clave** (código de signos convenidos para la
          transmisión de mensajes secretos o privados)

el **cólera** (enfermedad)
la **cólera** (bilis; ira, enojo, enfado)

el **coma** (la pérdida de la conciencia, la sensibilidad y
          la motricidad)
la **coma** (signo ortográfico)

el **cometa** (astro con una prolongación a modo de
          cola)
la **cometa** (juguete)

el **corte** (de cortar)
la **corte** (séquito, comitiva, acompañamiento)

el **cura** (sacerdote)
la **cura** (de curar)

el **delta** (terreno comprendido entre los brazos de un
          río en su desembocadura)
la **delta** (cuarta letra del alfabeto griego)

el **doblez** (parte que se dobla o pliega de una cosa)
la **doblez** (falsedad, fingimiento, astucia, malicia)

el **editorial** (artículo de fondo no firmado)
la **editorial** (casa editora)

el **frente** (línea de territorio continuo en que combaten
          los ejércitos)
la **frente** (parte superior de la cara)

el **Génesis** (libro del Antiguo Testamento)
la **génesis** (origen o principio de una cosa)

el **haz** (porción atada de mieses, hierbas y leña)
la **haz** (cara o rostro)

el **parte** (comunicación de cualquier clase)
la **parte** (porción indeterminada de un todo)

el **pendiente** (arete)
la **pendiente** (cuesta o declive)

el **trompeta** (el que toca la trompeta)
la **trompeta** (instrumento músico de viento)

 El número

---

Palabras que sólo se emplean en singular o en plural

Algunos sustantivos sólo se emplean en plural. Se trata de
nombres que designan realidades que constan de un conjunto de partes o de acciones: *afueras, albricias, ambages, anales,
andas, añicos, arras, bártulos, comestibles, comicios, cosquillas,
creces, enseres, entendederas, esponsales, exequias, expensas,
fauces, honorarios, maitines, nupcias, pertrechos, posaderas,
veras, vituallas, víveres.*

Lo mismo ocurre con objetos compuestos de dos partes
simétricas: *alicates, antiparras, calzones, esposas, gafas, grillos,
pantalones, pinzas, tenazas, tijeras* (aunque también se dice
alicate, calzón, pantalón, pinza, tenaza, tijera).

Grillos y *esposas* tienen doble significado en plural (la misma que en singular, pero también *grilletes* y *manillas de hierro
con que se sujeta a los presos*, respectivamente).

Presentan la misma forma en singular y en plural:

>   *análisis, atlas, bíceps, caries, clímax, crisis, dosis,*
>   *fórceps, galimatías, jueves, lunes, martes,*
>   *miércoles, tesis, tórax, viernes, virus*

y los compuestos

>   *abrecartas, abrelatas, guardacostas,*
>   *guardaespaldas, guardagujas, extramuros,*
>   *intramuros, lanzacohetes, lanzallamas,*
>   *quitanieves, sacapuntas, tiralíneas.*

Algunos sustantivos sólo se usan en singular: *adolescencia, caos, cariz, cenit, grey, pereza, salud, sed, tez, zodiaco.*

Pueden emplearse en singular y en plural: *macrocosmo-macrocosmos; marcapaso-marcapasos; microcosmo-microcosmos; portalámpara-portalámparas; taparrabo-taparrabos.*

A veces el plural y el singular significan, en determinados contextos, lo mismo: *muralla-murallas; escalera-escaleras; intestino-intestinos; entraña-entrañas; agua-aguas; paz-paces.*

Téngase en cuenta que en singular no llevan **–s** final:

>   *alzacuello, bocaza, cortafuego, guardabosque,*
>   *guardarropa, rapapolvo, rodapié* y *traspié.*

El plural de los apellidos

Cuando un apellido se aplica a los miembros de una familia o a quienes, sin ser parientes, lo comparten, puede emplearse la forma en plural. Sin embargo, es recomendable, para evitar equívocos, el singular: *los Argensola, los Baroja, los Lorca, los Machado, los Madrazo.* Cuando el apellido va precedido de la palabra hermanos, es invariable: *los hermanos Bécquer; los hermanos Machado*.

> Es obligatorio el uso del singular cuando el plural da origen a otro apellido:
>
> > *los Fuente, los Marco* (*Fuentes* y *Marcos* existen también como apellidos).

Se mantiene el plural en nombres históricos muy arraigados y de dinastías y cuando coinciden varias personas con el mismo apellido dentro de un grupo organizado: *los Austrias, los Borbones, los Escipiones, los Pinzones, los Albertos*.

Los apellidos terminados en *-z*, sobre todo si la palabra no es aguda, y en *-s* permanecen invariables: *los Cervantes, los González, los Menéndez, los Meneses, los Pérez, los Rodríguez, los Vilches*. Los que llevan el acento al final admiten, como expresiones de confianza y familiaridad, el plural: *los Orgaces, los Ortices*. También van en plural los nombres propios convertidos en comunes (*los goyas, los madrazos*).

Términos latinos

Los términos latinos incorporados al español en diferentes épocas pueden plantear problemas.

> Algunos de ellos han castellanizado su terminación:
>
> > *auditórium>auditorio; memorándum>memorando; currículum>currículo; referéndum>referendo; ultimátum>ultimato; máximum>máximo; mínimum>mínimo,*
>
> con lo que resulta fácil formar el plural:
>
> > *auditorios, memorandos, currículos, referendos, ultimatos, máximos, mínimos.*

En el caso del singular, la Academia admite las formas castellanas *memorando* y *referendo* y las latinas *memorándum* y *referéndum*, aunque prefiere estas últimas (en cambio, antepone *auditorio*, en el sentido de sala destinada a conciertos, recitales, conferencias, etc., a *auditórium*); equipara *máximun* y *mínimum* con *máximo* y *mínimo*; prefiere *armonio* a *armónium*; y sólo registra *currículo* (en el caso de que este término vaya acompañado de *vitae*, se exige la forma latina: *currículum vitae*) y *desiderátum* (en plural puede emplearse *desiderata*).

La RAE considera como invariables: *accésit*, *déficit*, *superávit*, *ínterin*, *plácet*, *réquiem*, *tedéum*, *éxplicit* y *quórum*. Si es necesario emplear estos términos, puede darse un giro a la frase para que queden en singular.

El plural de *hipérbaton* es *hipérbatos* (no *hiperbatons* ni *hiperbatones*).

La Academia sólo registra *simposio*, procedente del griego (no hay por qué emplear *symposium*).

Plurales de nombres extranjeros

Las palabras castellanizadas *bidé*, *bisté* o *bistec*, *boicó*, *bufé*, *bungaló*, *cabaré*, *capó*, *carné*, *casete*, *chalé*, *champú*, *chaqué*, *cliché*, *compló*, *coñá* o *coñac*, *corsé*, *esnobismo*, *flirteo*, *interviú*, *menú*, *parqué*, etc., forman sus plurales con el añadido de una **-s**. Las formas que terminan en consonante se sirven en el plural de **-es** (*bóer>bóeres*; *cárter>cárteres*; *chándal>chándales*; *chófer* o *chofer>chóferes*; *claxon>cláxones*; *cóctel>cócteles*; *eslogan>eslóganes*; *esmoquin>esmóquines*; *estándar>estándares*; *estrés>estreses*; *líder>líderes*; *mitin>mítines*; *somier>somieres*; *suéter>suéteres*; *yogur>yogures*, etc.). El plural de *álbum* es *álbumes*; el de *frac*, *fraques*; el de *lord*, *lores*.

La Academia admite *film* o *filme* (plural *filmes*); *club* o *clube* (plural *clubes*) y *vermú* o *vermut* (plural *vermús*).

En las palabras que terminan en otras consonantes suele añadirse una **–s** al final. Así ocurre con

> *argot, ballet, complot, debut, fagot, iceberg, robot* y *soviet.*

El plural de *gong* es *gongs* (con el significado de «campana grande de barco» existe *gongo*, cuyo plural es *gongos*). En el plural de *sándwich* alternan *sándwiches, sándwichs* y *sándwich.*

Con nombres de marcas comerciales o modelos industriales no se emplea el plural: tres Citroën; dos Fiat.

El plural de las palabras que terminan en vocal acentuada

Si la palabra termina en **-s**, se añade **-es**: *mies>mieses; país>países; ciprés>cipreses; anís>anises.*

Si la última letra es **-a**, **-e**, **-o**, se añade generalmente una **-s**: *sofá>sofás; café>cafés; dominó>dominós; marajá>marajás.* Se exceptúan *albalá* (*albalaes*) y *faralá* (*faralaes*).

Son incorrectos los plurales *cafeses, jabalises, parneses*, etc.

Cuando se trata de **-i** o **-u** finales es creciente la tendencia a añadir una **-s**: *ambigús, bambús, berbiquís, bisturís, canesús, chacolís, champús, esquís, gachís, maniquís, pirulís, popurrís, rubís, tabús, tisús.*

Pero con algunas de estas formas se vacila entre **-s** y **-es** y con otras se da preferencia a **-es**: *alhelíes, baladíes, bambúes, berbiquíes, carmesíes, esquíes, jabalíes, maniquíes, rubíes, tabúes.*

Con gentilicios de países orientales o del mundo árabe, se suelen emplear las terminaciones **-íes** y **-úes**: *hindúes, israelíes, marroquíes, paquistaníes, saudíes*, etc.

Los sustantivos agudos que terminan en **-ay**, **-ey**, **-oy** forman normalmente su plural en **-es**: *ay>ayes; buey>bueyes; convoy>convoyes; ley>leyes; rey>reyes.*

En palabras de otra procedencia se añade, por lo general, una *-s*: *guirigay>guirigáis*; *jersey>jerséis*; *paipay>paipáis*.

El plural de las vocales es: *aes, es, íes, oes, úes*.

Cuando se trata de otras letras, se añade,
por lo general, **-s**: *las ces, las efes, las haches, las jotas*.

Los plurales de las notas musicales son: *dos*, *res*, *mis*, *fas*, *soles*, *las* y *sis*.

Los plurales de *no* y de *sí*, cuando funcionan como sustantivos, son *noes* y *síes*. El de *yo* es *yoes* y, también, *yos*.

Otros plurales

○ Los sustantivos *régimen*, *carácter* y *espécimen* cambian su acentuación en plural: *regímenes*, *caracteres* y *especímenes*.

○ El plural de *cinc* o *zinc* es *cines* o *zines*.

○ Si el uso lo ha generalizado, pueden emplearse en plural los nombres propios de lugares: *Las dos Españas; Hacer las Américas; Las dos Castillas.*

○ Los nombres de los toros derivados de sus correspondientes ganaderías o propietarios pueden ir en plural y en minúscula: *los victorinos, los pablorromeros.*

○ Cuando dos nombres se yuxtaponen suele usarse el plural sólo con el primero:

coches cama	*ciudades dormitorio*
escuelas modelo	*sueldos base*
niños prodigio	*horas punta*
pisos piloto	*hombres rana* (mejor que *ranas*)

Aparecen, sin embargo, en plural: *guardias civiles, guardias marinas, decretos leyes, mesas camillas,* etc.

Tanto en estos casos como cuando se emplea el singular (*mesa camilla, tren correo, hombre orquesta, buque escuela*) no es necesario poner guión entre las dos palabras. Recuérdese que algunos de estos combinados se escriben juntos: *bocacalle, maestresala, aguanieve, compraventa.*

Cuando un sustantivo va en plural acompañado de una palabra que indica un color, se tiende a mantener el singular de esta última:

> *dos camisas rosa* (del color de la rosa); *jugadores azulgrana; rubias platino; rayos ultravioleta, flores carmín* o *carmesí.*

○ *Clave* no varía cuando, en aposición, significa básico, fundamental, decisivo, etc.: *Fechas clave; Tema clave.*

Los puntos cardinales

○ *Sur* se transforma en *sud* cuando se usa como prefijo: *sudeste, sudoeste* (existen también las formas *sureste* y *suroeste*).

La RAE admite *sudamericano* y *suramericano*, pero sólo *sudafricano.*

○ *Norte* se emplea cuando precede a una vocal: *norteamericano, norteafricano; nor* cuando sigue una consonante: *norcoreano, norvietnamita.*

Los derivados de *norte* son *nordeste* y *noroeste*. No es correcto *noreste*, aunque se emplee con frecuencia.

Los **adjetivos**, es decir, las palabras que se emplean para expresar las cualidades del nombre, pueden ser **predicativos** y **atributivos**.

Los **predicativos** modifican indirectamente al nombre y van unidos a él mediante un verbo: *Antonio parece feliz*; *La calle está limpia*.

Los **atributivos**, que modifican al nombre sin ninguna palabra de unión, pueden ser **especificativos** y **explicativos**, **valorativos** o **epítetos**.

Los **especificativos**, que no se pueden suprimir sin que se altere el significado del discurso, indican una cualidad objetiva y real del sustantivo. Éste, cuando se emplea en plural, ve, a causa de ellos, restringido y delimitado su significado: *Sólo vinieron los alumnos aprobados* (los demás no lo hicieron).

Los **explicativos**, de carácter más ornamental, indican una cualidad subjetiva. A diferencia de los especificativos, van colocados, por lo general, delante del sustantivo, se refieren a la totalidad de los objetos o seres a los que se anteponen y su supresión no cambia sustancialmente el sentido de la expresión.

Algunos adjetivos pueden actuar a la vez como **explicativos** y **especificativos**, aunque su significado varía:

> *flaca mujer–mujer flaca; gran libro–libro grande; esperanzas ciertas–ciertas esperanzas; pobre hombre–hombre pobre; pura ilusión–ilusión pura; testimonio cierto–cierto testimonio; triste empleado–empleado triste; viejo amigo–amigo viejo.*

Adviértase también que el adjetivo especificativo puede convertirse en explicativo si se coloca entre comas: *Los obreros descontentos fueron a la huelga*; *Los obreros, descontentos, fueron a la huelga*. En el primer caso sólo se trata de una parte; en el segundo, de todos.

Dentro de los explicativos, los llamados **epítetos constantes** indican cualidades consustanciales al sustantivo y pueden ir colocados antes o después de éste: *blanca nieve, abril florido, ruido estridente, oscura noch*e, *fuego ardiente, fiero león*.

Estos epítetos constituyen un índice de la visión afectiva e imaginativa que el hablante tiene de la realidad y de las diferentes escuelas y corrientes estilísticas de nuestra historia literaria.

Téngase en cuenta que de la originalidad en la elección del adjetivo dependen la calidad plástica de las descripciones y la musicalidad interna del texto. Encontrar el adjetivo que corresponde a la idea que se quiere expresar no es tarea fácil.

Por tanto, los adjetivos desgastados por el uso pueden mermar la originalidad y la gracia de un escrito. No es conveniente abusar de fórmulas como *extraordinariamente brillante, terrible desastre, profunda atención, serio problema, parte integrante, agudo conflicto, máxima urgencia, peligro real*, etc. Tampoco deben emplearse demasiados adjetivos con un sustantivo, sobre todo si son sinónimos.

 ► Grados del adjetivo

Los adjetivos pueden aparecer en tres grados: **positivo, comparativo** y **superlativo**.

El **positivo** expresa la cualidad sin intensificarla: *blanco, listo, malo*.

El **comparativo** puede ser de *igualdad*, de *superioridad* y de *inferioridad*. En el primer caso se emplean las partículas *tan... como* e *igual... que* (*Antonio es tan guapo como Juan*; *Antonio es igual de guapo que Juan*). A veces se usa, erróneamente, la preposición *a* como elemento correlativo: *Tiene unos zapatos iguales a los míos* (correcto: *que los míos*).

En el comparativo de **superioridad** y en el de **inferioridad** los nexos son, respectivamente: *más... que* y *menos... que* (*Antonio es más guapo que Juan*; *Antonio es menos guapo que Juan*).

Cuando el segundo término es un número, una expresión de cantidad o tiene antepuesto *lo que*, va introducido por *de*: *Había más de mil personas*; *Es menos audaz de lo que decías*. También se usa *de* en construcciones en que se pone en relación la cualidad de uno o varios individuos respecto a la de los demás: *Es el menos valiente de los hermanos*.

El **superlativo** expresa la cualidad del adjetivo en grado máximo. Para ello puede servirse de una forma analítica, con la partícula intensificadora *muy* (*Estaba muy afligido*), y de una forma sintética, mediante el sufijo *-ísimo* (*contentísimo*, *guapísimo*).

Algunos adjetivos conservan el sufijo culto **-érrimo** en su forma de grado superlativo:

> *aspérrimo* (de *áspero*); *celebérrimo* (de *célebre*); *integérrimo* (de *íntegro*); *libérrimo* (de *libre*); *misérrimo* (de *mísero*); *nigérrimo* (de *negro*); *paupérrimo* (de *pobre*); *pulquérrimo* (de *pulcro*).

Su uso, sin embargo, queda restringido a la lengua culta. En la popular se tiende al empleo con algunos de ellos de **-ísimo**:

> *asperísimo, integrísimo, negrísimo, pobrísimo*.

En otros casos sólo existe la forma culta o la fórmula **_muy+adjetivo_**: _celebérrimo_, _libérrimo_ y _misérrimo_ (no puede decirse _celebrísimo_, _liberísimo_ y _meserísimo_). _Ubérrimo_ carece de grado positivo: de ahí que a veces no se lo vea como superlativo y se le antepongan **_más_**, **_muy_**, etc. Algo parecido ocurre con _acérrimo_ (_más acérrimo_).

Diversos superlativos en **_-ísimo_** mantienen una forma culta y otra popular: _amigo>amicísimo_ y _amiguísimo_; _bueno>bonísimo_ y _buenísimo_; _cierto>certísimo_ y _ciertísimo_; _cruel>crudelísimo_ y _cruelísimo_; _diestro>destrísimo_ y _diestrísimo_; _frío>frigidísimo_ y _friísimo_; _fuerte>fortísimo_ y _fuertísimo_; _grueso>grosísimo_ y _gruesísimo_; _reciente>recentísimo_ y _recientísimo_; _simple>simplicísimo_ y _simplísimo_; _tierno>ternísimo_ y _tiernísimo_ (algunas de estas formas populares no están aceptadas por la Academia). Los superlativos de _ardiente_, _luciente_ y _valiente_ son: _ardentísimo_, _lucentísimo_ y _valentísimo_. El de _cursi_ es _cursilísimo_. En _novísimo_ y _nuevísimo_ (de _nuevo_) puede verse una diferencia semántica: de gran novedad (_novísimo_) y que algo está muy nuevo (_nuevísimo_).

Otros superlativos mantienen una forma culta o la fórmula **_muy+adjetivo_**: _antiquísimo_ (de _antiguo_); _benevolentísimo_ (de _benevolente_); _fidelísimo_ (de _fiel_), _sapientísimo_ (de _sabio_); _sacratísimo_ (de _sagrado_).

> Los adjetivos terminados en **–ble** forman su superlativo en **–bilísimo**:
>
> > _amable>amabilísimo; noble>nobilísimo;_
> > _probable>probabilísimo;_
> > _miserable>miserabilísimo_
>
> Se exceptúa: _endeble>endeblísimo._

Recordemos, además, que se emplean otros prefijos para la expresión del superlativo: _archiconocido_, _archisabido_, _requetebueno_. Lo mismo ocurre con el manido _super_, del que hoy, lamentablemente, se echa mano para todo: *supertímido*, *supermalo*, *supercontento*, etc.

Algunos adjetivos conservan, junto a las formas normativas de grado comparativo de superioridad y de grado superlativo, las formas cultas latinas:

bueno	mejor	óptimo
malo	peor	pésimo
grande	mayor	máximo
pequeño	menor	mínimo
alto	superior	supremo
bajo	inferior	ínfimo

El nexo en estos casos es **que**, con *mayor*, *menor*, *mejor* y *peor*, y **a** con *inferior* y *superior*: *Le ofrecieron un trabajo peor que el que tenía* (no *al que tenía*); *Tenía un cargo superior al de su marido* (no *que el de su marido*).

Recuérdese que con estos comparativos no hay que emplear *más* o *menos*. No puede decirse: *más* (o *menos*) *mayor*, *mejor*, *peor*, *superior* o *inferior*. *Mayor*, sin embargo, admite la anteposición de **tan** en frases como: *Esto no lo hubiera esperado de una persona tan mayor*. A veces se oye *más mayor*, en relación con la edad, no con el tamaño: *Su marido era más mayor que ella*. Pero aquí es preferible emplear sólo *mayor* o *más viejo*.

Tampoco *mínimo*, *máximo*, *ínfimo*, *supremo*, etc., aceptan adverbios cuantificadores. No existen: *muy óptimo*, *más ínfimo*, etc.

Otros adjetivos no admiten los grados comparativo y superlativo. Así ocurre con *primordial*, *fundamental*, *eterno*, *inmortal*, *público*, *infinito*, *definitivo*, *postrero*, *omnipotente*, etc. Aunque a veces el deseo del hablante de poner énfasis en lo que dice pueda justificarlo estilísticamente, a ninguno de ellos pueden anteponerse los adverbios **más** y **muy** o las terminaciones del superlativo (no es posible decir *más fundamental*, *muy primordial*, *principalísimo*, etc.).

Tampoco se puede juntar un índice de comparación a un adjetivo en grado superlativo: *Su hermano resultaba más inteligentísimo que Pedro* (correcto: *más inteligente*).

 Sustantivación y adverbialización de adjetivos

Los adjetivos pueden funcionar también como **sustantivos** y **adverbios**. En el primer caso, van precedidos de un determinante: *lo bueno, lo malo*.

> El adjetivo se convierte en adverbio cuando se le añade el sufijo **–mente** (véase la página 188). En estos casos conserva la terminación en femenino:
>
> *buenamente, cariñosamente.*
>
> También es adverbio cuando modifica al verbo en lugar de al sustantivo:
>
> *Se siente fatal.*

 Apócope del adjetivo

Algunos adjetivos se reducen cuando se anteponen al sustantivo: *grande>gran; bueno>buen; santo>san; malo>mal*.

Debe tenerse en cuenta lo siguiente:

○ *Grande* se mantiene en las perífrasis de superlativo:

   La más grande ilusión; El más grande deseo.

○ El empleo de *grande* delante de una palabra que empieza por vocal (*grande empeño*) es hoy de uso casi exclusivamente literario.

○ *Santo* se mantiene en *santo varón, Santo Oficio, Santo Dios, Santo Cristo* y *Santo temor de Dios;* también ante algunos nombres propios: *Santo Tomás, Santo Toribio, Santo Domingo, Santo Tomé* y, a veces, *Santo Tobías.*

 ## Concordancia del adjetivo y el sustantivo

El adjetivo concuerda en género y en número con el sustantivo: *mesas limpias, espejos rotos, extremo izquierdo.*

Existen, sin embargo, estas particularidades:

○ Cuando el adjetivo se refiere a varios sustantivos en plural del mismo género, se ajusta a las reglas generales:

Antonio y Juan son listos; María y Juana son listas.

○ Cuando se refiere a sustantivos masculinos y femeninos, va en masculino y en plural:

Antonia y Juan son listos; Tiene una soltura, una gracia y un encanto extraordinarios.

> Algunos gramáticos consideran que cuando el hablante estima que las dos palabras que se unen forman un conjunto integrado o guardan entre sí algún parentesco, puede mantenerse el singular:
>
> *Lengua y literatura española* (mejor: *españolas*).

○ Si el adjetivo precede a varios sustantivos coordinados en singular puede concordar con el que esté más cerca:

Tu conocida fortaleza y orgullo o
Tu conocido orgullo y fortaleza
(mejor que: *Tus conocidos orgullo y fortaleza*).

Si se trata de nombres propios o comunes de persona, debe ir en plural:

> *Los famosos padre e hija; Los conocidos Juan y Pilar.*

○ Los determinantes (demostrativos, posesivos, etc.) no pueden ir en plural:

> *Tus primo y hermano no vinieron a verte*
> (correcto: *Tu primo y tu hermano*);
> *Sus padre y madre* (correcto: *Su padre y madre*
> o *Su padre y su madre*).

○ Con los pronombres y fórmulas de tratamiento iguales para el masculino y el femenino, el género del adjetivo viene señalado por el sexo de la persona a la que nos dirigimos:

> *Usted es alta; Usted es alto.*

En algunos tratamientos en femenino referidos a varones (*Alteza, Excelencia* e *Ilustrísima,* con *Vuestra* o *Su* antepuestos) se mantiene el adjetivo que con ellos concuerda en masculino:

> *Su Alteza es muy generoso.*

Pero los adjuntos fijos conciertan normalmente:

> *Su Majestad Católica; Vuestra Excelencia.*

Abuso de los determinantes posesivos

Sobre este punto dice el *Esbozo* de la Real Academia Española: «Es bien sabido que en español se emplean los posesivos mucho menos que en francés, inglés y alemán. Frases como *He dejado mi gabán en mi casa* o *Sacó su pañuelo de su bolso* se sienten como pesadas por su extranjería redundante. Nuestra lengua prefiere decir: *He dejado el gabán en casa* o *Sacó el pañuelo del bolso*, y mejor aún por medio del dativo de los pronombres personales y reflexivos; por ejemplo: *Me he dejado el gabán en casa, Se sacó el pañuelo del bolso.* En vez de *Sus ojos se llenaron de lágrimas*, como diría un traductor principiante, *Los ojos se le llenaron de lágrimas*».

 ## Proposiciones adjetivas o de relativo

Pueden ser también **explicativas** y **especificativas**. Éstas, con las que se selecciona al nombre antecedente dentro del grupo al que pertenece, no llevan comas. Las explicativas, con las que se informa de alguna cualidad del antecedente, sí las llevan:

Se suspenderá a los alumnos que son malos
Se suspenderá a los alumnos, que son malos

En el primer ejemplo sólo se suspenderá a los alumnos que son malos; en el segundo, a todos.

 ## Adjetivos de periodicidad temporal

Los adjetivos más empleados son:

Bimensual: lo que sucede o se repite dos veces al mes (no obligatoriamente cada quince días).

Bimestral: lo que sucede o se repite cada dos meses.

Bianual: lo que sucede o se repite dos veces al año.

Bienal: lo que sucede o se repite cada dos años, es decir, cada bienio.

Trienal: lo que sucede o se repite cada tres años.

Cuatrienal o **cuadrienal:** lo que sucede o se repite cada cuatro años.

La Real Academia Española admite también **cuatrimestral** (que sucede o se repite cada cuatro meses), **semestral** (cada seis meses) y **quinquenal** (cada cinco años). No registra, en cambio, **sexenal** y **septenal**, aunque sí acepta los sustantivos **sexenio** (tiempo de seis años) y **septenio** (tiempo de siete años).

Para un período de diez años se emplea **decenio**. **Década** puede equivaler a lo mismo, referida a las decenas del siglo, pero tiene un significado más general (*serie de diez*; *período de diez días*).

Gualdo, autodidacto y polígloto

Aunque a veces se olvida, poseen masculino **gualda** (gualdo), **autodidacta** (autodidacto) y **políglota** (polígloto). Para esta última forma la Academia acepta el femenino por el masculino.

Debe, por tanto, decirse: *Hombre autodidacto y polígloto* (o *políglota*).

 Adjetivos distributivos

Expresan la separación de los sustantivos en elementos, y la designación de alguno de ellos en relación con los demás: **cada** (invariable), **ambos, -as**; **sendos, -as**. Este último, que antecede siempre al sustantivo y no admite otros determinantes, significa «uno o una para cada cual de dos o más personas o cosas»: *Los participantes en la competición recibieron sendas medallas* (cada uno recibió una medalla). No debe usarse en el sentido de **ambos** ni con el de **repetidos**, **grandes**, **fuertes**. La frase *Les dio sendas bofetadas* quiere decir que cada uno recibió una bofetada, no que eran reiteradas ni intensas.

Los numerales

► Los números cardinales

Los treinta primeros números cardinales, es decir, los que expresan exclusivamente cuántas son las personas, animales o cosas de que se trata, se escriben con una sola palabra gráfica: *uno, dos, tres, cuatro, cinco, seis, siete, ocho, nueve, diez, once, doce, trece, catorce, quince, dieciséis, diecisiete, dieciocho, diecinueve, veinte, veintiuno* (apocopado en *veintiún*), *veintidós, veintitrés, veinticuatro, veinticinco, veintiséis, veintisiete, veintiocho, veintinueve* y *treinta*. A partir de aquí, hasta *cien*, se separan las dos cifras por la conjunción y: *treinta y uno* (apocopado en *treinta y un*), *treinta y dos, cuarenta y tres, cincuenta y seis*, etc.

En *veintiún mil pesetas* (no *veintiuna mil pesetas*), *veintiún* concuerda, en masculino, con *mil*. En cambio, hay que decir *veintiuna pesetas* o *veintiuna naciones* (ambas palabras concuerdan en femenino).

> Debe tenerse en cuenta que son incorrectas las formas *ventiuno, ventidós, trentiuno*, etc.
>
> No debe ponerse punto después del millar en los años: *1.996, 1.997* (lo correcto es *1996* y *1997*).
>
> Sí se emplea el punto para separar las fracciones de las horas: *4.30; 13.30*.

La Academia ha admitido la palabra *millardo* como equivalente de *mil millones*, aunque su uso está restringido a los ámbitos económicos.

► Cien y ciento

Cuando se usa como adjetivo, el cardinal **ciento** pierde la última sílaba: *Cien monedas*; *Las cien últimas páginas*. También se apocopa cuando se emplea como multiplicador de **mil** o de **millones**: *Cien mil pesetas*; *Cien millones de personas*. En cambio, no lo hace cuando funciona como sustantivo: *El manifiesto de los ciento* (no *de los cien*); *Un ciento de huevos*. La forma plena se mantiene en las expresiones *Ciento y raya* y *Más vale pájaro en mano que ciento volando*. Lo mismo ocurre en los porcentajes: *El veinte por ciento*; *El ochenta por ciento* (no: *El veinte por cien* o *El ochenta por cien*).

Suele preferirse **cien**, aunque también se oye **ciento**, en la expresión figurada *Cien por cien*, en el sentido de *totalmente*.

 ► Los veinte, los treinta

El *Esbozo* de la Real Academia Española condena las expresiones *Los años veinte*, *Los años treinta*, *Los años cuarenta*, etc.: «No es idiomático en español el plural *los treinta*, *los cuarenta*, o *los treintas*, *los cuarentas*, etc., para designar, como en inglés, los años del siglo comprendidos entre 30 y 39, 40 y 49, etc. Los introductores del reciente neologismo han tenido que idear una fórmula más explícita y elocuente: *los años treinta* o *treintas*, que sigue siendo tan inexpresiva y malsonante para oídos españoles como la fórmula reducida e idiomática del inglés. Resulta, además, innecesaria, existiendo como existe, por lo menos desde el siglo XVI, el término [primer, segundo, tercer...] *decenio*, y hasta el más reciente [primera, segunda, tercera...] *década*, en esta acepción».

Sin embargo, la expresión «años» es hoy de uso común y hasta académicos y prestigiosos escritores se sirven de ella.

Los números ordinales

1º	**primero** (apocopado en **primer**), **primera**
2º	**segund**o, **-a**
3º	**tercero** (apocopado en **tercer**), **tercera**
4º	**cuarto, -a**
5º	**quinto, -a**
6º	**sexto, -a**
7º	**séptimo, -a**
8º	**octavo, -a**
9º	**noveno, -a** (más raro es **nono, -a**)
10º	**décimo, -a**
11º	**undécimo, -a**. No existe *decimoprimero*
12º	**duodécimo, -a**. No existe *decimosegundo*
13º	**decimotercero, -a**. También **decimotercio, -a**
14º	**decimocuarto, -a**
15º	**decimoquinto, -a**
16º	**decimosexto, -a**
17º	**decimoséptimo, -a**
18º	**decimoctavo, -a**
19º	**decimonoveno, -a** (también **decimonono, -a**)
20º	**vigésimo, -a**
21º	**vigésimo (-a) primero (-a)**, etc.
30º	**trigésimo (-a)**
31º	**trigésimo (-a) primero (-a)**, etc.
40º	**cuadragésimo, -a**
50º	**quincuagésimo, -a**
60º	**sexagésimo, -a**
70º	**septuagésimo, -a**
80º	**octogésimo, -a**
90º	**nonagésimo, -a**
100º	**centésimo, -a**
101º	**centésimo (-a) primero (-a)**

110º	**centésimo (-a) décimo (-a)**
200º	**ducentésimo, -a**
300º	**tricentésimo, -a**
400º	**cuadringentésimo, -a**
500º	**quingentésimo, -a**
600º	**sexcentésimo, -a**
700º	**septingentésimo, -a**
800º	**octingentésimo, -a**
900º	**noningentésimo, -a**
999º	**noningentésimo nonagésimo noveno**
1000º	**milésimo, -a**
10.000º	**diezmilésimo, -a**
100.000º	**cienmilésimo, -a**
1.000.000º	**millonésimo, -a**

Respecto a los ordinales, debe tenerse en cuenta que:

○ Se usan habitualmente del 1 al 10: *Juan Carlos primero*, *Juan Pablo segundo*. Con el número 10 a veces se vacila. Aunque es preferible emplear ***décimo***, no es incorrecto el cardinal ***diez***: *Alfonso diez*, *Pío diez*, etc.

○ Su empleo decrece entre el 11 y el 20. En estos casos el ordinal puede ser sustituido por el cardinal (*La decimotercera edición* o *La edición trece*).

○ Son aún más raros entre el 21 y el 100, sobre todo los compuestos: *vigésimo primero*, *trigésimo cuarto*, etc. En estos casos es más usual servirse de los cardinales.

○ Aunque ocasionalmente se empleen en la escritura, casi han desaparecido del habla a partir de ***cien***, con la excepción de ***mil***: *Se lo he aclarado por milésima vez*.

○ **Primero** se apocopa delante de un sustantivo (*primer día*). No ocurre así con **primera** (*primera lección*).

○ En aritmética se utiliza *-avo* a partir de once, añadido a los numerales cardinales, para indicar el número de partes en que se divide la unidad, de las cuales se nombra una: *onceavo* u *onzavo*, *doceavo* o *dozavo*, etc. Excepto en estos casos, nunca debe emplearse como sustituto de los numerales ordinales. No puede decirse *El capítulo catorceavo* o *La edición quinceava*.

○ **Cuarto**, seguido de kilo o litro, exige la preposición *de*: *Cuarto de kilo*; *Cuarto de litro* (no *Cuarto kilo* y *Cuarto litro*).

Otras consideraciones

☞ El término **millón** exige **de** cuando va seguido de la mención de aquello que se enumera:

> *Un millón de personas.*

Si siguen uno o más numerales que expresan una cantidad adicional, la preposición desaparece:

> *Un millón doscientas cincuenta mil pesetas.*

☞ **Cero** expresa una cantidad nula:

> *Son las cero horas* (el sustantivo determinado va en plural).

☞ La coma es un signo matemático que indica la separación entre unidades y decimales:

> *25,5* (leído: *veintitrés coma cinco*), es decir, veintitrés unidades y cinco décimas.

El empleo de un punto (25.5) es anglicismo.

La numeración romana

○ Para la numeración romana se emplean letras del alfabeto latino, siempre en mayúscula:

I = 1	X = 10	C = 100	M = 1000
V = 5	L = 50	D = 500	

○ Se usa este tipo de numeración para indicar los tomos de una obra, los capítulos, cantos, partes y otras divisiones de una publicación, para la numeración de los siglos y para distinguir a los emperadores, reyes y papas que hayan tenido el mismo nombre:

> Alfonso I, II, III, IV, etc.
> Felipe V, VI, VII, etc.
> Pío X, XI, XII, etc.

También se emplea a veces la numeración romana en las páginas de los prólogos de un libro.

○ Cuando van seguidas dos cifras, si la primera es de un valor igual o superior a la que sigue, se suman; si, por el contrario, la primera es inferior a la que sigue, se resta:

II = 2; XV = 15; CXXV = 125; XL = 40; XCIX = 99

○ Las letras V, L y D no pueden escribirse dos veces seguidas, ya que existen X, C y M, que indican, respectivamente, el valor duplicado de esas cantidades.

○ No debe usarse la misma letra más de tres veces seguidas en un mismo número. Sin embargo, la I y la X pueden aparecer en inscripciones antiguas hasta cuatro veces juntas.

○ Cuando aparece una raya horizontal encima de un número romano, éste habrá de multiplicarse por mil:

$\overline{\text{CCXV}}$ = 215.000 $\overline{\text{DCC}}$ = 700.000

Pronombres personales átonos

Leísmo, loísmo y laísmo

Las formas átonas del pronombre personal que corresponden al complemento directo son: **lo**, **los**, **la**, **las**; para el indirecto se emplean **le**, **les**, **se**.

○ El **leísmo** consiste en el empleo de **le** o de **les** como complemento directo, en lugar de **lo** y **los**:

> –¿*Compraste un cuaderno? –Todavía no le he*
> *comprado* (correcto: *no lo he comprado*).

> *Se le perdió el perro y no pudo encontrarle*
> (correcto: *y no pudo encontrarlo*).

Aunque es un fenómeno que se ha extendido mucho en el centro de la Península, es poco habitual en el resto de las regiones españolas y en Hispanoamérica.

La Academia acepta el uso de **le** como complemento directo cuando se trata de personas del género masculino en singular:

> *Antes me relacionaba con él, pero ahora no lo*
> (o *le*) *trato.*

Sin embargo, en el caso del plural se considera incorrecto:

> *Les reconoció* (a sus hermanos) *en seguida*
> (correcto: *los reconoció*).

Cuando el pronombre personal de tercera persona en función de complemento directo va unido a *se* en oraciones de sentido impersonal se recomienda emplear *se le*, *se les* (o *se lo*, *se los*) para el masculino y *se la*, *se las* para el femenino:

> *Se les* (o *los*) *castigará. Se las castigará.*
>
> *A los artistas se les* (o *los*) *recibirá con aplausos.*

○ El **loísmo** supone el empleo de *lo* o *los* como complemento indirecto, en lugar de *le*:

> *Los tomaron el pelo; Lo dio una patada*
> (correcto: *Les tomaron; Le dio*).

○ El **laísmo** tiene lugar cuando se usa *la* o *las* como complemento indirecto, en lugar de *le*:

> *La pegó un tortazo* (correcto: *Le pegó un tortazo*).
>
> *La dio mil pesetas* (correcto: *Le dio mil pesetas*).

 ➤ Colocación de los pronombres

Deben tenerse en cuenta las siguientes reglas:

○ El pronombre debe ir después de un imperativo que encabece la oración y del infinitivo y el gerundio:

> *Tráeme un bocadillo; Está aquí para enseñarles;*
> *Habiéndolos encontrado, se marchó.*

Cuando el infinitivo o el gerundio van precedidos de un verbo en forma personal, los pronombres pueden anteponerse:

> *Pretende excluirlos* o *Los pretende excluir.*
> *Estaba aconsejándola* o *La estaba aconsejando.*

Cuando se juntan varios pronombres átonos:

☞ **Se** debe preceder a todos:

> *Se me quiere marginar.*

☞ El pronombre de segunda persona siempre va delante del de primera:

> *Te me quieres escapar.*

☞ El pronombre de tercera persona se coloca después del de primera o de segunda:

> *Me lo habían advertido.*

Debe, por tanto, rechazarse el empleo, siempre vulgar, de construcciones como estas:

> *Me se cae el pelo; Te se encuentra en todas partes.*

☞ Los pronombres **me, te, se, nos, os** pueden aparecer en construcciones enfáticas o afectivas:

> *A mi hijo me lo operan mañana.*
> *No te me hagas el distraído.*

○ **Le** debe concordar, en singular o en plural, con el nombre al que reproduce:

> Ya *le he dado el paquete a tus hermanos*
> (correcto: *ya les he dado*).
> *¿Por qué no le das lo que* (él) *te pide?*
> *¿Por qué no les das lo que* (ellos) *te piden?*
> *Decidles a vuestros amigos que vengan* (no *decidle*).

 ▶ Pronombres enclíticos

El pronombre puede anteponerse al verbo (*se durmió*) o posponerse (*durmióse*).

En el caso de los pronombres enclíticos (los pospuestos) deben tenerse en cuenta estas reglas:

○ Delante del pronombre **nos**, la primera persona del plural en los verbos pierde la **s**. Hay que decir:

> *juntémonos, amémonos, vayámonos*
> (no: *juntémosnos, amémosnos, vayámosnos*).

○ En la segunda persona del plural del imperativo desaparece la **d** delante de **os** (antiguo *vos*): *estaos, callaos, respetaos.* Sólo la conserva el imperativo de **ir**: *idos*

 ► Pronombres relativos

○ Los pronombres relativos **quien** y **quienes** sólo se pueden referir a personas:

> *Se encaminó hacia su amigo, a quien hacía tiempo que no veía.*
> *Quienes no quieran estudiar, díganlo.*

No pueden, por tanto, emplearse con nombres no personales o con colectivos. Es incorrecto decir:

> *Vino con un gato a quien había encontrado* (correcto: *al que*).
> *La querella ha pasado a un comité, quien tendrá que dar una solución* (correcto: *que tendrá*).
> *La multitud a quien se dirigió el orador* (correcto: *a la que se dirigió*).

Cuando forma parte del sujeto de una oración, debe concordar en número con el antecedente:

> *Los obreros a quienes nos dirigimos escucharon con atención* (no: *a quien nos dirigimos*).

○ Hay que emplear la preposición correspondiente en las oraciones en que el relativo lo exija.

Son incorrectas construcciones como las que siguen:

Existen personas que les importa poco todo esto (correcto: *a las que*).

Nos trataron mal en el restaurante que estuvimos (correcto: *en que estuvimos*).

Nos presentaron al deportista que le habían dado una medalla (correcto: *al que* o *a quien le habían dado*).

Esa es la persona que te hablé (correcto: *de la que te hablé*).

La ciudad que viví cuando era joven (correcto: *en que viví*).

Cuando se trata de un complemento circunstancial de tiempo se acepta la ausencia de la preposición, aunque es preferible utilizarla:

El día en que (o *que*) *llegamos estaba lloviendo.*

También puede omitirse la preposición ante ***que*** si es la misma que figura en el complemento con el que empieza una frase:

En el lugar que (o *en que*) *estaba el cine, hay ahora un banco.*

Por las mismas causas que (o *por que*) *se queja, nos podemos quejar nosotros.*

Delante de un verbo en infinitivo es preferible emplear **qué** en lugar de **lo que**:

En realidad, no sabía qué regalar a sus hijos (mejor que: *lo que regalar a sus hijos*).

○ Las proposiciones en las que figuran *el cual*, *la cual*, *los cuales*, *las cuales*, *lo cual* son siempre explicativas y van entre comas, excepto si a estos relativos se les antepone una preposición:

> *Debe atenderse a los alumnos, los cuales están esperando.*
>
> *Ese es el motivo por el cual no fui.*

Cuyo, relativo y determinante posesivo a la vez, no concuerda con el antecedente, sino con el consiguiente:

> *El parque, cuyas rejas vimos desde el coche, estaba cerrado.*

Si **cuyo** ha de ir seguido de más de un nombre en singular, sólo concierta con el primero. No puede decirse:

> *Ha iniciado sus conversaciones con el Gobierno, con cuyos presidente y vicepresidente se ha entrevistado hoy* (correcto: *con cuyo presidente y vicepresidente*).
>
> *Hay alumnos cuyos padre y madre siempre protestan* (correcto: *cuyo padre y cuya madre*).

 ► Pronombres reflexivos

En las construcciones reflexivas, los pronombres deben concordar con el sujeto en número y en persona. Debe, por tanto, decirse:

> *Después del golpe, volví en mí* (no: *en sí*).
>
> *Eres incapaz de dar más de ti* (no: *de sí*).
>
> *Los que habían aprobado no cabían en sí de gozo.*

> Debe tenerse en cuenta que puede considerarse
> **dar de sí** una frase hecha, pues en este caso la forma **sí**
> carece de valor reflexivo.

○ *Mí*, *ti* y *sí*, precedidos de *con*, originan las formas **conmigo**, **contigo** y **consigo**. No puede, por tanto, decirse: *con mí*, *con ti* y *con sí*. También son incorrectas algunas construcciones en las que *él*, *ella*, *ellos* y *ellas* van después de *con*:

> *Se pasaba el día hablando con él mismo*
> (correcto: *consigo mismo*).

> *Los estudiantes habían traído con ellos a sus
> hermanos* (correcto: *consigo*).

 Pronombres posesivos

Es incorrecto el empleo de un pronombre posesivo con un adverbio para indicar la situación de una persona. Dicho adverbio tiene que ir acompañado de la preposición *de* y de los pronombres personales. En lugar de *detrás tuyo* o *mío*, *delante tuyo* o *mío*, *enfrente nuestro*, etc., hay que decir: *detrás de ti* o *de mí*, *delante de ti* o *de mí*, *enfrente de nosotros*, *debajo de vosotros*, *cerca de ellos*, etc.

A espaldas suyas debe sustituirse por *A espaldas de él*.

 Pronombres indefinidos

Se refieren a personas o cosas sin identificarlas. Entre los más utilizados están: *uno*, *alguien*, *nadie*, *todo*, *poco*, *mucho*, *alguno*, *ninguno*, *algo*, *nada*, *demás*, *cualquiera* y *quienquiera*.

Cualquiera, como determinante, se apocopa en **cualquier** cuando se antepone al nombre: *cualquier hombre, cualquier mujer*. Los plurales respectivos de ambas formas son **cualesquiera** y **cualesquie**r: *Cualesquiera que sean las causas, no me importa; Unos estudiantes cualesquiera*. Sin embargo, cuando sigue la preposición ***de*** hay que emplear el singular: *Acomódense en cualquiera de las butacas del teatro*. En la expresión *cualquiera que sea* no debe omitirse ***que***: *Cualquiera sea tu decisión, la respetaré* (correcto: *cualquiera que sea*).

Si se trata de un nombre común (*un cualquiera, una cualquiera*), el plural es *unos cualquieras* y *unas cualquieras*.

El plural de **quienquiera** es **quienesquiera**:

> *Quienesquiera que estén implicados en el robo, irán a la cárcel* .

En las frases en las que aparece no debe omitirse el relativo **que**. No puede decirse:

> *Quienquiera esté* o *Quienquiera sea*, sino
> *Quienquiera que esté* o *Quienquiera que sea*.

  Otras consideraciones

☞ Por razones de cortesía, el pronombre de primera persona debe colocarse después del de tercera y segunda. Evítense expresiones como estas:

> *Yo, tú y él nos quedaremos aquí.*
> *Yo y tú aprobaremos.*
> *Yo y él iremos mañana al campo.*

☞ No se debe abusar del empleo de **te** con valor impersonal sin sujeto explícito. Es preferible servirse de otras formas impersonales o de la primera persona del plural:

> *De pronto te das cuenta de que todo ha sido un error* (mejor: *uno se da cuenta* o *nos damos cuenta*).

☞ **Mismo, misma** y sus plurales son adjetivos que expresan identidad o igualdad:

> *Todos ellos vienen del mismo pueblo; Tiene los mismos ojos que su madre; Las dos películas han sido dirigidas por el mismo director.*

Debe evitarse el empleo de estas formas en lugar de un pronombre personal o de un determinante posesivo:

> *Les dieron regalos a él y a los padres del mismo* (correcto: *a sus padres*).

> *He pedido su libertad porque creo que tiene derecho a la misma* (correcto: *a ella*).

> *Llegó el coche y tres viajeros se apearon del mismo* (correcto: *de él*).

☞ Aunque esté poco extendido este vicio lingüístico, debe recordarse que el determinante **cuyo** no debe sustituirse por el conjunto **que su**:

> *Te voy a presentar a ese escritor que su libro has leído* (correcto: *cuyo libro has leído*).

☞ Rechácese el añadido de una *-n* en los pronombres que figuran en frases de significado imperativo:

> *siéntensen, cállensen* (correcto: *siéntense, cállense*).

☞ La fórmula de tratamiento **usted** se utiliza con la tercera persona verbal:

Usted estaba allí; Ustedes tienen que venir.

Es incorrecto el empleo, frecuente en algunas zonas de Andalucía, de **usted** con la segunda persona verbal:

Ustedes estáis equivocados.
    ¿Cómo estáis ustedes?

☞ Si se juntan varias personas, para la concordancia con el verbo hay que dar preferencia a la primera y, si esta no existe, a la segunda sobre la tercera:

Tú y yo nos iremos; Tú y él estabais allí.

El verbo

1ª conjugación: *-ar*   2ª conjugación: *-er*   3ª conjugación: *-ir*

Formas no personales

Infinitivo

amar	temer	partir

Gerundio

amando	temiendo	partiendo

Participio pasado

amado	temido	partido

Presente de indicativo

amo	temo	parto
amas	temes	partes
ama	teme	parte
amamos	tememos	partimos
amáis	teméis	partís
aman	temen	parten

Imperfecto de indicativo

amaba	temía	partía
amabas	temías	partías
amaba	temía	partía
amábamos	temíamos	partíamos
amabais	temíais	partíais
amaban	temían	partían

Pretérito indefinido (o Perfecto simple)

amé	temí	partí
amaste	temiste	partiste
amó	temió	partió
amamos	temimos	partimos
amasteis	temisteis	partisteis
amaron	temieron	partieron

Futuro imperfecto

amaré	temeré	partiré
amarás	temerás	partirás
amará	temerá	partirá
amaremos	temeremos	partiremos
amaréis	temeréis	partiréis
amarán	temerán	partirán

Condicional simple

amaría	temería	partiría
amarías	temerías	partirías
amaría	temería	partiría
amaríamos	temeríamos	partiríamos
amaríais	temeríais	partiríais
amarían	temerían	partirían

Presente de subjuntivo

ame	tema	parta
ames	temas	partas
ame	tema	parta
amemos	temamos	partamos
améis	temáis	partáis
amen	teman	partan

Pretérito imperfecto de subjuntivo

amara *o* amase	temiera *o* temiese	partiera *o* partiese
amaras *o* amases	temieras *o* temieses	partieras *o* partieses
amara *o* amase	temiera *o* temiese	partiera *o* partiese
amáramos	temiéramos	partiéramos
o amásemos	*o* temiésemos	*o* partiésemos
amarais	temierais	partierais
o amaseis	*o* temieseis	*o* partieseis
amaran	temieran	partieran
o amasen	*o* temiesen	*o* partiesen

Futuro imperfecto de subjuntivo

amare	temiere	partiere
amares	temieres	partieres
amare	temiere	partiere
amáremos	temiéremos	partiéremos
amareis	temiereis	partiereis
amaren	temieren	partieren

Imperativo

ama (tú)	teme (tú)	parte (tú)
ame (él)	tema (él)	parta (él)
amemos (nosotros)	temamos (nosotros)	partamos (nosotros)
amad (vosotros)	temed (vosotros)	partid (vosotros)
amen (ellos)	teman (ellos)	partan (ellos)

Recordemos que el ***indicativo*** y el ***subjuntivo*** permiten, respectivamente, que el hablante se exprese de forma objetiva o subjetiva (en este último caso, con incertidumbre, con temor o con el deseo de que algo se realice).

En **imperativo**, el modo idóneo para que alguien intente imponer su voluntad, sólo cuentan las segundas personas (*ama tú, amad vosotros*). También puede incluirse la primera persona del plural (*amemos*) ya que la orden que se da afecta a las segundas y a las primeras personas. Las demás formas corresponden al presente de subjuntivo.

> Con **usted** y **ustedes** se emplean las formas de subjuntivo:
>
> *ame usted, amen ustedes.*
>
> Lo mismo ocurre con todas las personas cuando el imperativo va precedido de una negación:
>
> *no ames, no améis* (no puede decirse *no ama* o *no amad*).

 ► Conjugación del verbo haber

Los tiempos compuestos se forman con el verbo **haber** y el participio del verbo que se conjuga (*he amado, había amado, habré amado*, etc.).

Sin embargo, la forma **hay** (3ª persona del singular del presente de indicativo) se emplea de forma independiente: *Hay muchos libros*; *Hay un libro*.

También se usa con valor impersonal la tercera persona del singular del imperfecto de indicativo: *Había una persona*; *Había muchas personas*.

Indicativo

Presente	Pretérito perfecto
1ª he	1ª he habido
2ª has	2ª has habido
3ª ha *o* hay	3ª ha habido
1ª hemos	1ª hemos habido
2ª habéis	2ª habéis habido
3ª han	3ª han habido

Pretérito imperfecto

1ª había
2ª habías
3ª había
1ª habíamos
2ª habíais
3ª habían

Pretérito pluscuamperfecto

1ª había habido
2ª habías habido
3ª había habido
1ª habíamos habido
2ª habíais habido
3ª habían habido

Pretérito indefinido

1ª hube
2ª hubiste
3ª hubo
1ª hubimos
2ª hubisteis
3ª hubieron

Pretérito anterior

1ª hube habido
2ª hubiste habido
3ª hubo habido
1ª hubimos habido
2ª hubisteis habido
3ª hubieron habido

Futuro imperfecto

1ª habré
2ª habrás
3ª habrá
1ª habremos
2ª habréis
3ª habrán

Futuro perfecto

1ª habré habido
2ª habrás habido
3ª habrá habido
1ª habremos habido
2ª habréis habido
3ª habrán habido

Condicional simple

1ª habría
2ª habrías
3ª habría
1ª habríamos
2ª habríais
3ª habrían

Condicional compuesto

1ª habría habido
2ª habrías habido
3ª habría habido
1ª habríamos habido
2ª habríais habido
3ª habrían habido

Subjuntivo

Presente	Pretérito perfecto
1ª haya	1ª haya habido
2ª hayas	2ª hayas habido
3ª haya	3ª haya habido
1ª hayamos	1ª hayamos habido
2ª hayáis	2ª hayáis habido
3ª hayan	3ª hayan habido

Pretérito imperfecto	Pretérito pluscuamperfecto
1ª hubiera *o* hubiese	1ª hubiera *o* hubiese habido
2ª hubieras *o* hubieses	2ª hubieras *o* hubieses habido
3ª hubiera *o* hubiese	1ª hubiera *o* hubiese habido
1ª hubiéramos *o* hubiésemos	1ª hubiéramos *o* hubiésemos habido
2ª hubierais *o* hubieseis	2ª hubierais *o* hubieseis habido
3ª hubieran *o* hubiesen	3ª hubieran *o* hubiesen habido

Futuro imperfecto	Futuro perfecto
1ª hubiere	1ª hubiere habido
2ª hubieres	2ª hubieres habido
3ª hubiere	3ª hubiere habido
1ª hubiéremos	1ª hubiéremos habido
2ª hubiereis	2ª hubiereis habido
3ª hubieren	3ª hubieren habido

Imperativo

Presente

he (tú)
haya (él)
hayamos (nosotros)
habed (vosotros)
hayan (ellos)

 ► Conjugación del verbo ser

Con este verbo se forman los tiempos de la voz pasiva (*he sido amado, había sido amado,* etc.). Para ello se une el tiempo correspondiente con el participio del verbo que se conjuga.

Indicativo

Presente	Pretérito perfecto
1ª soy	1ª he sido
2ª eres	2ª has sido
3ª es	3ª ha sido
1ª somos	1ª hemos sido
2ª sois	2ª habéis sido
3ª son	3ª han sido

Pretérito imperfecto	Pretérito pluscuamperfecto
1ª era	1ª había sido
2ª eras	2ª habías sido
3ª era	3ª había sido
1ª éramos	1ª habíamos sido
2ª erais	2ª habíais sido
3ª eran	3ª habían sido

Pretérito indefinido	Pretérito anterior
1ª fui	1ª hube sido
2ª fuiste	2ª hubiste sido
3ª fue	3ª hubo sido
1ª fuimos	1ª hubimos sido
2ª fuisteis	2ª hubisteis sido
3ª fueron	3ª hubieron sido

Futuro imperfecto	Futuro perfecto
1ª seré	1ª habré sido
2ª serás	2ª habrás sido
3ª será	3ª habrá sido
1ª seremos	1ª habremos sido
2ª seréis	2ª habréis sido
3ª serán	3ª habrán sido

Condicional simple	Condicional compuesto
1ª sería	1ª habría sido
2ª serías	2ª habrías sido
3ª sería	3ª habría sido
1ª seríamos	1ª habríamos sido
2ª seríais	2ª habríais sido
3ª serían	3ª habrían sido

Subjuntivo

Presente	Pretérito perfecto
1ª sea	1ª haya sido
2ª seas	2ª hayas sido
3ª sea	3ª haya sido
1ª seamos	1ª hayamos sido
2ª seáis	2ª hayáis sido
3ª sean	3ª hayan sido

Pretérito imperfecto	Pretérito pluscuamperfecto
1ª fuera *o* fuese	1ª hubiera *o* hubiese sido
2ª fueras *o* fueses	2ª hubieras *o* hubieses sido
3ª fuera *o* fuese	3ª hubiera *o* hubiese sido
1ª fuéramos *o* fuésemos	1ª hubiéramos *o* hubiésemos sido
2ª fuerais *o* fueseis	2ª hubierais *o* hubieseis sido
3ª fueran *o* fuesen	3ª hubieran *o* hubiesen sido

Futuro imperfecto	Futuro perfecto
1ª fuere	1ª hubiere sido
2ª fueres	2ª hubieres sido
3ª fuere	3ª hubiere sido
1ª fuéremos	1ª hubiéremos sido
2ª fuereis	2ª hubiereis sido
3ª fueren	3ª hubieren sido

Imperativo

Presente

sé (tú)
sea (él)
seamos (nosotros)
sed (vosotros)
sean (ellos)

 Verbos irregulares

Los verbos irregulares son aquellos que en su conjugación presentan alteraciones respecto a los modelos de la conjugación regular.

Debe tenerse en cuenta que:

☞ Si el presente de indicativo es irregular, también lo son el presente de subjuntivo y el imperativo.

☞ Si es irregular el pretérito indefinido, tienen la misma irregularidad el pretérito imperfecto de subjuntivo y el futuro imperfecto de subjuntivo.

☞ Si es irregular el futuro imperfecto de indicativo, lo es también el condicional simple.

La irregularidad puede producirse por la diptongación de una vocal (*poder: yo puedo*), por la adición de alguna consonante (*venir: yo vengo*; *agradecer: yo agradezco*), por el cierre de una vocal (*gemir: yo gimo*), por la pérdida de una vocal (*caber: yo cabré*) o de una vocal y una consonante (*hacer: haré*), etc.

Algunas irregularidades, que aquí no tenemos en cuenta, son puramente gráficas. Por ejemplo, el indefinido dc *tocar* es *toqué* para mantener el sonido de **k** (si no, sería *tocé*); el presente de *convencer* es *convenzo* (si no, sería *convenco*).

Damos a continuación una lista de verbos en los que se producen irregularidades en su conjugación. Omitimos los tiempos que no presentan alteraciones y que se ajustan a los modelos de las págs. 127-129. También respetamos el futuro de subjuntivo, aunque apenas se emplea.

Aborrecer

Indicativo

Presente: aborrezco.

Subjuntivo

Presente: aborrezca, aborrezcas, aborrezca; aborrezcamos, aborrezcáis, aborrezcan.

Imperativo

aborrezca, aborrezcamos; aborrezcan.

De la misma forma se conjugan:

Abastecer, adolecer, adormecer, aparecer, apetecer, carecer, compadecer, comparecer, complacer, conocer, convalecer, crecer, envejecer, favorecer, merecer, nacer, decrecer, parecer.

Acertar

Indicativo

Presente: acierto, aciertas, acierta; aciertan.

Subjuntivo

Presente: acierte, aciertes, acierte; acierten.

Imperativo

acierta, acierte, acierten.

Se conjugan de la misma forma:

Alentar, apacentar, apretar, arrendar, asentar, atravesar, atentar (cuando significa tentar o ir con tiento), calentar, cegar, cerrar, cimentar, comenzar, concertar, confesar, desmembrar, despertar, empedrar, empezar, encomendar, enmendar, ensangrentar, escarmentar, fregar, gobernar, helar, herrar, manifestar, mentar, merendar, nevar, pensar, plegar, quebrar, recomendar, regar, reventar, segar, sembrar, serrar, sosegar, temblar, tentar, tropezar.

Adquirir

Indicativo

Presente: adquiero, adquieres, adquiere; adquieren.

Subjuntivo

Presente: adquiera, adquieras, adquiera; adquieran.

Imperativo

adquiere, adquiera; adquieran.

> Se conjuga igual:
> *inquirir.*

Almorzar

Indicativo

Presente: almuerzo, almuerzas, almuerza; almuerzan.

Subjuntivo

Presente: almuerce, almuerces, almuerce; almuercen.

Imperativo

almuerza, almuerce; almuercen.

> Se conjugan lo mismo:
> *acordar, aprobar, avergonzar, colar, colgar, concordar,
> contar, costar, degollar, descollar, encontrar,
> forzar, mostrar, poblar, probar, recordar, renovar,
> resolver, rodar, soldar, soltar, soñar, tostar,
> trastrocar, tronar, volver.*

Andar

Indicativo

Indefinido: anduve, anduviste, anduvo; anduvimos, anduvisteis, anduvieron.

Subjuntivo

Imperfecto: anduviera *o* anduviese, anduvieras *o* anduvieses, anduviera *o* anduviese; anduviéramos *o* anduviésemos, anduvierais *o* anduvieseis, anduvieran *o* anduviesen.

Futuro: anduviere, anduvieres, anduviere; anduviéremos, anduviereis, anduvieren.

Se conjuga de la misma forma:
desandar.

Apostar

○ Significa: a) Hacer una apuesta. b) Poner una o más personas o caballerías en determinado puesto o paraje para algún fin. En el primer caso, se conjuga como *almorzar*. En el segundo, es regular. Ejemplos:

No es probable que apueste; Esperemos que no se aposte en la calle.

Asir

Indicativo

Presente: asgo.

Subjuntivo

Presente: asga, asgas, asga; asgamos, asgáis, asgan.

asga, asgamos, asgan.

Asolar

◯ Puede significar: a) destruir, arruinar, arrasar; b) se-
carse o echarse a perder los frutos del campo a causa
del calor o de una sequía. En el primer caso es irregular y se conjuga como *almorzar*. En el segundo es regular. Ejemplos:

> *Hay unos desaprensivos que lo asuelan todo;*
> *El calor asola los campos.*

Sin embargo, en el uso actual los dos verbos se
suelen conjugar como regulares.

Aterrar

◯ Puede tener el significado de *aterrorizar, causar terror*,
y es regular, y los de *bajar al suelo* y *cubrir con tierra*.
En estos últimos casos es irregular y se conjuga como
acertar.

Caber

Indicativo

Presente: quepo.
Indefinido: cupe, cupiste, cupo: cupimos, cupisteis,
cupieron.
Futuro: cabré, cabrás, cabrá; cabremos, cabréis, cabrán.
Condicional simple: cabría, cabrías, cabría; cabríamos,
cabríais, cabrían.

Subjuntivo

Presente: quepa, quepas, quepa; quepamos, quepáis, quepan.
Imperfecto: cupiera *o* cupiese, cupieras *o* cupieses, cupiera *o* cupiese; cupiéramos *o* cupiésemos, cupierais *o* cupieseis, cupieran *o* cupiesen.

Imperativo

quepa; quepamos, quepan.

Caer

Indicativo

Presente: caigo.
Indefinido: cayó, cayeron.

Subjuntivo

Presente: caiga, caigas, caiga; caigamos, caigáis, caigan.
Imperfecto: cayera *o* cayese, cayeras *o* cayeses, etc.

Imperativo

caiga, caigamos, caigan.

Gerundio

cayendo.

○ Las formas *cayó, cayeron, cayera, cayese, cayeras* o *cayeses* no son propiamente irregulares (ca-ió>cayó).

Se conjugan igual:
    decaer y *recaer.*

Ceñir

Indicativo

Presente: ciño, ciñes, ciñe; ciñen.
Indefinido: ciñó, ciñeron.

Subjuntivo

Presente: ciña, ciñas, ciña, ciñamos, ciñáis, ciñan.
Imperfecto: ciñera *o* ciñese, ciñeras *o* ciñeses, ciñera *o* ciñese; ciñéramos *o* ciñésemos, ciñerais *o* ciñeseis, ciñeran *o* ciñesen.
Futuro: ciñere, ciñeres, ciñere; ciñéremos, ciñereis, ciñeren.

Imperativo

ciñe, ciña; ciñamos, ciñan.

Gerundio

ciñendo.

Se conjugan igual:
    constreñir, reñir y *teñir.*

Cocer

Indicativo

Presente: cuezo, cueces, cuece; cuecen.

Subjuntivo

Presente: cueza, cuezas, cueza; cuezan.

Imperativo

cuece, cueza, cuezan.

Concebir

Indicativo

Presente: concibo, concibes, concibe; conciben.
Indefinido: concibió, concibieron.

Subjuntivo

Presente: conciba, concibas, conciba; concibamos, concibáis, conciban.
Imperfecto: concibiera *o* concibiese, concibieras *o* concibieses, concibiera *o* concibiese; concibiéramos *o* concibiésemos, concibierais *o* concibieseis, concibieran *o* concibiesen.
Futuro: concibiere, concibieres, concibiere; concibiéremos, concibiereis, concibieren.

Imperativo

concibe, conciba; concibamos, conciban.

Gerundio

concibiendo.

Se conjugan lo mismo:

colegir, competir, conseguir, corregir, derretir, elegir, embestir, expedir, gemir, impedir, medir, pedir, preconcebir, regir, rendir, repetir, seguir, servir, vestir.

Concluir

Indicativo

Presente: concluyo, concluyes, concluye, concluyen.
Indefinido: concluyó, concluyeron.

Subjuntivo

Presente: concluya, concluyas, concluya; concluyamos, concluyáis, concluyan.

Imperfecto: concluyera *o* concluyese, concluyeras *o* concluyeses, concluyera *o* concluyese; concluyéramos *o* concluyésemos, concluyerais *o* concluyeseis, concluyeran *o* concluyesen.

Futuro: concluyere, concluyeres, concluyere; concluyéremos, concluyereis, concluyeren.

Imperativo

concluye, concluya; concluyamos, concluyan.

Gerundio

concluyendo.

Se conjugan lo mismo:

atribuir, constituir, construir, contribuir, destituir, distribuir, huir, instituir, prostituir, recluir, retribuir.

Conducir

Indicativo

Presente: conduzco.
Indefinido: conduje, condujiste, condujo; condujimos, condujisteis, condujeron.

Subjuntivo

Presente: conduzca, conduzcas, conduzca; conduzcamos, conduzcais, conduzcan.

Imperfecto: condujera *o* condujese, condujeras *o* condujeses, condujera *o* condujese; condujéramos *o* condujésemos, condujerais *o* condujeseis, condujeran *o* condujesen.

Futuro: condujere, condujeres, condujere; condujéremos, condujereis, condujeren.

Imperativo

conduzca; conduzcamos, conduzcan.

Se conjugan de la misma forma:
aducir, deducir, inducir, producir, reproducir, seducir, traducir.

Consolar

Indicativo

Presente: consuelo, consuelas, consuela; consuelan.

Subjuntivo

Presente: consuele, consueles, consuele; consuelen.

Imperativo

consuela, consuele; consuelen.

Dar

Indicativo

Presente: doy.
Indefinido: di, diste, dio; dimos, disteis, dieron.

Subjuntivo

Presente: dé, des, dé; demos, deis, den.

Imperfecto: diera *o* diese, dieras *o* dieses, diera *o* diese; diéramos *o* diésemos, dierais *o* dieseis, dieran *o* diesen.
Futuro: diere, dieres, diere; diéremos, diereis, dieren.

Decir

Indicativo

Presente: digo, dices, dice; dicen.
Indefinido: dije, dijiste, dijo; dijimos, dijisteis, dijeron.
Futuro: diré, dirás, dirá; diremos, diréis, dirán.
Condicional: diría, dirías, diría; diríamos, diríais, dirían.

Subjuntivo

Presente: diga, digas, diga, digamos, digáis, digan.
Imperfecto: dijera *o* dijese, dijeras *o* dijeses, dijera *o* dijese; dijéramos *o* dijésemos, dijerais *o* dijeseis, dijeran *o* dijesen.
Futuro: dijere, dijeres, dijere; dijéremos, dijereis, dijeren.

Imperativo

di, diga, digamos, digan.

Gerundio

diciendo.

Participio pasivo

dicho.

Se conjugan lo mismo:

bendecir, contradecir, desdecir, maldecir.

En estos dos últimos casos, son más habituales los imperativos contradice (tú) y desdice (tú) que contradí (tú) y desdí (tú).

Dormir

Indicativo

Presente: duermo, duermes, duerme; duermen.
Indefinido: durmió, durmieron.

Subjuntivo

Presente: duerma, duermas, duerma; durmamos,
    durmáis, duerman.
Imperfecto: durmiera *o* durmiese, durmieras *o*
    durmieses, durmiera *o* durmiese; durmiéramos *o*
    durmiésemos, durmierais *o* durmieseis, durmieran *o*
    durmiesen.
Futuro: durmiere, durmieres, durmiere; durmiéremos,
    durmiereis, durmieren.

Imperativo

duerme, duerma; durmamos, duerman.

Gerundio

durmiendo.

Se conjuga igual:
    morir

Entender

Indicativo

Presente: entiendo, entiendes, entiende; entienden.

Subjuntivo

Presente: entienda, entiendas, entienda; entiendan.

Imperativo

entiende, entienda; entiendan.

> Se conjugan lo mismo:
> *ascender, atender, condescender, defender, descender, encender, extender, perder, reverter, tender.*

Erguir

Indicativo

Presente: yergo, yergues, yergue; yerguen.
Indefinido: irguió, irguieron.

Subjuntivo

Presente: yerga, yergas, yerga; yergamos, yergáis, yergan.

Imperativo

yergue, yerga, yergan.

Gerundio

irguiendo.

Errar

Indicativo

Presente: yerro, yerras, yerra; yerran.

Subjuntivo

Presente: yerre, yerres, yerre; yerren.

Imperativo

yerra, yerre; yerren.

Estar

Indicativo

Presente: estoy, estás, está; están.
Indefinido: estuve, estuviste, estuvo; estuvimos, estuvisteis, estuvieron.

Subjuntivo

Presente: esté, estés, esté; estén.
Imperfecto: estuviera *o* estuviese, estuvieras *o* estuvieses, estuviera *o* estuviese; estuviéramos *o* estuviésemos, estuvierais *o* estuvieseis, estuvieran *o* estuviesen.
Futuro: estuviere, estuvieres, estuviere; estuviéremos, estuviereis, estuvieren.

Imperativo

está, esté; estén.

Hacer

Indicativo

Presente: hago.
Indefinido: hice, hiciste, hizo; hicimos, hicisteis, hicieron.
Futuro: haré, harás, hará; haremos, haréis, harán.
Condicional: haría, harías, haría; haríamos, haríais, harían.

Subjuntivo

Presente: haga, hagas, haga; hagamos, hagáis, hagan.
Imperfecto: hiciera *o* hiciese, hicieras *o* hicieses, hiciera *o* hiciese; hiciéramos *o* hiciésemos, hicierais *o* hicieseis, hicieran *o* hiciesen.
Futuro: hiciere, hicieres, hiciere; hiciéremos, hiciereis, hicieren.

Imperativo

haz, haga; hagamos, hagan.

Participio pasivo

hecho.

> Se conjugan igual:
>   *deshacer, rehacer, satisfacer.*

Ir

Indicativo

Presente: voy, vas, va; vamos, vais, van.
Indefinido: fui, fuiste, fue; fuimos, fuisteis, fueron.
Imperfecto: iba, ibas, iba; íbamos, ibais, iban.

Subjuntivo

Presente: vaya, vayas, vaya; vayamos, vayáis, vayan.
Imperfecto: fuera *o* fuese, fueras *o* fueses, fuera *o* fuese; fuéramos *o* fuésemos, fuerais *o* fueseis, fueran *o* fuesen.
Futuro: fuere, fueres, fuere; fuéremos, fuereis, fueren.

Imperativo

ve, vaya; vayamos, id, vayan.

Gerundio

yendo.

> El imperativo del pronominal **irse** es:
>   *vete, váyase, idos, vayámonos, váyanse.*

Jugar

Indicativo

Presente: juego, juegas, juega; juegan.

Subjuntivo

Presente: juegue, juegues, juegue; jueguen.

Imperativo

juega, juegue, jueguen.

Mover

Indicativo

Presente: muevo, mueves, mueve; mueven.

Subjuntivo

Presente: mueva, muevas, mueva; muevan.

Imperativo

mueve, mueva; muevan.

Se conjugan lo mismo:
absolver, conmover, doler, llover, morder, soler, torcer.

Oír

Indicativo

Presente: oigo, oyes, oye; oyen.

Subjuntivo

Presente: oiga, oigas, oiga; oigamos, oigáis, oigan.

Imperativo

oye, oiga; oigamos, oigan.

> Se conjuga igual:
> *desoír*

Oler

Indicativo

Presente: huelo, hueles, huele, huelen.

Subjuntivo

Presente: huela, huelas, huela; huelan.

Imperativo

huele, huela; huelan.

Placer

○ Las formas normales del **pretérito de indefinido** son *plació*, *placieron*; las del **imperfecto de subjuntivo**, *placiera o placiese*.

○ Las formas *plugo*, *pluguiera* o *pluguiese* son anticuadas.

Poder

Indicativo

Presente: puedo, puedes, puede; pueden.
Indefinido: pude, pudiste, pudo; pudimos, pudisteis, pudieron.

Futuro: podré, podrás, podrá; podremos, podréis, podrán.

Condicional: podría, podrías, podría; podríamos, podríais, podrían.

Presente: pueda, puedas, pueda; puedan.

Imperfecto: pudiera *o* pudiese, pudieras *o* pudieses, pudiera *o* pudiese; pudiéramos *o* pudiésemos, pudierais *o* pudieseis, pudieran *o* pudiesen.

Futuro: pudiere, pudieres, pudiere; pudiéremos, pudiereis, pudieren.

puede, pueda; puedan.

pudiendo.

Poner

Presente: pongo.

Indefinido: puse, pusiste, puso; pusimos, pusisteis, pusieron.

Futuro: pondré, pondrás, pondrá; pondremos, pondréis, pondrán.

Condicional: pondría, pondrías, pondría; pondríamos, pondríais, pondrían.

Presente: ponga, pongas, ponga; pongamos, pongáis, pongan.

Imperfecto: pusiera *o* pusiese, pusieras *o* pusieses, pusiera *o* pusiese; pusiéramos *o* pusiésemos, pusierais *o* pusieseis, pusieran *o* pusiesen.

Futuro: pusiere, pusieres, pusiere; pusiéremos, pusiereis, pusieren.

Imperativo

pon, ponga; pongamos, pongan.

Participio pasivo

puesto.

> Se conjugan lo mismo:
>
> *anteponer, componer, contraponer, deponer, disponer, imponer, indisponer, interponer, posponer, presuponer, reponer, sobreponer, superponer, suponer.*

Predecir

○ Se conjuga como *bendecir* y *maldecir*, excepto en el participio, que es *predicho*.

○ Aunque no se rechazan las formas correspondientes a *decir* (*prediré, prediría, predí tú*), se prefieren: *predeciré, predeciría, predice tú*.

Pudrir o podrir

Participio

podrido.

○ Las demás formas verbales tienen **u**: pudre, pudra, etc.

Querer

Indicativo

Presente: quiero, quieres, quiere; quieren.
Indefinido: quise, quisiste, quiso; quisimos, quisisteis, quisieron.
Futuro: querré, querrás, querrá; querremos, querréis, querrán.
Condicional: querría, querrías, querría; querríamos, querríais, querrían.

Subjuntivo

Presente: quiera, quieras, quiera; queramos, queráis, quieran.
Imperfecto: quisiera *o* quisiese, quisieras *o* quisieses, quisiera *o* quisiese; quisiéramos *o* quisiésemos, quisierais *o* quisieseis, quisieran *o* quisiesen.
Futuro: quisiere, quisieres, quisiere; quisiéremos, quisiereis, quisieren.

Imperativo

quiere, quiera; quieran.

Reír

Indicativo

Presente: río, ríes, ríe; ríen.
Indefinido: rió, rieron.

Subjuntivo

Presente: ría, rías, ría; riamos, riáis, rían.
Imperfecto: riera *o* riese, rieras *o* rieses, riera *o* riese; riéramos *o* riésemos, rierais *o* rieseis, rieran *o* riesen.
Futuro: riere, rieres, riere; riéremos, riereis, rieren.

Imperativo

ríe, ría, riamos; rían.

Gerundio

riendo.

> Se conjugan igual:
> *freír, sonreír*

Saber

Indicativo

Presente: sé.
Indefinido: supe, supiste, supo; supimos, supisteis, supieron.
Futuro: sabré, sabrás, sabrá; sabremos, sabréis, sabrán.
Condicional: sabría, sabrías, sabría; sabríamos, sabríais, sabrían.

Subjuntivo

Presente: sepa, sepas, sepa; sepamos, sepáis, sepan.
Imperfecto: supiera *o* supiese, supieras *o* supieses, supiera *o* supiese; supiéramos *o* supiésemos, supierais *o* supieseis, supieran *o* supiesen.
Futuro: supiere, supieres, supiere; supiéremos, supiereis, supieren.

Imperativo

sepa; sepamos, sepan.

Sentir

Indicativo

Presente: siento, sientes, siente; sienten.
Indefinido: sintió; sintieron.

Subjuntivo

Presente: sienta, sientas, sienta; sintamos, sintáis,
   sientan.
Imperfecto: sintiera *o* sintiese, sintieras *o* sintieses,
   sintiera *o* sintiese; sintiéramos *o* sintiésemos,
   sintierais *o* sintieseis, sintieran *o* sintiesen.
Futuro: sintiere, sintieres, sintiere, etc.

Gerundio

sintiendo.

Se conjugan lo mismo:
   *adherir, advertir, arrepentirse, asentir, conferir,
   consentir, convertir, divertir, herir, hervir,
   mentir, pervertir, resentir(se), revertir,
   subvertir.*

Tener

Indicativo

Presente: tengo, tienes, tiene; tienen.
Indefinido: tuve, tuviste, tuvo; tuvimos, tuvisteis,
   tuvieron.
Futuro: tendré, tendrás, tendrá; tendremos, tendréis,
   tendrán.
Condicional: tendría, tendrías, tendría; tendríamos,
   tendríais, tendrían.

Subjuntivo

Presente: tenga, tengas, tenga; tengamos, tengáis, tengan.
Imperfecto: tuviera *o* tuviese, tuvieras *o* tuvieses, tuviera *o* tuviese; tuviéramos *o* tuviésemos, tuvierais *o* tuvieseis, tuvieran *o* tuviesen.
Futuro: tuviere, tuvieres, tuviere; tuviéremos, tuviereis, tuvieren.

Imperativo

ten, tenga; tengamos, tengan.

> Se conjugan lo mismo:
> *abstenerse, atenerse, contener, detener, entretener, mantener, obtener, retener.*

Traer

Indicativo

Presente: traigo.
Indefinido: traje, trajiste, trajo; trajimos, trajisteis, trajeron.

Subjuntivo

Presente: traiga, traigas, traiga; traigamos, traigáis, traigan.
Imperfecto: trajera *o* trajese, trajeras *o* trajeses, trajera *o* trajese; trajéramos *o* trajésemos, trajerais *o* trajeseis, trajeran *o* trajesen.
Futuro: trajere, trajeres, trajere; trajéremos, trajereis, trajeren.

Imperativo

traiga; traigamos, traigan.

Gerundio

trayendo.

> Se conjugan lo mismo:
> *abstraer, atraer, contraer, distraer, sustraer, retraer.*

Valer

Indicativo

Presente: valgo.
Futuro: valdré, valdrás, valdrá; valdremos, valdréis, valdrán.
Condicional: valdría, valdrías, valdría; valdríamos, valdríais, valdrían.

Subjuntivo

Presente: valga, valgas, valga, valgamos, valgáis, valgan.

Imperativo

val o vale, valga; valgamos, valgan.

> Se conjuga igual:
> *salir*

Venir

Indicativo

Presente: vengo, vienes, viene; venimos, venís, vienen.

Indefinido: vine, viniste, vino; vinimos, vinisteis, vinieron.

Futuro: vendré, vendrás, vendrá, vendremos, vendréis, vendrán.

Condicional: vendría, vendrías, vendría; vendríamos, vendríais, vendrían.

Subjuntivo

Presente: venga, vengas, venga; vengamos, vengáis, vengan.

Imperfecto: viniera *o* viniese, vinieras *o* vinieses, viniera *o* viniese; viniéramos *o* viniésemos, vinierais *o* vinieseis, vinieran *o* viniesen.

Futuro: viniere, vinieres, viniere; viniéremos, viniereis, vinieren.

Imperativo

ven, venga; vengamos, vengan.

Gerundio

viniendo.

Se conjugan igual:

avenir, contravenir, convenir, intervenir.

Ver

Indicativo

Presente: veo.

Imperfecto: veía, veías, veía; veíamos, veíais, veían.

Indefinido: vi, viste, vio; vimos, visteis, vieron.

Subjuntivo

Presente: vea, veas, vea; veamos, veáis, vean.

Imperfecto: viera *o* viese, vieras *o* vieses, viera *o* viese;
viéramos *o* viésemos, vierais *o* vieseis, vieran *o*
viesen.

Futuro: viere, vieres, viere; viéremos, viereis,
vieren.

Imperativo

vea, veamos, vean.

Gerundio

viendo.

Participio pasivo

visto.

Se conjugan igual:
entrever, prever.

Yacer

Indicativo

Presente: yazco, yazgo *o* yago.

Subjuntivo

Presente: yazca, yazga *o* yaga, yazcas, yazgas *o* yagas,
yazca, yazga *o* yaga; yazcamos, yazgamos *o*
yagamos, yazcáis, yazgáis *o* yagáis, yazcan, yazgan
o yagan.

Imperativo

yace *o* yaz; yazca, yazga *o* yaga; yazcamos, yazgamos *o*
yagamos; yazcan, yazgan *o* yagan.

Verbos defectivos

Los verbos denominados defectivos carecen de algunos tiempos completos o de algunas personas. Así ocurre con:

Abolir, agredir, transgredir, preterir

○ Sólo se emplean las personas cuya desinencia empieza por **-i**: *abol-ieron, agred-ían, transgred-ieron*, etc. Aunque aparecen alguna vez en la prensa, deben evitarse las formas *transgredo, agredo, agreda, abolo, abola*, etc.

Acaecer, acontecer, suceder, ocurrir

○ Únicamente son correctas las terceras personas del singular y del plural de todos los tiempos y el infinitivo, el participio y el gerundio.

Atañer

○ Sólo se usa en las terceras personas del singular y del plural de todos los tiempos verbales: *atañe, atañía, ataña*, etc. En el caso del pretérito indefinido, del pretérito y futuro imperfectos de subjuntivo y del gerundio simple debe decirse *atañó* (no *atañió*), *atañera* o *atañese* (no *atañiera* o *atañiese*), *atañere* (no *atañiere*) y *atañendo* (no *atañiendo*). No tiene imperativo.

Balbucir

○ No se usan las formas en que debía producirse el grupo consonántico **-zc-** (*balbuzco, balbuzcas, balbuzcamos*, etc.).

Concernir

○ Se emplea en las terceras personas de cada tiempo.
Por lo general, se reduce a los presentes de indicativo
y subjuntivo (*concierne, conciernen, concierna, con-
ciernan*), del pretérito imperfecto de indicativo (*con-
cernía, concernían*) y del gerundio (*concerniendo*).

Soler

○ Tan sólo se utilizan los tiempos de presente (*suelo,
sueles, suele*, etc.), imperfecto de indicativo (*solía, so-
lías*, etc.), indefinido (*solió*) y las formas no personales, aunque el infinitivo sólo sirve para dar nombre al
verbo. Estos tiempos siempre forman perífrasis con
el infinitivo de otro verbo (*suele ir, sueles ir, sueles comer*, etc.).

Para suplir las carencias que presentan estos verbos, debe re-
currirse a otros de parecidos o iguales significados. *Agredir*
puede sustituirse por *atacar, asaltar* o *cometer una agresión*;
abolir, por *abrogar, cancelar, derogar, invalidar*; *transgredir*,
por *quebrantar, violar*; *balbucir*, por *balbucear*, que tiene el
mismo significado.

Son también defectivos los verbos impersonales,
carentes de sujeto, que por designar algún
fenómeno atmosférico o de la naturaleza sólo se
usan en tercera persona del singular y en las formas
no personales:

> *amanecer, atardecer, anochecer, alborear,
> centellear, clarear, chispear, diluviar, escampar,
> helar, granizar, llover, lloviznar, nevar, ventear,
> ventiscar, oscurecer, relampaguear, tronar.*

▶ Participios irregulares

Son irregulares los participios de los verbos que no acaban en *-ado* (1ª conjugación) y en *-ido* (2ª y 3ª conjugaciones). Así ocurre con los terminados en *-so*, *-to* y *-cho*.

Existen también verbos que poseen dos participios, uno regular, que se emplea para formar los tiempos compuestos, y otro irregular, que funciona como adjetivo (a veces, como ocurre con *frito* y *provisto*, estos últimos también pueden servir para formar los tiempos compuestos). Se dice *yo he concluido* o *yo había confesado*, pero no *yo he concluso* o *yo había confeso*.

Infinitivos	Participios regulares	Participios irregulares
absorber	absorbido	absorto
abstraer	abstraído	abstracto
afligir	afligido	aflicto
atender	atendido	atento
bendecir	bendecido	bendito
circuncidar	circuncidado	circunciso
comprimir	comprimido	compreso
concluir	concluido	concluso
compeler	compelido	compulso
comprimir	comprimido	compreso
confesar	confesado	confeso
confundir	confundido	confuso
convencer	convencido	convicto
convertir	convertido	converso
corregir	corregido	correcto
corromper	corrompido	corrupto
despertar	despertado	despierto
difundir	difundido	difuso
dividir	dividido	diviso

elegir	elegido	electo
enjugar	enjugado	enjuto
eximir	eximido	exento
excluir	excluido	excluso
expresar	expresado	expreso
extender	extendido	extenso
extinguir	extinguido	extinto
fijar	fijado	fijo
freír	freído	frito
hartar	hartado	harto
imprimir	imprimido	impreso
incluir	incluido	incluso
incurrir	incurrido	incurso
infundir	infundido	infuso
injertar	injertado	injerto
insertar	insertado	inserto
invertir	invertido	inverso
juntar	juntado	junto
maldecir	maldecido	maldito
manifestar	manifestado	manifiesto
oprimir	oprimido	opreso
poseer	poseído	poseso
prender	prendido	preso
presumir	presumido	presunto
proveer	proveído	provisto
recluir	recluido	recluso
salvar	salvado	salvo
sepultar	sepultado	sepulto
soltar	soltado	suelto
sujetar	sujetado	sujeto
suspender	suspendido	suspenso
sustituir	sustituido	sustituto
teñir	teñido	tinto
torcer	torcido	tuerto

Otros verbos con participios irregulares

Infinitivo	Participio	Infinitivo	Participio
abrir	abierto	inscribir	inscrito
absolver	absuelto	morir	muerto
adscribir	adscrito	poner	puesto
anteponer	antepuesto	posponer	pospuesto
circunscribir	circunscrito	predecir	predicho
contraponer	contrapuesto	proscribir	proscrito
cubrir	cubierto	recomponer	recompuesto
decir	dicho	resolver	resuelto
deponer	depuesto	romper	roto
describir	descrito	suscribir	suscrito
entrever	entrevisto	ver	visto
escribir	escrito	volver	vuelto
hacer	hecho	yuxtaponer	yuxtapuesto
indisponer	indispuesto		

 Particularidades de algunas
formas verbales

El presente de indicativo

El **presente de indicativo**, aparte de su capacidad para expresar una acción actual que no ha acabado, puede tener los valores de ***presente habitual*** (*Yo desayuno siempre a las ocho*), ***presente histórico***, con valor de pasado (*Cervantes muere en 1616*), ***presente por futuro*** (*Mañana salgo de viaje*), ***presente durativo*** (*El Museo del Prado exhibe cuadros muy valiosos*), ***presente de mandato*** (*En castigo, os quedáis aquí*) y ***gnómico***, que aparece en máximas, aforismos, refranes y definiciones.

Indefinido y pretérito perfecto de indicativo

El uso frecuentemente incorrecto de estos tiempos verbales obliga a recordar lo siguiente:

○ El **pretérito perfecto** expresa una acción acabada, pero dentro de un tiempo que el hablante considera que no ha terminado:

> *Esta semana he ido dos veces al fútbol;*
> *Esta mañana ha llovido mucho.*

El **pretérito indefinido** también se refiere a una acción que ha concluido, pero dentro de una unidad de tiempo que el hablante considera acabada:

> *Ayer fui al fútbol; En 1990 visité París.*

Como puede observarse, en el empleo de una forma u otra a veces influye más el tiempo psicológico que el cronológico.

○ El **pretérito indefinido** se opone al imperfecto de indicativo en que éste, aunque expresa acción pasada, no indica nada sobre el final de la acción.

○ La segunda persona del singular del **pretérito indefinido** termina en **-ste**: *amaste, tuviste, fuiste.* Constituye una grave incorrección decir: *tuvistes, amastes, fuistes.*

Pretérito imperfecto de subjuntivo

El **pretérito imperfecto de subjuntivo** mantiene las formas en **-ra** y **-se** (*cantara* o *cantase, viniera* o *viniese*). Ambas son correctas, aunque se ha impuesto la primera de ellas. Además, es obligatoria la terminación **-ra** en las fórmulas de cortesía o de modestia con los verbos *querer*, *poder* y *deber*: *Quisiera que me escuchara*; *Pudiera ser cierto*.

También la forma en **-ra** se emplea a veces con el valor de **pluscuamperfecto de indicativo** (*había+participio*) en oraciones introducidas por **que**: *Lo mismo que ocurriera* (había ocurrido) *en otras ocasiones, volvió a insistir en lo mismo*; *Se empeñó en viajar de la misma forma que lo hiciera* (había hecho) *en tiempos pasados*.

Esta forma en **-ra** constituye hoy un arcaísmo pedante e innecesario.

Menos aceptable es el empleo de este tiempo de subjuntivo en sustitución del indefinido: *Se presentara anoche de improviso* (correcto: *Se presentó anoche de improviso*).

La construcción **después de que+imperfecto de subjuntivo** debe sustituirse por **después de+infinitivo** si una ación es posterior a otra:

> *Los obreros volvieron al trabajo después de que recibieran las garantías suficientes* (correcto: *después de recibir*).

Si las dos acciones son simultáneas, se emplea **cuando+pretérito indefinido**:

> *Los vehículos saltaron por los aires después de que estallara la carga explosiva* (correcto: *cuando estalló*).

Futuro imperfecto y futuro perfecto de subjuntivo

El **futuro imperfecto** y el **futuro perfecto de subjuntivo** han desaparecido de la lengua hablada y casi de la escrita. Hoy se prefieren, en su lugar, otras formas del indicativo o del subjuntivo: *Si alguien dudare>Si alguien duda*; *Si para entonces no hubiere regresado>Si para entonces no he regresado*.

Su uso queda reducido a modismos y refranes (*Sea lo que fuere*; *Donde fueres, haz lo que vieres*) y a escritos del lenguaje judicial y administrativo.

El condicional y el pluscuamperfecto de subjuntivo

○ El **condicional** puede emplearse:

☛ En las oraciones condicionales, cuando va en correlación con un pluscuamperfecto de subjuntivo:

> *Si me lo hubieras preguntado, te habría respondido; Si hubieras estado allí, no habría ocurrido; Si hubieras tenido tiempo, lo habrías hecho* (no *hubiera respondido, hubiera ocurrido* y *hubieras hecho*).

Sin embargo, hay que evitar la confusión entre el **condicional** y el **pluscuamperfecto de subjuntivo** (sólo este tiempo implica una hipótesis):

> *De haber sabido que estaba allí, no habría ido* (correcto: *hubiera ido*).

Con las formas simples de subjuntivo también se emplea el condicional:

> *Si tuviera dinero, me compraría un coche; Si me lo pidieras, lo haría; Si me quisieras, te seguiría* (no *me comprara, lo hiciera* y *te siguiera*).

☛ Como expresión de una probabilidad referida al pasado:

> *Serían las seis cuando llegó; Tendría entonces quince años.*

El **condicional** no se utiliza para expresar duda o posibilidad. En lugar de:

> *El ministro podría estar dispuesto a dimitir* o *Según ellos, habrían aplaudido pocos espectadores,*

debe decirse:

> *El ministro parece estar dispuesto a dimitir* o *Según ellos, parece que han aplaudido pocos espectadores.*

◌ No debe abusarse en los diálogos de la fórmula **yo diría que** (puede sustituirse por *creo*, *pienso*, *opino*, *me parece*).

◌ En las proposiciones condicionales, el verbo va en subjuntivo cuando la condición es de cumplimiento imposible o cuando el hablante formula algo que puede realizarse con un matiz subjetivo (de temor, deseo, súplica, etc.):

> *Si le hubiéramos ayudado, ahora no estaría así;*
> *Si empeorara, habría que llevarlo al hospital.*

Cuando la condición es de cumplimiento posible, y el hablante se limita a exponerla objetivamente, el verbo va en indicativo:

> *Si empeora, le llevaremos al hospital;*
> *Si no puedes estudiar, vete a la calle.*

Infinitivo e imperativo

◌ Se ha extendido bastante el empleo del **infinitivo** por el **imperativo**: ¡*Callar*!, ¡*Callarse*!, ¡*Callaros*!, ¡*Dormiros*!, !*Dormirse*!, ¡*Venir acá*!, etc. Lo correcto en estos casos es el imperativo: ¡*Callaos*!, ¡*Dormíos*!, ¡*Venid acá*! o ¡*Cállense*!, ¡*Duérmanse*!, ¡*Vengan acá*!

En cambio, el infinitivo, acompañado por la preposición **a,** sí puede reemplazar al imperativo:

> ¡*A callar*!; ¡*A dormir*!

○ Se ha generalizado el uso del infinitivo por el imperativo en los carteles con los que se pretende orientar al público: *entrar, salir, bajar, subir*. Aunque en estos casos se sobrentiende alguna forma verbal (*pueden, está permitido*, etc.), sería más lógico servirse del imperativo, en singular (*entrad, salid, bajad, subid*), o de la forma más respetuosa del plural (*entren, salgan, bajen, suban*).

○ A veces, con la segunda persona del imperativo del verbo **ir** se añade incorrectamente una **s** al final:

> *Ves por el periódico*, en lugar de *Ve por el periódico*.

Ha progresado considerablemente, sobre todo en la radio y en la televisión, la construcción de infinitivo sin verbo principal:

> *Por último, decir que anoche llovió en nuestra ciudad; En fin, añadir que estamos muy preocupados por la situación del detenido.*

En estos casos es obligatoria la incorporación del verbo del que depende el infinitivo:

> *Por último, queremos decir que anoche llovió en nuestra ciudad; En fin, sólo nos interesa añadir que estamos muy preocupados por la situación del detenido.*

○ A veces se emplea, con el verbo ***decir***, un infinitivo precedido de la preposición ***de***:

> *¿Quiénes han dicho de ir mañana al parque?*
> (correcto: *que iremos* o *que podemos ir*).

○ Recuérdese que en la primera persona de los verbos pronominales o que funcionan de esa forma desaparece la **s** que precede a **nos**:

arrepintámonos (no *arrepintámosnos*);
amémonos (no *amémosnos*).

○ No debe confundirse **haber** con **a ver**:

¡A ver si te callas!; *¡Debiste haber venido antes!*;
Mira a ver si ya ha llegado.

○ La construcción *venir de+infinitivo*, en lugar de *acabar de+infinitivo*, es un galicismo que debe evitarse:

Viene de ganar > Acaba de ganar.

○ Sobre la construcción de *a+infinitivo* como complemento de un nombre, véase la pág. 197.

El imperativo no debe emplearse para la negación. Para tales mandatos existe el subjuntivo:

No comed en clase > No comáis en clase.

El gerundio

○ Es correcto su empleo en oraciones en las que tiene el mismo sujeto del verbo principal:

Le vine (yo) *comentando lo ocurrido*;
Me canso subiendo escaleras.

○ Puede aparecer en proposiciones complementarias de un nombre o un pronombre que constituyen el sujeto de la oración:

El orador, considerándose rechazado, se marchó;
Yo, viendo lo que ocurría, protesté.

○ Se emplea con nombres de persona o de animal que hacen la función de complemento directo:

> *Encontraron a sus padres durmiendo en el parque.*

En cambio, no se admite cuando el complemento directo es un nombre animado que se refiere a una cualidad o acción permanentes ni cuando es un nombre inanimado. No puede decirse:

> *Tiene un novio siendo guapo* (correcto: *que es*);
> *Se promulgó una ley regulando los precios del tabaco* (correcto: *que regula*);
> *Le regalaron una caja conteniendo libros* (correcto: *que contenía*).

También se considera incorrecto su uso cuando sigue a nombres que no son sujeto ni complemento directo:

> *Subimos en un coche dirigiéndonos a Toledo;*
> *Todos eran individuos actuando sin escrúpulos* (correcto: *que se dirigía; que actuaban*).

El **gerundio** debe expresar una acción anterior, simultánea o inmediatamente posterior a la acción que indica el verbo principal:

> *Salió de allí dando un portazo; Hablando se entiende la gente.*

Por el contrario, debe evitarse el llamado **gerundio de posterioridad**. Son incorrectas frases como éstas:

> *El agresor huyó, siendo detenido unas horas después* (correcto: *y fue detenido*, o *pero fue detenido*).
> *Se produjo un accidente, muriendo todos* (correcto: *en el que murieron todos*).

○ Constituye un galicismo el empleo del giro **como+gerundio**, sin valor comparativo:

> *Estaba como intentando decirme algo.*

○ Es frecuente encontrar expresiones como esta:

> *Le estamos escribiendo* (en lugar de *le escribimos*) *para informarle de nuestras últimas novedades.*

El gerundio pierde aquí su habitual aspecto durativo. Esto hace que sí sea correcto su empleo cuando se trata de hechos repetidos:

> *Desde hace tiempo le venimos informando de nuestras últimas novedades.*

○ Aunque en algunos manuales se condene como anglicismo, no es incorrecta la construcción **estar siendo +participio**:

> *Su proposición está siendo estudiada* (aunque puede sustituirse por: *Se está estudiando su proposición* o *Se estudia su proposición*).

El gerundio puede constituir oraciones mediante las perifrasis que forma con la ayuda de los verbos auxiliares ir, estar, venir, andar:

> *Anda riéndose de todo; Está lloviendo.*

○ Las oraciones independientes formadas por un gerundio sólo aparecen al pie de fotografías o de cuadros:

> *Los espectadores saliendo del teatro.*

○ El gerundio compuesto expresa siempre acción anterior a la principal:

> *Habiendo llegado él, podemos estar tranquilos.*

○ Debe tenerse en cuenta que la abundancia de construcciones de gerundio en una oración, aunque sean
gramaticalmente correctas, puede resultar fatigosa.

Participios en -ado y en -ido

No puede suprimirse la **d** en la pronunciación de los participios en **-ado** ni en otras palabras con esta misma terminación. Más reprobable es la pérdida de dicha consonante en
los participios en **-ido** (*sentío, comío*).

Construcciones impersonales con haber y hacer

Con los verbos **haber** y **hacer** se construyen en castellano
oraciones impersonales: *Hace varios años*; *Hace un día estupen-
do*; *Había muchas personas*; *Hoy ha habido fuegos artificiales*.

En todos estos casos los sustantivos que acompañan al
verbo desempeñan la función de complemento directo. Por
tanto, el hecho de que vayan en singular o en plural no afecta
al verbo, ya que nunca son sujetos de él.

Son incorrectas construcciones como las que siguen:
Han habido muchas personas; *Hubieron corridas de toros durante las fiestas*; *Están haciendo unos días estupendos*.

También en las perífrasis en las que figura **haber** como
verbo principal en infinitivo o en gerundio debe mantenerse
el singular: *Debe haber cientos de personas* (no *deben*); *Sigue
habiendo muchos problemas* (no *siguen*); *Suele haber muchos
coches* (no *suelen*).

> Con las primeras y segundas personas no se emplea
> **haber**, cuyo uso impersonal sólo se refiere a las
> terceras. No se dice:
>
> > *Habíamos sólo seis personas*, sino *Estábamos sólo
> > seis personas*.

Perífrasis

La perífrasis verbal ***deber de+infinitivo*** significa posibilidad, suposición y conjetura: *Deben de haber llegado ya*; *Debía de tener entonces quince años*.

Sin la preposición ***de*** significa obligación: *Deben llegar esta tarde*; *Deben esperar a que termine la película*.

La diferencia, muchas veces olvidada, entre estas dos perífrasis debe mantenerse a la hora de hablar o de escribir.

 Concordancias

○ Con los nombres colectivos homogéneos u organizados (*gobierno*, *ejército*, *comisión*, *junta*, *empresa*, *equipo*, *jurado*, *patrulla*) el verbo concuerda en singular:

> *La tropa estuvo preparada desde el amanecer;*
> *El matrimonio tuvo dos hijos.*

Con los nombres colectivos poco homogéneos (*gente*, *pueblo*, *multitud*, *público*) o con un sujeto neutro el verbo puede aparecer en plural:

> *Esa gente son profesores; Todo son molestias.*

En el caso de que el colectivo vaya acompañado de un complemento en plural unido por la preposición ***de*** surgen vacilaciones:

> *Un grupo de personas se acercaron a él* (se hace hincapié en las personas); *Un grupo de personas se acercó a él* (se hace hincapié en el grupo);
> *Un millón de personas murieron en la guerra;*
> *El resto de los presentes votó en contra.*

> Cuando en una oración atributiva el sujeto está constituido por un colectivo y el atributo es un nombre en plural, se prefiere la concordancia en este número:
>
> *La mayoría de los soldados eran sevillanos;*
> *El resto de los refugiados eran vietnamitas.*

Cuando un nombre que no tiene valor colectivo lleva un complemento en plural, el verbo debe ir en singular:

> *La presencia de famosos provocó un gran alboroto.*

Téngase en cuenta que si el verbo queda distanciado del sujeto no es extraño encontrar la concordancia en plural:

> *La mitad huyó a la montaña; pero al cabo de un mes volvieron a sus hogares.*

○ En las oraciones impersonales con el pronombre reflexivo **se** gramaticalizado el verbo va en singular:

> *Se consiguió mantenerlos en sus puestos;*
> *Se está intentando que vengan;*
> *Se oía a los niños llorar.*

○ En frases como *Yo soy de los que creo, Yo soy de los que defiendo*, el último verbo va en plural, ya que en ese número está su sujeto gramatical (**los que**). Debe, por tanto, decirse:

> *Yo soy de los que creen; Yo soy de los que defienden.*

En la construcción **uno de los que** se suele preferir también el plural:

> *Fue uno de los que lo protegieron.*

Lo mismo ocurre en frases como éstas:

El representante de ese partido es una de las
figuras que más interés han suscitado (no *ha*
suscitado); *Fue uno de los aspectos de la*
conferencia que tuvieron menos relieve (no
que tuvo).

○ Si el sujeto es múltiple, el verbo concuerda, en plural, con el elemento que vaya en primera persona (si lo hay):

Rodrigo, Pedro y yo nos encargaremos de eso.

Si no, es preferible emplear la segunda persona (si existe):

Ellos y vosotros seréis mis invitados.

Cuando dos sustantivos en singular están unidos por **y**, el verbo va en plural:

El lápiz y el papel están encima de la mesa.

Sin embargo, cuando los nombres unidos por **y** forman para el hablante una unidad, el verbo puede ir en singular:

La compra y venta de estos objetos está prohibida.

Si los sujetos en singular se coordinan con **o**, el verbo puede aparecer en singular o en plural, siempre que los preceda:

Me visitará (o *visitarán*) *mi padre o mi madre;*
Le seducía (o *seducían*) *el lugar o la gente.*

○ En el caso de frases con **uno u otro**, puede utilizarse el plural si el sujeto engloba al que habla o al que escucha:

Uno u otro tendremos (o *tendréis*) *que acompañarlo.*

○ Cuando un nombre es complemento de dos verbos coordinados que exigen distinta preposición, el nombre debe ir con el primer verbo; con el segundo puede reproducirse mediante un pronombre y la preposición correspondiente:

> *Ni pertenezco ni colaboro con esa organización* (correcto: *Ni pertenezco a esa organización ni colaboro con ella*); *No por ello renuncio ni pierdo mis derechos* (correcto: *No por ello renuncio a mis derechos ni los pierdo*); *Él aprueba y se alegra de tu decisión* (correcto: *Él aprueba tu decisión y se alegra de ella*).

○ En las construcciones impersonales con un sustantivo en plural, debe emplearse este número con el verbo:

> *Se venden lápices*; *Se alquilan coches*, en lugar de *Se vende lápices* o *Se alquila coches*.

○ Cuando un sustantivo, en singular, va seguido de un complemento, es preferible emplear ese número con el verbo que sigue:

> *La primera actriz, con sus compañeras, salió a saludar* (mejor que *salieron*); *Esta República, junto con otras, proclamó la independencia* (mejor que *proclamaron*).

La vacilación desaparece si nos servimos de una coordinación:

> *La actriz y sus compañeras salieron a saludar.*

○ Es incorrecto establecer una conexión sintáctica entre el estilo directo y el indirecto:

> *Ella dijo que yo no tengo nada que ver en el asunto* (*Ella dijo*: *Yo no tengo nada que ver en el asunto*; o *Ella dijo que no tenía nada que ver en el asunto*, es lo correcto).

Acentuación

Algunas formas verbales en las que se juntan dos vocales se acentúan con frecuencia mal. Lo correcto en el presente de indicativo, con los verbos que siguen, es:

Adecuar: adecuo, adecuas, adecua.

Amortiguar: amortiguo, amortiguas, amortigua.

Ansiar: ansío, ansías, ansío.

Ataviar: atavío, atavías, atavía.

Atenuar: atenúo, atenúas, atenúa.

Embaular: embaulo, embaulas, embaula (mejor que embaúlo).

Evacuar: evacuo, evacuas, evacua.

Evaluar: evalúo, evalúas, evalúa.

Extenuar: extenúo, extenúas, extenúa.

Graduar: gradúo, gradúas, gradúa.

Insinuar: Insinúo, insinúas, insinúa.

Licuar: licuo, licuas, licua.

Perpetuar: perpetúo, perpetúas, perpetúa.

Rociar: rocío, rocías, rocía.

Santiguar: santiguo, santiguas, santigua.

Vaciar: vacío, vacías, vacía.

Vanagloriarse: vanaglorio, vanaglorias, vanagloria.

En general, los verbos terminados en **-cuar** y **-guar** se conjugan como *averiguar* (*averiguo, averiguas, averigua*); los terminados en **-uar** se conjugan como *actuar* (*actúo, actúas, actúa*).

El adverbio

El **adverbio**, que carece de género y de número, modifica o complementa la significación de un verbo, de un adjetivo o de otro adverbio.

Muchos de ellos admiten, lo mismo que los sustantivos y los adjetivos, diminutivos y superlativos: *despacito*, *cerquita*, *poquito*, *lejísimos*, *prontísimo*, *muchísimo*.

También pueden combinarse con ***mismo***, que va pospuesto: *aquí mismo*, *hoy mismo*, *asimismo*, etc. Algunos son susceptibles de la gradación propia de los adjetivos: *muy cerca*, *más cerca*, *mucho antes*.

A ellos hay que añadir otras locuciones adverbiales, formadas por varias palabras con sentido completo: *de repente*, *a sabiendas*, *desde luego*, *mientras que*, etc.

Los adverbios ***como***, ***donde***, ***cuando***, ***mientras*** y ***cuanto*** funcionan como complementos circunstanciales del verbo, pero tienen también un valor conjuntivo ya que sirven para introducir proposiciones de modo, lugar, tiempo y cantidad.

A continuación resumimos algunos de los problemas que puede acarrear su empleo.

Acá y Aquí

○ Estos adverbios pueden ir precedidos de diversas preposiciones que denotan movimiento o aproximación (*de acá*, *desde acá*, *hacia acá*, *desde aquí*), pero no de ***a***. No puede decirse:

> *De entonces a acá* o *Vino a aquí* (correcto: *De entonces acá*; *Vino aquí*).

Adelante y delante

○ **Adelante** se emplea con verbos de movimiento. Nunca debe anteponérsele la preposición **a**:

Siempre se lanzaban adelante; *Sigue adelante*; *Vamos adelante.*

○ **Delante** indica situación. Se está delante de algo o de alguien, nunca **adelante**:

El autobús está parado delante de la casa; *No puedo verlo*; *delante hay un árbol.*

Frases como *vete adelante* y *vete delante* tienen significados diferentes. La primera indica que el interpelado debe realizar algún movimiento. La segunda, que se debe colocar en un sitio determinado.

○ Con las preposiciones **hacia** o **para** se emplean ambas formas, aunque se prefiere **delante**. En realidad, estas preposiciones sólo deberían usarse con *adelante*, ya que *delante*, como hemos visto, indica situación.

○ **Adelante** puede unirse a un nombre para formar una construcción de valor abverbial:

Por la carretera adelante.

○ Evítense los vulgarismos **pa lante** y **para alante**.

Adentro y dentro – Afuera y fuera

○ **Adentro** y **afuera** se emplean con verbos de movimiento: *Vete afuera*; *Vete adentro*. Son incorrectas, por tanto, las expresiones *estoy afuera* o *estoy adentro*.

A ninguna de estas formas se les puede anteponer la preposición **a** (no puede decirse *Vete a afuera* o *Vete a adentro*).

○ **Fuera** y **dentro** se usan en todos los casos, incluso en las construcciones con verbos de movimiento:

> *Sal fuera; Estoy dentro;*
> *Fuera te espera tu amigo.*

○ El empleo de uno u otro de estos adverbios puede dar lugar a frases ambiguas, como ocurre con *Pasa adentro* y *Pasa dentro*. Ambas expresiones pueden significar *entra*, pero la segunda también que algo está ocurriendo dentro de un lugar.

> Las preposiciones **hacia**, **para** y **por** se usan con ambas formas, aunque son más habituales con **dentro** y **fuera**:
>
> > *Voy para dentro* (o *para fuera*).

○ Como complemento de un sustantivo se emplean **afuera** y **adentro**:

> *mar afuera, mar adentro*

Adonde, a donde y donde

○ **Adonde** y **a donde** expresan la dirección que indica el verbo principal.

Aunque no siempre se respeta escrupulosamente esta norma, debe emplearse **adonde** cuando en la oración figura su antecedente:

> *Saldremos para Sevilla, adonde llegaremos por la tarde; Ese es el lugar adonde se dirigen; Esa es la casa adonde vamos.*

A donde se reserva para cuando no está presente en la oración su antecedente:

> *Nos dirigimos a donde no haya peligro; Iremos a donde nos está esperando; Fuiste a donde no tenías que ir.*

También en las oraciones interrogativas se emplea **adónde** (con acento);

> *¿Adónde quieres ir?*

○ Con las palabras que no indican movimiento debe emplearse **donde** o **en donde**:

> *Ese es el sitio donde suelo estudiar; ¿Dónde (o en dónde) escondiste el dinero?*

Recuérdese que **donde** siempre señala lugar, no tiempo. No puede, por tanto, decirse:

> *Fue la época donde nos conocimos* o *Ya no recuerdas los momentos donde fuimos tan felices* (correcto: *en que nos conocimos; en que fuimos tan felices*).

Ahí

○ No se confunda el adverbio **ahí** con la forma verbal *hay* y con la interjección *ay*:

> *Desde ahí se ve todo mejor; Hay que hacerlo; ¡Ay qué calor!*

Arriba y abajo

○ Estos adverbios pueden ir precedidos de diversas preposiciones que denotan movimiento o aproximación (*de abajo, desde abajo, hasta abajo, de arriba, hacia arriba*, etc.), pero no de ***a***. No puede decirse:

> *Vete a abajo* (o *a arriba*); *Lo mira de arriba a abajo.*

○ Un valor redundante tiene el empleo de **arriba** y **abajo** con los verbos *subir* y *bajar*, ya que en ellos está indicada la dirección hacia lo alto o hacia lo bajo. No tiene sentido, por ejemplo, decir:

> *Subo hacia arriba.*

Cuando se utilice la preposición **de**, deben sustituirse **arriba** y **abajo** por **encima** y **debajo**, respectivamente:

> *El ladrón está debajo de la cama; El niño se sentó encima de la mesa.*

○ **Abajo** y **arriba** pueden complementar directamente a un nombre:

> *Cuesta abajo, cuesta arriba.*

Atrás y detrás

○ El adverbio **atrás** puede ir precedido de preposiciones que indican movimiento o aproximación:

> *De atrás, hacia atrás, para atrás,* etc.

Pero nunca puede anteponérsele la preposición ***a***, ya que es un componente de la palabra.

○ **Detrás** indica situación: *está detrás*. A diferencia de **atrás**, que normalmente no lo lleva, puede ir acompañado de un complemento:

> *Está detrás de ti.*

Cerca

○ Este adverbio de lugar no puede ir precedido de un posesivo:

> *Cerca mío, cerca tuyo* (correcto: *cerca de mí, cerca de ti*).

Igual

○ El adjetivo **igual**, usado frecuentemente como adverbio para expresar posibilidad o probabilidad (*Igual nos encontramos en la calle*; *Igual me dejan ir este verano al extranjero*), debe ser sustituido por *a lo mejor*, *quizá* o *probablemente*.

Más y menos

○ Recordemos que **más** y **menos** no deben emplearse con adjetivos en grado comparativo o superlativo (*más inferior*, *menos superior*, etc.).

○ **Más** puede ir precedido de la preposición *de*: *Me ha devuelto mil pesetas de más*; *Tú estás de más*. No debe confundirse con el indefinido **demás**, a veces sustantivado:

> *Preocúpate de los demás*; *Los demás amigos no vinieron*.

Mejor

○ **Mejor**, como adjetivo comparativo de bueno, admite el plural:

> *Tenemos los mejores vinos*; *Son los mejores alumnos*.

En cambio, cuando se emplea como adverbio en grado comparativo de **bien**, y seguido de un adjetivo, siempre va en singular:

> *Estos son los vinos mejor embotellados que tenemos; No siempre en las oposiciones aprueban los mejor preparados* (no *mejores*).

Mientras

○ **Mientras** o **mientras que** tienen valor temporal e indican simultaneidad de dos o más acciones:

> *No te muevas de aquí mientras* (o *mientras que*) *yo voy a hacer la compra; Mientras tú estabas en clase, yo paseaba.*

Cuando se indica disparidad, divergencia y oposición de acciones o cualidades debe emplearse **mientras que**:

> *Este está siempre contento y feliz, mientras que aquel no para de lamentarse; Tienes motivos para estar contento, mientras que él no.*

No

○ **No** puede coincidir en una frase con *nunca* y con *jamás* (*No lo haré nunca*), pero no con *tampoco*. En lugar de *No lo sé yo tampoco*, debe decirse: *Tampoco lo sé yo.*

Hay que prevenir contra el empleo, que se ha puesto de moda, de **no** ante un sustantivo:

> *Los presentes expresaron su no apoyo* (por *rechazo*); *La no asistencia del opositor* (por la *inasistencia*).

Quizá

○ Pueden utilizarse indistintamente las formas **quizá** (que es la etimológica) y **quizás**, frecuente desde la segunda mitad del siglo XVI (Santa Teresa, Cervantes, Góngora y Tirso se sirvieron de ella), probablemente por analogía con **más**, **atrás**, **jamás**, etc. Sin embargo, la RAE da preferencia a la primera.

> **Quizá** puede preceder o seguir a formas verbales en indicativo. Con el subjuntivo, lo normal es que se anteponga:
>
> *Quizá lo haya visto*

○ La locución *quizá y sin quizá* se emplea para dar por segura o por cierta una cosa.

Ya

○ El empleo de **desde ya**, aunque se conocía en el habla regional de la península, procede del español de América. En su lugar, debe decirse *desde ahora*, *en este momento*.

 ▶ Adverbios en mente

○ El adjetivo puede realizar, con el añadido de **-mente**, una función adverbial. Este añadido se agrega a la forma femenina o indiferente del singular:

buenamente, fácilmente, obviamente, doblemente.

Dicho adjetivo es susceptible de aparecer en el adverbio no sólo en su forma positiva, sino con el morfema *–ísimo*:

> *rapidísimamente.*

○ Recuérdese que estos adverbios se caracterizan por conservar el acento propio de cada uno de sus componentes. Esto permite que en los casos en que haya varios seguidos, como complementos de un mismo verbo, se pueda mantener sólo la forma en **-mente** del último, que irá precedido de la conjunción *y*:

> *Pura y simplemente; Lisa y llanamente; Dulce y débilmente.*

Si se enumeran los adverbios en su forma plena, lo que da al texto un matiz mucho más subjetivo, pueden emplearse comas:

> *Todo transcurría allí serenamente, dulcemente.*

Cuando dos o más adverbios en **mente** se encuentran próximos, conviene sustituir alguno de ellos por otras expresiones:

> *Él, lamentablemente, cree que todo se va a arreglar favorablemente>Él, por desgracia, cree que todo se va a arreglar favorablemente.*

○ Los adverbios *mayormente* y *mismamente* se consideran vulgares: el primero puede sustituirse por *sobre todo* o *principalmente*; el segundo, por *precisamente*. Pérez Galdós y otros escritores suelen ponerlos en boca de personajes de escasa cultura.

○ *Seguidamente* se emplea de forma incorrecta en frases como ésta:

> *Seguidamente a la actuación del cantante, se celebró una fiesta* (dígase: *Después de, tras,* o *a continuación de la actuación del cantante*).

○ También debe evitarse la forma enfática *Yo personalmente.*

La conjunción

Las **conjunciones** se utilizan para poner en relación distintas oraciones. También enlazan, dentro de una oración, elementos que desempeñan un oficio aquivalente: *Antonio y Santiago son hermanos.*

Aquí sólo nos referimos a las que pueden crear problemas.

Aunque

○ Cuando la proposición introducida por **aunque** se refiere a un hecho que el hablante considera un obstáculo real para el hecho enunciado en la parte principal, el verbo va en indicativo:

> *Aunque está cansado, se muestra animoso.*

Si ese obstáculo es presentado como mera objeción del que escucha o se considera puramente hipotético, el tiempo verbal usado es el subjuntivo:

> *Aunque esté cansado, se muestra animoso;*
> *Aunque estuviera cansado, se mostraría animoso.*

Conque

○ Es una conjunción con la que se enuncia una consecuencia natural de lo que se acaba de decir:

> *Ya llegó él, conque yo me marcho; No estaba en su despacho, conque tuvimos que esperar; Se le ha quitado la fiebre, conque puedes estar tranquilo.*

○ También se emplea para introducir una frase en la que se pone de manifiesto la sorpresa o la censura del interlocutor:

Conque ibas a venir ayer, ¿eh?

No debe confundirse esta conjunción con la suma de la preposición **con** y el relativo **que**, equivalente a **con el cual, con la cual, con lo cual, con los cuales**:

Eran muchas las armas con que nos atacó;
Son los inconvenientes con que uno tropieza.

○ **Con** puede también preceder a una proposición introducida por la conjunción **que**:

Con que estuvieras aquí a las ocho, me alegraría.

Esta construcción no debe confundirse con la suma de la preposición *con* y el interrogativo *qué*:

¿Con qué vas a pagar?; ¿No debería usted saber con qué bazas cuenta?

Ni

○ Los dos elementos que une esta conjunción tienen carácter negativo:

No tenía dinero ni joyas (es decir, *no tenía nada*).

De ahí que **ni** se anteponga muchas veces a los dos términos que enlaza:

No tenía ni dinero ni joyas.

○ Si los términos que une preceden al verbo, es obligatorio poner **ni** con cada uno de ellos:

Ni dinero ni joyas tenía; Ni sus modales ni su falta de inteligencia le impidieron triunfar.

○ Obsérvese que si se emplean dos complementos con **ni**, no es necesario repetir la negación con el verbo:

> *Ni a él ni a ella les parece bien.*

○ Cuando el primer término no tiene significado negativo, se emplea **y no**:

> *Están furiosos, y no les falta razón.*

Porqué, porque, por qué y por que

○ **Porque**: Es conjunción causal, compuesta por la preposición *por* y por la conjunción *que* (equivale a *ya que*, *puesto que*, *como*, *como quiera que*).
   Sirve, por tanto, para introducir oraciones en las que se explica la causa de otra principal:

> *No voy porque no me han invitado; Me cuesta trabajo estudiar porque estoy cansado.*

○ **Porqué**: Es sustantivo (puede sustituirse por *motivo* o *causa*). Va siempre precedido de un determinante (artículo, posesivo, numeral, indefinido, etc.). Puede también ir en plural:

> *No nos dijo el porqué (o los porqués) de su enfado.*

○ **Por que**: Se compone de la preposición **por** y del pronombre relativo **que**, equivalente a *el cual*, *la cual*, *los cuales*, *las cuales* (*que* se refiere, por tanto, a un antecedente, y lo reproduce). Entre la preposición y el relativo puede intercalarse el artículo:

> *Esa es la única libertad por (la) que muero;*
> *Ignoramos los motivos por (los) que ha vuelto.*

Por que puede también expresar finalidad:

> *Se esforzó por que todo saliera bien.*

○ **Por qué**: Esta combinación de la preposición **por** y el interrogativo **qué** sirve para preguntar. Equivale a *por qué razón*. Aparece también en proposiciones interrogativas indirectas:

> *¿Por qué te has quedado?*;
> *¿Por qué no respondiste?*;
> *No sé por qué tarda tanto.*

Téngase en cuenta que este **por qué** no debe llevar artículo:

> *No sé el por qué te has enfadado* (correcto: *No sé por qué te has enfadado*).

Que

○ En las proposiciones subordinadas sustantivas que realizan la función de complemento directo es preferible mantener la conjunción **que**:

> *Le agradeceré me diga lo que le ocurre* (mejor: *que me diga lo que le ocurre*).

Dicha conjunción se hace necesaria en las oraciones interrogativas indirectas que dependen del verbo *preguntar*:

> *Le pregunté cómo estaba su madre* (correcto: *que cómo estaba*).

Las locuciones **así es que** y **en cuanto que** deben sustituirse por **así que** y **en cuanto**:

> *Tenías que haberlo pensado antes, así es que deja de lamentarte* (correcto: *así que deja*);
> *En cuanto que lo tenga, te lo mandaré* (correcto: *en cuanto lo tenga*).

Sino

○ Es una conjunción adversativa con la que se contrapone a un concepto negativo otro afirmativo:

No vino él, sino ella;
      No lo hizo el perro, sino el gato.

○ Cuando introduce una oración con verbo en forma personal va seguida de **que**:

No lo contrató, sino que lo despidió.

○ **Sino**, como sustantivo, significa *destino*.

○ No debe confundirse **sino** con la conjunción condicional *si* seguida de *no* (*si no*), con la que se indica que un concepto depende de otro:

Si no te das prisa, llegarás tarde; Si no quieres ayudarme, vete.

Y, E y O

○ La conjunción **y** se cambia en **e** cuando va delante de una palabra que empieza por *i*:

Eran maleducados e imbéciles; Aguja e hilo; Francia e Inglaterra.

No se produce ese cambio cuando la *i* forma parte de un diptongo:

Pela y hierve las patatas; Mata a uno y hiere a los demás.

Tampoco cuando **y** tiene valor adverbial interrogativo:

¿Y Inés? (¿Dónde está Inés?).

> La conjunción **y**, colocada al comienzo de una oración
> o después de una pausa, puede tener valor enfático (su
> supresión no cambiaría el sentido de la frase):
>
> *¿Y por qué os vais?*

○ La conjunción disyuntiva **o** toma la forma de **u**
cuando precede a una palabra que empieza por **o**:

*Estoy dudando entre percebes u ostras; Bélgica u
Holanda.*

○ La combinación **y/o**, que, afortunadamente, cada vez
se emplea menos, es innecesaria, por redundante.

○ La conjunción **o**, seguida de **sea** (*o sea*), tiene valor
explicativo:

La calle Mayor, o sea, la principal.

La preposición

Las **preposiciones** son palabras invariables que tienen por función relacionar dos términos de una misma oración. La lista se compone de: *a*, *ante*, *bajo*, *cabe*, *con*, *contra*, *de*, *desde*, *en*, *entre*, *hacia*, *hasta*, *para*, *por*, *según*, *sin*, *so*, *sobre* y *tras*. *A*, *contra*, *de*, *desde*, *hacia*, *hasta*, *para* y *por* indican movimiento (físico o figurado). *Ante*, *bajo*, *con*, *en*, *entre*, *sin*, *sobre* y *tras* se utilizan indiferentemente para nociones estáticas o dinámicas.

Muchas de ellas pueden agruparse: *desde por la mañana*; *hasta en la sopa*; *en contra de lo dicho*.

Algunas de estas preposiciones han ido cediendo terreno, sobre todo en la lengua hablada, a locuciones: *bajo* se sustituye muchas veces por *debajo de*; *ante*, por *delante de*; en lugar de *tras* se emplea con frecuencia *detrás de*, *después de*, etc.

A

○ La construcción, calcada del francés, en la que **a+infinitivo** funcionan como complemento de un nombre, se ha generalizado en castellano. Constantemente se habla de:

> *cantidades a deducir, pisos a alquilar, tareas a realizar, casos a estudiar, asuntos a tratar, ejemplos a seguir, acuerdos a tomar, problemas a resolver, faltas a penalizar*, etc.

Lo correcto en estos casos es sustituir *a* por *que he*, *que has*, *que han*, *que se han*, *que deben*, *que es preciso*, *para*, etc.:

> *tareas que se han de realizar; cantidades que se deben deducir; pisos para alquilar*, etc.

Téngase en cuenta que en muchos casos (*problema a resolver*; *acuerdo a tomar*; *ejemplo a seguir*, etc.) puede suprimirse el verbo ya que las palabras que anteceden (*problema*, *acuerdo*, *ejemplo*) tienen sentido completo.

Sin embargo, esta construcción de **a+infinitivo** se ha extendido tanto, que las batallas contra ella parecen definitivamente perdidas. Hace años escribía Manuel Seco:

«Es probable que no tarde en ser acogida esta fórmula por todos, no solo como consecuencia de su creciente auge, sino de la relativa necesidad que nuestra lengua siente de tal construcción. Pero, por ahora, los escritores cuidadosos eluden su empleo, que ciertamente suena mal en muchas ocasiones. Hay que evitar que la frase con a llegue a eliminar a las otras, más expresivas. Lo recomendable es utilizar los giros españoles siempre que sea posible, sin rechazar el extraño cuando la comodidad y la rapidez lo pidan y el buen gusto no se resienta por ello».

También es galicismo el uso de **a+artículo** para indicar la materia con la que está hecho un producto:

crema a la glicerina; *champú a la clorofila* (debe decirse: *crema con glicerina*; *champú con clorofila*).

○ Es incorrecto el empleo de **a** para enlazar un sustantivo con otro que le sirve de complemento. La **a** debe sustituirse por **de** en:

olla a presión, motor a reacción, barco a vela, vehículo a motor, cocina a gas, camisa a rayas, etc.

Sin embargo, hay que admitir que pocas personas dicen *olla de presión* y *avión de reacción*.

○ El empleo de ***a+por*** con verbos de movimiento (*voy a por agua*; *vengo a por ti*) es habitual desde la segunda mitad del siglo XIX, como puede verse en obras de Unamuno, de Azorín y de otros grandes escritores. Según el *Esbozo* de la Real Academia Española: «El empleo de esta locución ha progresado especialmente en el habla usual de las provincias del centro peninsular, y aun podrían citarse algunos ejemplos literarios, si bien es desconocida en América. Sin embargo, la conversación culta de España suele sentirla como vulgar y procura evitarla».

Debe prescindirse de esta construcción en los casos en que es innecesaria. En lugar de:

> *Voy a por el periódico* o *Iré a por pan*, es preferible decir: *Voy por el periódico, Iré por pan.*

Sin embargo, en otros casos puede evitar ambigüedades. La frase *Voy a por dinero* significa *Voy a buscar dinero*; en *Voy por dinero* puede entenderse que el que habla va por interés.

Recuérdese que no debe usarse **a** delante de *arriba, abajo, acá, adentro, afuera*, que ya la llevan. No se dice

> *ven a acá; va de arriba a abajo,*

sino:

> *ven acá; va de arriba abajo.*

○ La preposición ***a*** se emplea ante un complemento directo de persona, de animal o de cosa personificada:

> *Vi a tu mujer con otro; Cuida a su perro con esmero; Temo a la muerte; Premió a la plebe.*

Además, puede emplearse **a** cuando el verbo indica acciones preferentemente humanas, aunque el complemento directo sea una cosa, o cuando se trata de poner de relieve el componente humano de dicho complemento:

> *Salvó a la ciudad*; *Quiere a su ordenador con pasión*; *Algunos pueblos adoran al Sol.*

En los demás casos debe suprimirse la ***a***:

> *Amo mi casa*; *Estudio una lección difícil*; *Acarició el libro* (frente a *Acarició al niño*); *Alaba el cuadro* (frente a *Alaba al pintor*).

Cuando la persona no está individualizada y bien determinada puede desaparecer a:

> *Busco chófer*; *Hay que reclutar voluntarios*; *La paz también forja héroes.*

También puede suprimirse **a** cuando convenga distinguir el complemento directo de otro que lleva esa misma partícula:

> *El gobierno envía ocho investigadores a Alemania*; *Prefiero mi padre a mi madre*; *Dejó sus hijos a unos amigos*: *Mandó cinco alumnos a la calle.*

No debe emplearse **a** delante de nombres geográficos que hagan la función de complementos directos:

> *Visitamos Sevilla*; *Vimos la Sierra de Gredos.*

El complemento indirecto, es decir, el que indica la persona, animal o cosa que reciben el provecho o el daño de la acción verbal, siempre lleva esta preposición:

> *Le dio comida a su gato.*

Si existe algún problema para diferenciar el
complemento directo de otros complementos, debe
tenerse en cuenta lo que sigue:

☞ Dicho complemento puede ser conmutado por los
pronombres **lo, la, los, las**:

> *Miró a Juan>Lo miró; Vio a Carmen>La vio;
> Entregó el sobre>Lo entregó.*

En cambio, el complemento indirecto sólo puede
ser sustituido por **le** o **les**:

> *Entregó el sobre a Juan>Le entregó el sobre* o
> *Se (=le) lo entregó.*

☞ Si se transforma la oración por pasiva, el
complemento directo pasa a ser sujeto:

> *Pedro recibió la carta>La carta fue recibida
> por Pedro.*

○ A veces, en expresiones familiares, suele prescindirse de **a**:

> *Se metió cura o torero,* por *Se metió a cura
> o a torero.*

○ Aunque se junten tres **aes**, hay que mantener, al menos en la escritura, la preposición en la perífrasis **ir a**:

> *Voy a hablar; Iba a hacerlo.*

○ **A** tiene sentido distributivo cuando se habla del paso del tiempo:

> *Tres veces al mes; Tres días al año.*

Pero cuando se refiere a velocidad se prefiere el uso de **por**, sin artículo:

> *60 kilómetros por hora* (mejor que *a la hora*).

Ante

○ Significa **en presencia de**. No debe sustituir a **contra**:

> *Conchita Martínez jugó ante Mónica Seles*
> (correcto: *jugó contra*).

Bajo

○ En lugar de *bajo la legislación vigente*, debe emplearse *por*, *según*, *de acuerdo con*, *conforme a* (*la legislación vigente*).

Mejor que *bajo el punto de vista* es *desde el punto de vista*.

Bajo el pretexto de debe sustituirse por *con el pretexto de*.

Cabe

○ Esta preposición, que sólo se usa como arcaísmo deliberado, equivale a *junto a* y *cerca de*. No admite otra preposición (no puede decirse *cabe a*).

Contra

○ No debe usarse con el significado de **cuanto**:

> *Contra más lo leo, más me gusta* (correcto:
> *Cuanto más lo leo, más me gusta*).

○ Constituye galicismo el empleo de **por contra** en lugar de **por el contrario** o **en cambio**:

> *Él estaba entusiasmado con la película; por contra,*
> *a mí no me gustó nada* (correcto: *en cambio* o
> *por el contrario, a mí no me gustó nada*).

De

○ Las proposiciones sustantivas unidas a la principal mediante la conjunción ***que*** nunca llevan preposición cuando actúan de complemento directo o de sujeto. De ahí que sean incorrectas las construcciones en las que a dicha conjunción se le antepone la preposición **de**:

> *Pienso de que estaríamos mejor en otro sitio; Opino de que estás equivocado; Me alegra de que hayas vuelto; Juan, creyendo de que así aprobaría, estudió* (correcto: *pienso que; opino que; me alegra que* y *creyendo que*).

Este fenómeno, conocido como ***dequeísmo***, se ha extendido bastante en los últimos años.

> También es incorrecto el empleo de la preposición **de** delante del infinitivo en función de complemento directo:
>
> > *No me hagas de reír*
> > (correcto: *No me hagas reír*).

Quizá por miedo a incurrir en estos errores, muchas veces se suprime la preposición **de** en construcciones que sirven de complemento de un sustantivo, de un adjetivo, etc.

Su empleo es obligatorio en ejemplos como los que siguen:

> *Son conscientes de que no deben distraerse; He perdido la esperanza de que lo encuentres; Tengo la certeza de que triunfarás; Estoy seguro de que es inocente; No se dan cuenta de que molestan.*

Si existen dudas a la hora de emplear **de** puede sustituirse la proposición subordinada *por* **eso** o **ello** o por un sintagma nominal:

> *Pienso, opino, me alegra, me ordenaron eso; he perdido la esperanza de eso; tengo la certeza, estoy seguro de ello, de su inocencia, de su triunfo*, etc.

No debe omitirse **de** en la construcción **hasta el punto de**+**infinitivo** o en una proposición con **que**:

> *Sus notas eran brillantes, hasta el punto de ser* (o *de que fue*) *el mejor alumno.*

Tambien llevan **de**, aunque algunos gramáticos admiten o defienden su supresión, las expresiones **además de que, encima de que, aparte de que, en el supuesto de que, en el caso de que, a causa de que, a condición de que, con la condición de que, a pesar de que, antes de que** (en construcciones que expresan preferencia, solo es posible **antes que**: *Antes que dar la aprobación, prefiero dimitir*).

Las locuciones **después que** y **después de que, antes que** y **antes de que** y **con tal que** y **con tal de que** se consideran correctas. En sustitución de *luego de que llegaron*, empléese *cuando llegaron.*

En *acordarse de* la preposición no debe omitirse nunca. Es incorrecto, sin embargo, decir *recordarse de*.

○ En el lenguaje deportivo se emplea a veces, incorrectamente, la preposición **de**, en lugar de **por**, con los verbos *ganar* y *perder*:

> *Gana de veinte puntos*, en lugar de *Gana por veinte puntos.*

○ Son incorrectas las expresiones:

> *yo de ti, yo de usted,* en lugar de *yo que tú,*
> *yo que usted.*

○ Debe evitarse el uso de las locuciones *de cara a* y
  cara a con el sentido de finalidad:

> *He hecho proyectos de cara al próximo verano*
> (debe decirse *para* o *con vistas al*).

  Sí puede usarse **de** con valor de dirección, en sentido real o figurado:

> *De cara al cielo, de cara al porvenir.*

○ La preposición **de** se ha perdido con los nombres
  de teatros, cines, hoteles, centros escolares, etc.:

> *Cine (de) Cervantes; Teatro (de) Maravillas;*
> *Instituto (de) Eijo y Garay,* etc.

  En cambio, se ha generalizado con nombres de
  plazas, avenidas y glorietas:

> *Plaza de Jacinto Benavente; Avenida de la*
> *Constitución; Glorieta de Bilbao.*

  Tampoco debe omitirse en las denominaciones de
  calles, excepto cuando el nombre lo constituye un
  adjetivo:

> *Calle de Cervantes, Calle de Lope de Vega;* pero
> *Calle Mayor, Calle Real.*

La preposición **de** no debe suprimirse delante de una
cifra que indique los años de una persona:

> *José Pérez, treinta años* (correcto: *José Pérez, de*
> *treinta años*).

◗ Se escribe *El gobierno de Aznar* o *El gobierno de Felipe González* (no *El gobierno Aznar* o *El gobierno Felipe González*).

◗ Esta preposición aparece en nombres propios y comunes precedidos de *título*:

    Tiene el título de conde.

◗ **De** se emplea habitualmente con nombres geográficos (*isla de Tenerife*; *provincia de Cáceres*; *lagunas de Ruidera*), pero desaparece, por lo general, con los nombres de ríos (*río Guadalquivir*; *río Tajo*) o cuando el nombre propio actúa como adjetivo: *mar Mediterráneo*; *océano Atlántico*. También se mantiene en los nombres de los meses del año, pero se vacila entre *año de 1998* y *año 1998*.

◗ Con la preposición **de** se construyen a veces frases ambiguas: *El retrato de Juan* puede querer decir que *Juan es el retratado* o que *ha realizado el retrato.*

En

◗ Aunque el uso de **en** era normal en la literatura clásica para designar las partes del día (*en la mañana*, *en la tarde*), hoy se prefiere, al menos en España —en muchos lugares de Hispanoamérica ocurre lo contrario—, *por la mañana*, *por la tarde*, etc.

◗ Es recomendable emplear con **de** la preposición **a**, y con **desde**, **hasta**: *Fui de Madrid a Sevilla*; *Desde Madrid hasta Sevilla hay muchos kilómetros*. Son preferibles estas construcciones a *De Madrid hasta Sevilla* o *Desde Madrid a Sevilla.*

○ No debe usarse **en** para introducir complementos temporales:

> *Volveré en dos horas*; *Estaré ahí en la mañana* (correcto: *Volveré dentro de dos horas*; *Estaré ahí por la mañana*).

Entre

○ Cuando precede a dos pronombres personales unidos por la conjunción **y**, el primero de éstos adopta la forma *yo* o *tú*:

> *Entre tú y él*; *Entre yo y vosotros*.

Si la conjunción une un pronombre personal de primera o segunda persona del singular y un nombre, el pronombre toma la forma de *mí* o *ti*:

> *Entre ti y tu hijo hay muchas diferencias* (no *Entre tú y tu hijo*); *Entre mí y el resto* (no *Entre yo y el resto*).

Hacia

○ A veces se utiliza erróneamente esta preposición en lugar de *ante, frente, para con*:

> *Su actitud hacia los Estados Unidos es desconcertante* (correcto: *ante, frente, para con los Estados Unidos*).

Para

○ La construcción *Faltan quince minutos para las cuatro* es anglicismo. Debe decirse: *Son las cuatro menos cuarto.* La expresión *para nada*, en lugar de *no*, *en modo alguno*, etc., es galicismo.

Por

○ A veces se emplea de forma redundante con algunos adverbios:

> *Tenía por allí algunas tierras*; *Trajo novedades de por allá.*

So

○ Esta preposición ha sido sustituida por **bajo**. Hoy sólo se emplea con los sustantivos *capa*, *color*, *pena*, *pretexto*:

> *So pena de, so color de, so pretexto de, so capa de.*

○ No debe confundirse con el **so** (procedente de *señor*) que precede a adjetivos despectivos con los que se increpa a alguna persona:

> *so pelma, so imbécil.*

Sobre

○ Se ha extendido mucho el galicismo **sobre** por **de** antes de una cifra total de la que se menciona una parte:

> *Ochenta estudiantes sobre doscientos aprobaron*; *Uno sobre veinte falta a las reuniones* (debe decirse: *Ochenta estudiantes de doscientos*; *Uno de cada veinte*).

Tras

○ Aunque en la época clásica se empleaba de forma independiente, hoy acepta la convivencia con **de**:

> *tras de esa puerta*; *tras de la calma.*

Con el significado de *en seguimiento de* suele emplearse *detrás de*.

Según

○ A veces se excluye de la lista de preposiciones. Téngase en cuenta que es la única que lleva acento. Además, puede preceder a un verbo (*según creo*; *según tengo entendido*), con lo que adquiere matices adverbiales, y puede también aparecer aislada:

–*¿Qué harías si te lo propusieran?*
–*Según.*

Con las **interjecciones** o con las **locuciones interjectivas**, que suelen sustituir, de forma sintética, a una oración o a una frase más amplia —por lo general, van entre exclamaciones—, expresamos, de forma repentina y espontánea, la impresión de asombro, sorpresa, dolor, alegría, entusiasmo, molestia, amor, etc., que causa en nuestro ánimo lo que vemos, oímos, sentimos, recordamos, queremos o deseamos. Su significado depende muchas veces del contexto en el que se encuentran.

Téngase presente que algunos sustantivos, adjetivos, adverbios, verbos y grupos nominales, empleados con entonación exclamativa (*hombre, mujer, Virgen Santa, Dios mío, mi madre, anda, arrea, atiza, quita, toma, venga, vaya*, etc.), pueden realizar funciones interjectivas: son las llamadas **interjecciones impropias** o **secundarias**.

A continuación indicamos los principales valores de las que se usan con mayor frecuencia:

¡**Abajo**!: desaprobación. Se emplea para reclamar la destitución o abolición de una autoridad, una institución, una ley, etc.

¡**Abur**!: quivale a *adiós*.

¡**Ah**!: admiración, dolor, pena, burla, satisfacción, contrariedad, alegría, sorpresa. También indica que se cae en la cuenta de algo o que a uno se le ocurre algo de improviso. Con puntos suspensivos, encubre una respuesta: –¿*Quién te lo contó?* –¡*Ah...*! Seguida de un sí interrogativo (¡*Ah!, ¿sí?*) denota sorpresa, reticencia o ironía.

¡**Ajá**! o ¡**Ajajá**!: aquiescencia, aprobación, sorpresa.

¡**Ajajay**!: burla o risa.

¡**Ajo**! o ¡**Ajó**!: con esta interjección se acaricia y
  estimula a los niños para que empiecen a hablar.

¡**Alto**!: sirve para ordenar a alguien que se detenga.

¡**Alza**!: se emplea para animar a los que bailan.

¡**Anda**!: admiración, sorpresa, alegría. También se usa
  para impulsar a alguien a hacer algo (¡*Anda,
  dímelo*!). Seguida de *ya*, indica rechazo o protesta
  (¡*Anda ya*!). Antes de *y que* manifiesta desprecio
  (¡*Anda y que te den morcilla*!). Con una expresión
  encabezada por *que* intensifica un reproche, una
  crítica (¡*Anda que no te lo he dicho mil veces*!) o un
  temor (¡*Anda, que como llegue a enterarse*!).

¡**Arrea**!: pasmo, asombro, admiración.

¡**Atiza**!: asombro, sorpresa, reprobación, admiración.

¡**Aúpa**!: sirve para dar ánimos a alguien para que se
  levante. Suelen valerse de ella los niños cuando quieren
  que los cojan en brazos. **Ser de aúpa**: ser de cuidado,
  es decir, violento, desagradable, de mala condición.

¡**Ave María**! o ¡**Ave María Purísima**!: Asombro, extrañeza.

¡**Ay**!: aflicción, sobresalto, dolor, suspiro, riesgo
  inmediato (¡*Ay madre*!), quejido, protesta,
  expresión de regocijo (¡*Ay, que me troncho de risa*!).
  Seguida de la partícula *de* y un nombre o
  pronombre, denota pena, temor, conmiseración o
  amenaza: ¡*Ay de mí*!; ¡*Ay del que no me respete*!

¡**Ay Dios**!: susto, dolor, lástima.

¡**Bah**! o ¡**Bah, bah**!: desdén, incredulidad, rechazo de lo
  que se ha expresado previamente. También se usa
  para quitar importancia a algo.

¡**Bravo**!: entusiasmo, aprobación, aplauso.

¡**Bueno**!: por lo general sirve para rellenar o comenzar
  una conversación.

¡**Ca**!: negación, incredulidad.

¡**Caliente**!: indica que alguien está cerca de un objeto escondido.

¡**Canastos**!: sorpresa.

¡**Caracoles**!: caramba.

¡**Carajo**!: caramba.

¡**Caramba**!: extrañeza, enfado, sorpresa.

¡**Carape**!: caramba.

¡**Caray**!: caramba.

¡**Cáscaras**!: sorpresa, admiración.

¡**Cáspita**!: extrañeza, admiración.

¡**Chis**!: chitón.

¡**Chitón**!: impone silencio. A veces denota que es conveniente o necesario no hablar para precaverse de un peligro.

¡**Claro**!: es un recurso enfático para dar por cierto o asegurar lo que se dice.

¡**Cómo**!: extrañeza, enfado.

¡**Córcholis**!: caramba.

¡**Dale**! o ¡**Dale que dale**!: sirve para reprobar la obstinación o la terquedad.

¡**Demonio**! o ¡**Diablo**!: extrañeza, sorpresa, admiración, disgusto.

¡**Demontre**!: diablo.

¡**Dios mío**!: extrañeza, temor, dolor.

¡**Ea**!: se emplea para denotar alguna resolución de la voluntad, o para animar, estimular o excitar.

¡**Eh**!: sirve para llamar, preguntar, advertir o reprender. Con entonación interrogativa indica sorpresa o el final de un discurso que implica acercamiento o complicidad entre los hablantes (*No te arrepentirás, ¿eh?*).

¡**Ejem**!: con ella se llama la atención o se deja en suspenso el discurso.

¡**Hala**!: exageración, fastidio. También se usa para infundir aliento o meter prisa y para indicar sorpresa.

¡**Hola**!: además de su empleo como saludo, sirve, aunque este uso ha quedado anticuado, para manifestar sorpresa.

¡**Hombre**!: objeción, disentimiento, asentimiento.

¡**Hostia**!: sorpresa, asombro, admiración.

¡**Hum**! o ¡**Humm**!: desagrado, suspicacia, duda, incredulidad.

¡**Hurra**!: entusiasmo, alegría, satisfacción, aprobación.

¡**Huy**!: asombro o extrañeza, dolor físico, alegría.

¡**Ja, ja**! o ¡**Ja, ja, ja**!: risa, burla o incredulidad.

¡**Jajay**!: burla, risa.

¡**Je, je**! o ¡**Je, je, je**!: ja, ja.

¡**Jesús**! o ¡**Jesús, Jesús**!: dolor, extrañeza, temor.

¡**Jo**!: fórmula abreviada de *joder*.

¡**Joder**!: enfado, irritación, asombro.

¡**Madre** (*mi* o *su*)!: admiración, sorpresa, ponderación de algo (¡*Mi madre, qué cogorza*!).

¡**Menudo**!: reprobación.

¡**Mujer**!: véase *hombre*.

¡**Oh**!: aparte de su uso enfático ante un vocativo (¡*Oh, Dios mío*!), sirve para manifestar admiración, temor, sorpresa, decepción, alegría, dicha, tristeza.

¡**Oiga**!: extrañeza, enfado, represión.

¡**Ojalá**!: deseo intenso de que ocurra algo o añoranza de lo no ocurrido. Se combina siempre con verbos en subjuntivo. En el uso coloquial puede aparecer acompañada de *que* (¡*Ojalá que lo consiga*!).

¡**Ojo**!: advertencia, amenaza.

¡Olé!: aprobación, entusiasmo, aplauso. Se emplea también con acentuación llana: *ole*.

¡Oxte!: sirve para rechazar a personas o cosas que molestan, ofenden o dañan. *Sin decir oxte ni moxte*: sin pedir licencia, sin desplegar los labios.

¡Pardiez!: caramba.

¡Porra!: disgusto, enfado.

¡Ps!, **¡Pss!**, **¡Psh!**, **¡Pche!**, **¡Pché!**, **¡Pchs!**: indiferencia, indecisión, displicencia, reserva.

¡Pu!, **¡Puaf!**, **¡Puf!**: desprecio, fastidio, desagrado, repugnancia.

¡Querido!: reprobación, desacuerdo, con matiz irónico.

¡Quia!: incredulidad, negación.

¡Quita!: aunque no pierde del todo su valor verbal, manifiesta rechazo u oposición (*¡Quita, no incordies más!*).

¡Rediez!: véase *rediós*.

¡Rediós!: cólera, enfado, sorpresa.

¡Repámpanos!: caramba.

¡Sopla!: admiración, ponderación.

¡Tatatá! o **¡ta, ta, ta**!: disconformidad con lo dicho. También equivale a *¡cuidado!*

¡Tate!: equivale a *cuidado* o *poco a poco*. También denota que se ha entendido algo que antes aparecía oscuro.

¡Toma!: sorpresa, admiración, asombro o que algo se comprende de pronto. Seguida de una expresión reiterativa, puede convertirse en signo de reafirmación de lo que se ha dicho: *–Está mal lo que ha hecho. –¡Toma, y tan mal!*

¡**Uf**!: cansancio, fastidio, sofoco, repugnancia, alivio.

¡**Uh**!: desilusión, desdén.

¡**Vamos**!: sirve para exhortar, atenuar lo ya expresado o darse ánimos a sí mismo. También se emplea como forma de rechazo (–¡*Vamos! ¡Mira con lo que sales ahora!*).

¡**Vaya**!: desagrado, disgusto, fastidio, compasión, asombro. Con un sustantivo o un adjetivo puede indicar admiración (¡*Vaya notas!*) o desprecio (¡*Vaya una cosa!*). Seguida de la preposición *con* y un sustantivo, adquiere matices irónicos (¡*Vaya con el profesor! ¡Qué callado se lo tenía!*). Acompañado de *si* y una oración reafirma lo que se ha dicho (*Ese me va o oír. ¡Vaya si me va a oír!*). También puede equivaler a un adverbio con el significado de *regular, así, así* (–¿*Qué tal la película? –¡Vaya!*).

¡**Venga**!: tiene valores similares a *vamos*. Con el adverbio *ya*, indica rechazo o protesta (¡*Venga ya!*). También expresa complicidad (–¿*Estamos de acuerdo? –¡Venga!*) o sirve para quitar importancia o rechazar un agradecimiento (–*No sé como pagárselo. –¡Venga!*). Seguida de un infinitivo, indica acciones reiteradas (–*Y él, venga a darle a la lengua*).

¡**Virgen santa**!: extrañeza, temor, dolor.

¡**Viva**!: aprobación, entusiasmo, alegría.

¡**Ya**! o ¡**Ya, ya**!: indica que recordamos algo y caemos en ello o que no hacemos caso de lo que se nos dice.

¡**Zapateta**!: caramba.

III. Apéndices

A

A base de. Tiene un uso coloquial cuando precede al adverbio *bien*: «Nos divertimos a base de bien» (es decir, nos divertimos mucho).

Abasto. No *a basto*.

Abdicar. Es renunciar a la soberanía de un pueblo. No debe confundirse con *dimitir*.

Abertura. Acción de abrir o abrirse; grieta, hendidura. Diferénciese de **apertura**: inauguración; comienzo.

Abigarrado. Significa «de varios colores mal combinados»; se aplica también a nombres colectivos de persona («Una multitud abigarrada»). No debe confundirse con *abarrotado, concentrado, denso* o *nutrido*.

A bordo de. Sólo puede emplearse cuando se refiere a una embarcación. Nadie sube o está «a bordo de un coche».

Abotagarse. La Academia prefiere esta forma a *abotargarse*.

A bote pronto. Esta expresión, que significa «de improviso», «de repente» y «de sopetón», no está admitida por la Academia.

Absceso. «Acumulación de pus en los tejidos orgánicos internos o externos». No existe *abceso*.

Abstracción hecha de. Galicismo por «prescindiendo de» y «dejando aparte». Sí es correcta la expresión «haciendo abstracción de».

A buen fin. Dígase «con buen fin».

A campo traviesa. No «a campo través». Significa «atravesando el campo».

Acarrear. Supone «ocasionar, producir, traer consigo daños, desgracias o perjuicios». No puede decirse que algo *acarrea* beneficios o venturas.

Accesible. «De fácil acceso o trato; de fácil comprensión; inteligible». Diferénciese de **asequible**: «que puede conseguirse o alcanzarse». Este último verbo sólo puede aplicarse a cosas.

Accidente. Véase **incidente**.

Acechanza. Significa «acecho, espionaje o persecución cautelosa». No debe confundirse con **asechanza**: «engaño o artificio para hacer daño a otro».

Acelerarse. No debe emplearse con el significado de «ponerse nervioso».

Acento (**poner el**). En lugar de este galicismo, debe decirse: *destacar, recalcar, resaltar, hacer hincapié* o *poner de relieve*.

Acerbo. Como adjetivo, significa «áspero al gusto, cruel, riguroso y desapacible». No se confunda con **acervo**: «montón de cosas menudas, haber que pertenece en común a varias personas».

Acervo. Véase **acerbo**.

Acmé. Es el período de mayor intensidad de una enfermedad. No debe confundirse con **acné** o **acne**: enfermedad de la piel.

Acné. Véase **acmé**.

A color. Dígase «en color». Sí es correcta la expresión «a todo color».

A condición que. Sustitúyase por «a condición de que».

A contrapié. No figura en el DRAE. Se emplea en lugar de «al revés», «en una postura o una actitud poco efectivas o contrarias a las que se necesitan para conseguir algo».

Acordar. «Determinar o resolver de común acuerdo o por mayoría de votos». Es galicismo cuando se emplea con las acepciones de *conceder, otorgar* o *poner a otros de acuerdo*.

Acostumbrar. Aunque se ha extendido la construcción con *a*, el verbo *acostumbrar*, con el significado de *soler*, no lleva preposición: «Acostumbraba comer tempra-

no»; «Acostumbraba contar historias». Sí lleva *a* cuando es transitivo o pronominal: «Acostumbró a su hijo a estudiar»; «Nunca se acostumbró a estar solo».

Acreditación. En su lugar, dígase *credencial*.

Actitud. «Postura del cuerpo; disposición de ánimo». Distíngase de **aptitud**: «capacidad para hacer algo».

A cuenta de. Dígase «por cuenta de». Sí es correcta la expresión «a cuenta de» con los significados de *en compensación*, *anticipo* o *a cambio de*.

Acuestas. Barbarismo por «a cuestas».

A destajo. Esta locución adverbial significa que algo se toma o se da ajustado a determinado precio. No se puede aplicar a cosas. Es incorrecto decir: «Las máquinas trabajan a destajo».

Adicción. «Hábito de quienes se dejan dominar por el uso de drogas tóxicas». Diferénciese de **adición**: «acción y efecto de añadir o agregar».

Adición. Véase **adicción**.

A diestra y siniestra. Dígase «a diestro y siniestro».

Adlátere. Es la persona subordinada a otra, de la que parece inseparable. Suele emplearse de forma despectiva. Debe preferirse a la expresión ***a látere***.

Adolecer. Con la preposición *de* significa «padecer una enfermedad, un defecto, una pasión o vicio». Nadie *adolece* de cosas o de cualidades positivas. No es, por tanto, sinónimo de *carecer*.

Advertir. Sin preposición, indica que alguien ve, percibe o se percata de algo: «Advirtió un peligro en la carretera». También se construye así cuando significa *amonestar*: «Le advirtió que no lo hiciese». Cuando se advierte o se avisa a los demás hay que emplear la preposición *de*: «Le advirtió de la presencia de sus familiares».

A efectos de. Significa «con la finalidad de conseguir o aclarar algo», «para». No «a efecto de».

A excepción hecha de. Dígase *a excepción de* o *excepción hecha de*.

A expensas mías. Sustitúyase por *a mis expensas*.

Afición a. No *afición por*.

Afrentar. Véase **afrontar**.

Afro. Se aplica a usos y costumbres africanas. Es un adjetivo invariable.

Afrodisíaco o **afrodisiaco**. Que excita o estimula el apetito sexual. Puede usarse como adjetivo y como sustantivo.

Afrontar. Es «poner una cosa enfrente de otra» y «hacer cara a un peligro, problema o situación comprometida». Distíngase de **afrentar** («causar afrenta, ofender; humillar, denostar»), **confrontar** («carear una persona con otra; cotejar una cosa con otra») y **enfrentar** («poner frente a frente»).

Agasajamiento. Dígase *agasajo*.

Agencia. No debe usarse por *organización, organismo* o *institución*.

Aglutinar. «Unir o pegar una cosa con otra». La Academia no admite este verbo como sinónimo de *congregar, reunir* o *conjugar*.

Agnóstico. Es el que declara inaccesible al entendimiento humano toda noción de lo absoluto. No debe confundirse con **ateo** (el que niega la existencia de Dios) ni con **gnóstico** (seguidor de una doctrina filosófica y religiosa de los primeros siglos de la Iglesia).

A grandes líneas. Galicismo por *en líneas generales*.

Agresivo. Significa «propenso a faltar al respeto, a ofender o a provocar a los demás». Debe evitarse como sinónimo de *dinámico, audaz, activo, emprendedor, intrépido*, etc.

Agudizamiento. Dígase *agudización*.

Agudizar. Significa «hacer aguda una cosa; agravarse una enfermedad». Distíngase de **aguzar**: «sacar punta a una cosa; afilar; hacer más perspicaces los sentidos o la inteligencia».

Aguzar. Véase **agudizar**.

A la hora. Dígase *por hora*.

A la mayor brevedad. Sustitúyase por *con la mayor brevedad*.

A la que (te descuidas). Vulgarismo por *cuando* o *en cuanto* te descuidas.

Alauí. Es la dinastía que reina en Marruecos. Plural *alauíes*. El Gobierno y los ciudadanos de este país son *marroquíes*.

Aleatorio. Significa «perteneciente al juego de azar; dependiente de algún suceso fortuito». No equivale a *relativo* o *discutible*.

Alerta. Es palabra masculina cuando significa «voz para excitar a la vigilancia». Si se refiere a la «situación de vigilancia o atención» es femenina.

Al extremo de. Dígase *hasta el extremo de*.

Álgido. «Muy frío». La Academia ya admite en esta palabra el significado de «momento o período crítico o culminante de algunos procesos orgánicos, físicos, políticos, sociales, etc.»

Algún. Delante de la conjunción *que* suele emplearse *algún* («algún que otro estudiante»), aunque que el DRAE registra «alguno que otro».

Alienar. Con el significado de «sacar a uno fuera de sí, entorpecerle o turbarle el uso de la razón o de los sentidos», el castellano tiene otro verbo más apropiado: *enajenar*.

Alimentario. Véase *alimenticio*.

Alimenticio. Se aplica a los alimentos y a su capacidad nutritiva. **Alimentario** se refiere a la alimentación. Distíngase entre *los problemas alimentarios* o *una política alimentaria* y *los productos alimenticios*.

Al objeto de. Dígase *con objeto de, a fin de, para*.

Alocución. «Discurso o razonamiento, generalmente breve, dirigido por un superior a sus inferiores, secuaces o súbditos». No debe denominarse así un discurso parlamentario. Diferénciese también de **elocución**: «manera de hablar para expresar los conceptos».

A lo largo de. Debe sustituirse por *durante* cuando se antepone a una unidad de tiempo: «Lo aplaudieron a lo largo de un minuto» equivale a «durante un minuto».

A lo que se ve. Dígase *por lo que se ve*.

Al punto de. Empléese *hasta el punto de*.

Alquilar. Véase **arrendar**.

Al respecto de. Sustitúyase por *respecto a, respecto de* o *con respecto a*.

Alta, -o. En lugar de *bueno, elegante, gran* o *grande*, se ha generalizado, de forma abusiva, el empleo de este adjetivo y del adverbio *altamente*: *alta peluquería, alta tecnología; alta costura; altamente dis-*

cutible; alto secreto; alta fidelidad; alta sociedad, etc.

Alternativa. «Opción entre dos o más cosas; cada una de las cosas entre las cuales se opta». **Disyuntiva** es la «alternativa entre dos cosas, por una de las cuales hay que optar».

Aludir. Es verbo intransitivo. No puede decirse *te alude, nos alude* o *la aludí,* sino a*lude a ti, alude a nosotros* o *aludí a ella*.

Alzacuello. No *alzacuellos*.

Amarar. Significa «posarse en el agua un hidroavión o un vehículo espacial». El sustantivo es *amaraje*.

Amarillo. Se aplica a un tipo de prensa que da más importancia al sensacionalismo que a la veracidad.

Ambages. Se usa en masculino y en plural. *Sin ambages*: sin circunloquios.

Ambidextro o **ambidiestro**. El que usa igualmente la mano izquierda que la derecha.

Ambos a dos. Esta expresión pleonástica figura en el DRAE.

Ambos sexos. Aunque la expresión es admisible, se prefiere «personas de uno y otro sexo».

A merced de. Significa «sometido a algo o a alguien». Diferénciese de ***merced a***: «gracias a, con la ayuda de».

Amerizar. Equivale a «posarse en el mar un hidroavión o un aparato astronáutico». El sustantivo es *amerizaje*.

Amnistía. Es el «olvido de los delitos políticos, otorgado por la ley ordinariamente a cuantos reos tengan responsabilidades análogas entre sí». El **indulto** supone una «gracia o privilegio concedido a uno para que pueda hacer lo que sin él no podría» y «gracia por la cual se remite total o parcialmente o se conmuta una pena».

Amoral. Es la persona desprovista de sentido moral. Diferénciese de **inmoral**: el que se opone a la moral y a las buenas costumbres.

Analista. No debe sustituir a *comentarista* o *columnista* de un periódico.

Anatemizar. La Academia prefiere *anatematizar*.

Anémona. Planta. La Academia también admite *anemona* y *anemone*.

A nivel de. Sólo puede emplearse cuando se refiere a algo en que hay, efectivamente, niveles: «Trata de ponerse al nivel de los demás»; «al nivel del mar» (no «a nivel de mar»). Debe evitarse en casos como estos: «Hoy se debatirá el asunto a nivel de Ministerios» (correcto: «en los Ministerios»); «A nivel de profesores, el Instituto tiene mala fama» (correcto: «Los profesores del Instituto tienen mala fama»); «Está prohibido a nivel de hoteles» (correcto: «Está prohibido en los hoteles»); «A nivel económico, la situación es desastrosa» (correcto: «En lo económico, la situación es desastrosa»). Tampoco hay por qué sustituir *a nivel de* por *a escala de* si puede encontrarse una expresión más sencilla.

Antagonizar. Este verbo no tiene registro académico. Dígase *enfrentarse*.

Antediluviano. No *antidiluviano*.

Anteriormente a. Dígase *antes de* o *con anterioridad a*.

Anteúltimo. Dígase *penúltimo*.

Anti. Cuando forma parte de una palabra no lleva guión: *anticonceptivo, anticolonial, anticlerical*.

Anticipar. Con los significados de *prever, prevenir, conjeturar* y *augurar* es anglicismo.

Anticonceptivo. Debe preferirse esta forma a la también aceptada *anticoncepcional*.

Antihumano. Dígase *inhumano*.

Antonomástico. No *antonomásico*. Perteneciente o relativo a la *antonomasia*.

Años de edad. Es una fórmula redundante: se cumplen o se tienen *veinte, treinta años*, etc.

Aparcar. Aunque el DRAE acepta para este verbo el significado de «aplazar, postergar un asunto o decisión», no debe emplearse para referirse a las decisiones o a los proyectos de ley. En estos casos puede sustituirse por *demorar, aplazarse, dejar pendiente* o *paralizar*.

A partir de. Indica el origen de un proceso, pero no el momento exacto de una acción. En lugar de «El examen comenzará a partir de las diez», dígase «comenzará a las diez».

Apertura. Véase **abertura**.

Aperturar. Barbarismo por *abrir*.

A pie de. Véase **pie**.

Apreciable. Es anglicismo empleado como sinónimo de *considerable, notable, importante* o *cuantioso*.

Aprehender. «Coger, asir o prender». Con este significado no debe confundirse con *aprender*.

Aprehensión. Es la acción y el efecto de *aprehender*. Distíngase de **aprensión**: escrúpulo, miedo al contagio; idea infundada o extraña.

A pretexto de. Dígase *con el pretexto de* o *bajo pretexto de*.

Aptitud. Véase **actitud**.

A punta de pistola. Véase **punta**.

A raíz de. Significa *con proximidad, inmediatamente después*. No debe emplearse por *debido a* o *por causa de*.

Aras. *En aras de* significa *en honor* o *en interés de*, no *para* o *con miras a*.

Archi. Con sustantivos, este prefijo significa *preeminencia* o *superioridad*: *archiduque*. Con adjetivos, equivale a *muy*: *archinotable, archisabido*.

Archiconocido. El DRAE registra *archisabido* («muy sabido»), pero no *archiconocido*.

A resultas de. Dígase *de resultas de*.

Arrejuntarse. Se dice de dos personas que viven juntas sin estar casadas. No figura en el DRAE.

Arrendar. Suele aplicarse a tierras y negocios. **Alquilar** se reserva para casas y coches.

Arrogarse. Significa *atribuirse, apropiarse*. Distíngase de **irrogarse**: «causar u ocasionar daños o perjuicios».

Arruinar. Con los significados de *echar a perder, dañar* y *deteriorar* es anglicismo.

Ascendencia. Es la «serie de ascendientes o antecesores de una persona». No es sinónimo de *predominio moral* o *influencia*. En este sentido debe emplearse *ascendiente*.

Asechanza. Véase **acechanza**.

Asequible. Véase **accesible**.

Asesinato. Es cuando se mata a una persona con premeditación y alevosía. Esto último lo distingue de *crimen* y de *homicidio*.

Asestar. Significa «dirigir un arma hacia un objeto; descargar contra algo o alguien un proyectil, un golpe de un arma o de un objeto semejante». Por tanto, *se asesta* un puñal, un cañón o una lanza, pero también una puñalada, una pedrada o un puñetazo.

Así así. No *así, así*. Esta locución adverbial significa *mediocre, medianamente*.

Así llamado. En frases como ésta es anglicismo: «Los así llamados escritos de juventud». En castellano sobra *así*: «Los llamados escritos de juventud».

Así mismo o **asimismo**. Distínganse de *a sí mismo*.

Asistente social: *El* o *la asistente social* (no *la asistenta social*).

Aspirador. Es palabra masculina cuando designa un aparato destinado a aspirar fluidos. Con el significado de «electrodoméstico que sirve para limpiar el polvo, absorbiéndolo» se emplea en masculino (*el aspirador*) y en femenino (*la aspiradora*).

Asumir. El DRAE admite este verbo con los significados de «atraer a sí; responsabilizarse de algo; adquirir, tomar una forma mayor».

Atentar. Aunque se use con frecuencia *atentar a*, debe preferirse *atentar contra*.

Ateo. Véase **agnóstico**.

Atravesar. Se construye sin *por*: «La crisis que atraviesa esta institución» (no «La crisis por que atraviesa»).

A través de. Denota que algo pasa de un lado a otro. No debe emplearse con los significados de *por medio de, mediante, por mediación de* o como sinónimo de *durante*.

A trochemoche o **a troche y moche**. «Disparatada e inconsideradamente». No *a troche moche*.

Audición. El DRAE acepta este sustantivo con el significado de «prueba que se hace a un actor, cantante, músico, etc., ante el empresario o director de un espectáculo».

Audífono o **audiófono**. Aparato para percibir mejor los sonidos.

Augurio. No significa *felicitación*, sino *presagio*, *anuncio* o *indicio* de algo futuro.

Autentizar. Dígase *autenticar* o *autentificar*.

Auto. Como elemento compositivo de otras palabras es muchas veces innecesario o reprobable: *autoinculparse*, *autocontrolarse*, *autoproclamarse*, *autodefinirse*, *autosuicidarse*, *autoarrepentirse*, *autoconvencerse*, *autoexiliarse*, etc. *Autodefensa* es un anglicismo por *defensa propia*.

Autónomo. El Gobierno y la Asamblea de una Comunidad son *autónomos*. Los demás organismos y cargos que dependen de ellos son *autonómicos*.

Autoría. Este sustantivo puede con frecuencia eliminarse. En lugar de «Se le atribuye la autoría del atentado», puede decirse «Se le atribuye el atentado».

Avanzar. No significa *anticipar*, *dar una noticia antes de lo previsto* o *proponer*.

Avo. Es un sufijo aplicado a numerales cardinales para indicar las partes iguales en que se divide la unidad: *la dieciochava parte*.

Bailaor. El DRAE recoge *bailador* y *bailarín*, pero no *bailaor*.

Bajo el pretexto de. Dígase *con el pretexto de* o *so pretexto*.

Bajo el prisma de. Dígase *desde el punto de vista de*.

Bajo el punto de vista. Dígase *desde el punto de vista*.

Bajo estas circunstancias. Dígase *en estas circunstancias*.

Bajo estas condiciones. Dígase *en estas condiciones* o *con estas condiciones*.

Bajo este supuesto. Dígase *en este supuesto*.

Bajo la aprobación. Dígase *con la aprobación*.

Bakalao. Música de ritmo machacón. No figura en el DRAE.

Baladronar. No *baladronear*.

Balance. Todo balance implica dar cuenta del activo y del pasivo. No puede emplearse con los significados de *saldo*, *resultado* o *número*. Un accidente no arroja un *balance* de muertos (para ello habría que especificar cuántos han quedado con vida).

Balde. *En balde* significa *en vano*. No se confunda con **de balde**: gratis, sin coste alguno.

Barajar. Exige un complemento en plural (se *barajan* cartas o posibilidades). Puede sustituirse por *considerar* o *tener en cuenta*.

Barbilampiño. Es el adulto sin barba o que tiene poca barba. No debe confundirse con **imberbe**: joven que todavía no tiene barba.

Baremar. El DRAE recoge *baremación* y *baremo*, pero no este verbo.

Baremo. Esta palabra, de la que se abusa, puede sustituirse por *criterio*, *medida*, *valoración*, *índice*, etc. Tampoco debe confundirse con *puntuación*.

Basto. Significa *grosero*, *tosco* o *rústico*. Diferénciese de **vasto**: *dilatado*, *muy extendido* o *muy grande*.

Beneficioso. Es lo *provechoso* y *útil*. **Benéfico**: lo que hace bien.

Benéfico. Véase **beneficioso**.

Bienplaciente. La Academia mantiene *n* delante de la *p* de esta palabra, que significa «muy agradable». De ahí que suela escribirse *bienpensante*, término que no recoge el DRAE. En otras palabras compuestas, como en *ciempiés*, este diccionario prefiere la *m*.

Bilateral. Significa «perteneciente o relativo a los dos lados, partes o aspectos que se consideran». Es redundante decir «relaciones bilaterales hispanoamericanas». Serían *bilaterales* las relaciones de España e Italia con otro país.

Binguero. El DRAE registra *bingo* («juego de azar»), pero no *binguero*.

Bizarro. Este término está admitido con los significados de *valiente*, *esforzado*, *generoso* y *espléndido*. No con los de *extravagante*, *raro* y *curioso*.

Bombazo. Con el significado de «noticia inesperada y sorprendente» no figura en el DRAE.

Botar. Véase **Votar**.

Breves minutos. En su lugar (todos los minutos son breves), dígase: *unos minutos* o *unos pocos minutos*.

Bueno. Esta palabra, empleada como muletilla en las conversaciones, debe evitarse o emplearse con moderación.

Burocratizar. Este verbo no tiene registro académico.

Burro. La expresión «poner a alguien a caer de un burro» (hablar muy mal de una persona) no figura en el DRAE.

Buscar. Seguido de un infinitivo, con los significados de *pretender*, *aspirar* o *tratar de*, es galicismo.

C

Cabezonería. Dígase *cabezonada*.

Cabra montés. No *cabra montesa*.

Cachas. La expresión «estar cachas» (tener muchos músculos) no figura en el DRAE.

Cachemir. *Cachemir*, *cachemira*, *casimir* o *casimira* son los nombres con que se conoce un tejido de pelo de cabra, mezclado, a veces, con lana.

Cada. No debe emplearse para indicar una acción habitual. En lugar de «Cada tarde voy al cine», debe decirse: «Todas las tardes voy al cine». *Cada cual y cada uno* concuerdan con el verbo en singular: «Se fue cada cual (o «cada uno») por su lado».

Café. Como nombre de color no tiene plural.

Calculador. Galicismo por *interesado* o *egoísta*.

Caldo. La expresión «poner a caldo a alguien» (criticar duramente a una persona) no figura en el DRAE.

Calé, **caló**. Hay que diferenciar el lenguaje de los gitanos (*caló*) del gitano de raza (*calé*).

Calidoscopio. La Academia prefiere esta forma a *caleidoscopio*.

Calificativo. No debe emplearse en sustitución de *nombre*, *título* o *denominación*.

Caliginoso. «Denso, oscuro y nebuloso». No significa *caluroso* o *bochornoso*.

Callar. No se *calla* a otra persona; se la *hace callar* o se la *acalla*.

Callo. La expresión *dar el callo* (trabajar duramente) no figura en el DRAE.

Caña. *Dar* o *meter caña* (exigir mucho a los demás) no tiene registro académico.

Capital. Se abusa de este término en lugar de *esencial* o *fundamental*.

Cara. Las expresiones «tener mucha cara», «tener cara de cemento armado» y «tener más cara que espalda» (ser un caradura) no figuran en el DRAE.

Carácter. Las expresiones *de carácter* y *con carácter* pueden con frecuencia suprimirse: «Varios heridos de carácter grave» son «varios heridos graves».

Carear. Significa «poner a una o varias personas en presencia de otra u otras». Distíngase de **cariar**: «corroer, producir caries».

Cargar. Se aplica a animales o cosas. Un autobús no va cargado de pasajeros, sino *con pasajeros* o *repleto de pasajeros*.

Carillón. No *carrillón*.

Carioca. Es el que ha nacido en la ciudad de Río de Janeiro; no equivale, por tanto, a *brasileño*.

Cartel o **cártel**. Es el «convenio entre varias empresas similares para evitar la mutua competencia y regular la producción, venta y precios en determinado campo industrial» y la «agrupación de personas que persigue fines ilícitos».

Casete. Es voz ambigua, aunque se emplea más en femenino cuando designa la cajita de plástico que contiene una cinta magnetofónica; es masculina cuando se refiere a un pequeño magnetófono que utiliza *casetes*.

Caso. *Caso de* se emplea cuando sigue un infinitivo. *Caso de que* si sigue otra palabra.

Castaño. Se aplica al pelo y a los ojos. En los demás casos debe decirse *marrón*.

Catalizador. Se usa impropiamente por *aglutinador*.

Catalizar. Este verbo, que se emplea con los significados de *atraer* y *agrupar*, no figura en el DRAE.

Causar efecto. Galicismo por «impresionar, deslumbrar con su aspecto o presentación».

Cava. Véase **champaña**.

Cegar. «Perder enteramente la vista». Distíngase de **segar**: «cortar mieses o hierba».

Cejar. Significa «aflojar o ceder en un negocio, empeño o discusión». Distíngase de *cesar*.

Celebrar. Se refiere a hechos o actos positivos. Cuando estos tienen un significado negativo se emplea *conmemorar*.

Celeridad. El castellano también dispone de *rapidez*, *ligereza*, *prontitud* y *presteza*.

Celulitis. Es el aumento de tejido celular subcutáneo en algunas partes del cuerpo. No figura en el DRAE.

Centrarse sobre. Dígase *centrarse en*.

Cerca a. Dígase *cerca de*.

Cercano de. Dígase *cercano a*.

Cerciorarse. Se dice *cerciorarse de que*, no *cerciorarse que*.

Cerebro. Usado metafóricamente (el *cerebro* de un proyecto ambicioso) puede sustituirse por *cabecilla*, *inspirador* o *artífice*.

Céreo. «De cera». Distíngase de **cerúleo**: «color azul del cielo despejado, o de la alta mar o de los grandes lagos».

Cerúleo. Véase **céreo**.

Cesar. Es verbo intransitivo. No se puede *cesar* a alguien, ya que es el interesado quien cesa. En lugar de «Antonio ha sido cesado», dígase «ha sido destituido, despedido o echado».

Cese. Significa «acción y efecto de cesar en un empleo o cargo». No debe emplearse con los significados de *final*, *conclusión*, *término*, *tregua* o *fin*.

Champaña o **champán**. Vino espumoso francés. Al obtenido en España se le llama **cava** (el cava).

Chequear. La forma pronominal *chequearse* (hacerse un chequeo) está admitida por la Academia. Con los significados de *comprobar*, *examinar*, *inspeccionar*, *cotejar* o *facturar* (equipajes) es anglicismo.

Chequeo. Este término se acepta como «reconocimiento médico general a que se somete una persona». En otros casos es preferible decir *verificación*, *revisión* o *comprobación*.

Chisgarabís. No *chisgarabí*. El plural es *chisgarabises*.

Chuminada. Es una tontería o una bobada. No figura en el DRAE.

Ciclostil o **ciclostilo**. Aparato que sirve para copiar muchas veces un escrito. Plural: *ciclostilos*.

Cientificismo. No *cientifismo*.

Cierto. Antepuesto al sustantivo tiene sentido indeterminado («cierto sabor»); pospuesto, recobra su sentido propio («sabor cierto»).

Cima. «Lo más alto de los montes, cerros y collados». No debe confundirse con **sima**: «cavidad grande y muy profunda en la tierra».

Cister. Aunque se suele decir *císter*, el DRAE solo registra la forma aguda.

Clasificada. En la expresión *materia clasificada* es anglicismo. En castellano se dice *materia reservada* o *secreta*.

Clasismo. El DRAE registra *clasista* («partidario de las diferencias de clase»), pero no *clasismo*.

Clave. Como adjetivo en aposición carece de forma en plural: «situaciones clave». Cuando un sustantivo desempeña funciones de adjetivo suele ir en singular.

Climatología. Es el «tratado del clima» y el «conjunto de las condiciones propias de un determinado clima». No equivale a *meteorología* ni a *clima*.

Clímax. Es el punto más alto de una gradación. No debe confundirse con *clima* o *ambiente*.

Clon. Los sustantivos *clon* y *clonación* y el verbo *clonar* figuran en el DRAE.

Coaligarse. Véase **coligarse**.

Cognitivo. Perteneciente o relativo al conocimiento. **Cognoscitivo** se dice de lo que es capaz de conocer.

Cognoscitivo. Véase **cognitivo**.

Colega. Compañero de un colegio, corporación, etc. No debe confundirse con **homólogo**: persona que ejerce un cargo igual al de otra, en ámbitos distintos.

Coligarse. La Academia prefiere esta forma a *coaligarse*. El verbo *coalicionarse* no es correcto.

Comentar. Significa «hacer o escribir comentarios». No es sinónimo de *decir*, *declarar*, *contar* o *comunicar*.

Comercial. No debe emplearse con el significado de *anuncio*. En cambio, parece ya inevitable su uso en las empresas como sustituto de *vendedor* o de *persona encargada de promocionar algo*.

Como. Cuando significa «en el papel de» («Aitana Sánchez Gijón como Ana Ozores») y colocado después de los verbos *nombrar*, *investir* o *elegir* («Lo eligieron como presidente») es anglicismo. La expresión «como muy» («Es como muy fatuo») es vulgar.

Cómo es que. Esta locución («¿Cómo es que habéis llegado tan tarde?») debe evitarse, al menos en la lengua escrita («¿Cómo habéis llegado tan tarde?»).

Como un todo. Anglicismo por «en conjunto».

Comparecimiento. Dígase *comparecencia*.

Compartimiento. La Academia prefiere esta forma a *compartimento*.

Competer. Significa «pertenecer, tocar o incumbir a alguien alguna cosa». Distíngase de *competir*, *contender*, *rivalizar* o *pugnar*.

Compincharse. El DRAE registra *compinche* («camarada, amigote»), pero no este verbo.

Complot. En muchos casos puede sustituirse por *confabulación*, *conjura*, *conspiración* o *intriga*.

Comportar. El castellano tiene también *conllevar*, *suponer*, *implicar* y *ocasionar*.

Compraventa. No *compra venta* ni *compra-venta*.

Compresible. Es lo que puede ser *comprimido*. Distíngase de *comprensible*.

Computarizar. Significa «someter datos al tratamiento de una computadora». El DRAE registra también, con el mismo significado, *computadorizar*.

Con– o **co–**. Este prefijo, que significa *reunión*, *cooperación* o *agregación*, se une, sin guión, al término no que sigue: *confluir*, *consocio*, *coacusado*.

Con base a. Dígase *basándose en*.

Concejo. Ayuntamiento, corporación municipal. No debe confundirse con *consejo*.

Conceptualización. Dígase *conceptuación*.

Concitar. Significa «instigar a uno contra otro; reunir, congregar». Distíngase de **suscitar**: levantar, promover.

Concretizar. Aunque este verbo está admitido por la Academia con el significado de «hacer concreto lo que no lo es», es preferible emplear *concretar* o *especificar*. *Concretización*, que también tiene registro académico, puede sustituirse por *concreción*.

Conducir. Con el significado de «dirigir» (una orquesta, una campaña, un programa de televisión) es anglicismo.

Conexionar. No figura en el DRAE. Dígase *conectar*, *ligar* o *enlazar*.

Confiar que. Dígase «confiar en que» («Confiemos en que venga»).

Confluyente. Dígase *confluente*.

Confraternización. Dígase *confraternidad*.

Confrontación. Es el «careo entre dos o más personas» o «el cotejo de una cosa con otra». No debe confundirse con *enfrentamiento*.

Confrontar. Véase **afrontar**.

Conjuntamente con. Dígase «juntamente con».

Con o sin. En lugar de «Esto lo haremos con o sin su aprobación», dígase: «con su aprobación o sin ella».

Con respecto de. Dígase *respecto de*, *respecto a* o *con respecto a*.

Consensuar. Significa «adoptar una decisión de común acuerdo entre dos o más partes». Este verbo, que se utiliza mucho en los ambientes políticos, puede sustituirse por *pactar*, *acordar* o *negociar*.

Contabilizar. Significa «apuntar una partida o cantidad en los libros de cuentas». No es sinónimo de *contar* o *producir*.

Contar. Cuando le sigue la edad de una persona no lleva preposición (*cuenta cincuenta años*; no *cuenta con cincuenta años*).

Contemplar. Significa «poner la atención en alguna cosa material o espiritual; considerar o juzgar». Evítese el empleo, tan extendido hoy, de este verbo en lugar de *examinar*, *tener en cuenta*, *tratar*, *atender*, *prever*, *tomar en consideración*, *regular*, etc.

Contexto. Esta palabra, de la que se abusa, puede sustituirse por *ámbito*, *supuestos* o *circunstancias*.

Contextuar. No *contextualizar*.

Con todo y con eso. Frase vulgar que debe sustituirse por *con todo* o *no obstante*.

Contracepción. Galicismo por *anticoncepción* y *contraconcepción*.

Contracorriente (a). «En contra de la opinión general». No *a contra corriente*.

Contraer. Se *contraen* costumbres, vicios, enfermedades, resabios, deudas, obligaciones, etc., pero no méritos o virtudes.

Contrarreloj. No *contra reloj*. Se emplea como adjetivo y como sustantivo (en femenino).

Contrariar. Significa «contradecir; resistir las intenciones y propósitos». No equivale a *molestar* o *enfadar*.

Contrición. No *contricción*.

Contumacia. Es la «obstinación en mantener un error». No debe confundirse con **tenacidad**: «Cualidad del que permanece firme, porfiado y pertinaz en un propósito».

Convalecencia. No *convalescencia*.

Converger. Significa lo mismo que *convergir*. Ambos verbos tienen conjugación regular. No debe decirse *convirgió*, *convirgieron* o *convirgiera*, sino *convergió*, *convergieron* o *convergiera*.

Con y sin. En lugar de «Hay bebidas con y sin alcohol», dígase «con alcohol y sin él».

Cónyuge. No *cónyugue*.

Copias. Anglicismo por *número de discos* o *ejemplares de un libro*.

Corifeo. Es la persona seguida de otras en una opinión, secta o partido. No significa *sectario*, *secuaz* o *partidario*.

Cornúpeta. «Toro de lidia». La forma popular es *cornúpeto*.

Corpazo. No *cuerpazo*. Es el aumentativo de *cuerpo*.

Corporeizar. La Academia antepone esta forma a *corporizar*.

Cortacircuitos. Es el «aparato que automáticamente interrumpe la corriente eléctrica cuando es excesiva o peligrosa». Distíngase de **cortocircuito**: «Circuito que ofrece una resistencia sumamente pequeña, y en especial el que se produce accidentalmente por contacto entre los conductores y suele determinar una descarga».

Corte. La expresión «dar corte» («tener vergüenza») no figura en el DRAE.

Cortocircuito. Véase **cortacircuitos**.

Coruña, La. Véase **Gerona**.

Cosa. Esta palabra, con la que se suple el término exacto que debe emplearse, por desconocimiento o porque no se recuerda, indica pobreza lingüística en el que se expresa.

Cosechar. Exige un complemento en plural. No se *cosecha* un fracaso o una derrota, sino varios.

Coste. Es el precio en dinero que paga el comprador. **Costo** se aplica al precio de fabricación o construcción.

Costo. Véase **coste**.

Cotidianidad. No *cotidianeidad*.

Credibilidad. Se emplea, excesivamente, por *crédito*, *confianza*, *garantía*, etc.

Créditos (o **títulos de crédito**). Anglicismo para designar los rótulos que aparecen al principio o al final de una película o de un programa de televisión.

Critérium. Con el significado de «conjunto de pruebas deportivas», no figura en el DRAE.

Crudo. Se está extendiendo su empleo en sustitución de *difícil* («Lo tienes crudo»).

Cuadruplicar. «Hacer cuádruple una cosa; multiplicar por cuatro una cantidad». No *cuatruplicar*.

Cuantificar. Significa «expresar numéricamente una magnitud». No es sinónimo de *calcular*, *evaluar* o *determinar*.

Cuarto. Dígase *cuarto de kilo* y *cuarto de litro*, no *cuarto kilo* y *cuarto litro*.

Cuenta. *Por cuenta de* significa «en nombre de alguien o algo, o a su costo». No debe confundirse con **a cuenta de**: «en compensación, anticipo o a cambio de algo». Una mujer **sale de cuenta** (no **de cuentas**) cuando ha cumplido el período de gestación. Las personas se dan cuenta **de que** algo sucede, no **que** algo sucede.

Cuestionar. Significa «controvertir un punto dudoso, proponiendo las razones, pruebas y fundamentos de una y otra parte» y «poner en duda lo afirmado por alguien». Debe evitarse el uso reiterado de este verbo como sinónimo de *poner en entredicho, impugnar, discutir, poner en duda*, etc. También es reprobable la perífrasis *poner en cuestión*.

Culmen. Esta voz se emplea para designar el momento culminante de algo, pero el DRAE no la recoge.

Culpabilizar. Este neologismo, no admitido por la Academia, sustituye, innecesariamente, a *culpar*.

Cumbre. El DRAE acepta esta palabra con el significado de «reunión de máximos dignatarios nacionales o internacionales».

Cumpleaños. Es nombre singular. No puede decirse *cumpleaño*.

Cumplimentación. Sustitúyase por *cumplimiento*.

Cutrerío. Dígase *cutrez*.

D

De acuerdo a. Dígase *de acuerdo con, con arreglo a* o *según*.

De alguna manera. Recházese esta difundida expresión, por innecesaria. En lugar, por ejemplo, de «Creo que de alguna manera eso que planteas no tiene sentido», puede decirse: «Creo que eso que planteas no tiene sentido».

Decantar. Este verbo, del que se abusa, puede sustituirse por *inclinarse, tomar partido* o *decidirse*.

De conformidad a. Dígase *de conformidad con* o *en conformidad con*.

De entrada. Puede sustituirse por *para empezar, al comienzo*, etc.

Deflagración. Es cuando una sustancia arde súbitamente con llama y sin explosión. No equivale, por tanto, a *explosión*.

Defoliación. El DRAE registra este término, pero no *defoliar*.

Deleznable. Se refiere a lo que se rompe, disgrega, deshace o desliza con mucha facilidad. También se aplica a lo poco durable, inconsistente y de poca resistencia. No significa *reprobable, digno de repulsa* o *abominable*.

Del orden de. Es preferible decir *alrededor de, aproximadamente, más o menos* o *en torno a*.

De modo y manera. Dígase *de modo que* o *de manera que*.

Depauperar. No *depauperizar*.

Deprisa. Se prefiere a *de prisa*.

Derechizar. Inclinarse, políticamente, hacia la derecha. Este verbo no figura en el DRAE.

Derecho. Si no va precedida de artículo, esta palabra se construye con *a* («Tengo derecho a irme»). Si lleva artículo, se emplea *de* («Me asiste el derecho de callarme»).

Desapercibido (pasar). Galicismo por *pasar inadvertido*.

Desbastar. Véase **devastar**.

Desconvocar. Es «anular la convocatoria de un acto antes de que este comience». No debe emplearse con el significado de «interrumpir o suspender algún acto que ya se ha iniciado».

Desestabilidad. Dígase *inestabilidad.*

Deshojar. Significa «quitar las hojas de una planta; arrancar las hojas de un libro». Distíngase de **desojar** («quebrar o romper el ojo de un instrumento») y **desojarse** («esforzar la vista mirando o buscando una cosa»).

Desmadre. En castellano existen también *desbarajuste, confusión, desconcierto, desmesura, alboroto* y *desorden.*

De sobra. No *de sobras.*

Desojar. Véase **deshojar**.

Despavorir. De este verbo defectivo, que significa *sentir pavor,* se usa, casi exclusivamente, el participio.

Detectar. Este verbo, del que suele abusarse, puede ser sustituido por *hallar, advertir, descubrir, encontrar, localizar, comprobar, notar* o *constatar.*

Detentar. Significa «retener alguien lo que manifiestamente no le pertenece» y «ejercer ilegítimamente algún poder o cargo público». Es incorrecto emplear este verbo para indicar cualquier situación de poder o de mando.

Devastar. No *desvastar.* Diferénciese de **desbastar**: «quitar las partes bastas de algo que se quiere labrar».

Diabetes. No *diabetis.*

Día después. Dígase *día siguiente.*

Dignarse. Con la preposición *a* («dignarse a») es un vulgarismo. Debe decirse «dignarse hacer», no «dignarse a hacer».

Digresión. Es el «efecto de romper el hielo del discurso». El término *disgresión* no es correcto.

Dilema. Es el «argumento formado de dos proposiciones contrarias disyuntivamente». No es sinónimo de *problema, obstáculo* o *apuro.*

Dilucidar. Es «declarar y explicar un asunto, una proposición o una obra de ingenio». No significa *elegir* ni *discutir.*

Dimensionar. Dígase *medir.*

Dimisionar. Este verbo no figura en el DRAE. Sí el adjetivo *dimisionario* («que hace o ha hecho dimisión»).

Dimitir. La acción de *dimitir* es voluntaria y personal. Nadie puede *ser dimitido* por otro ni *dimitir* a otro. En lugar de «Le han dimitido», debe decirse «Le han hecho dimitir» o, si se quiere evitar el eufemismo, «Le han destituido».

Dinámica. No debe reemplazar a *acción, desarrollo* o *proceso.*

Dinamizar. Este verbo no figura en el DRAE. Sustitúyase por *ani-*

mar, *vitalizar*, *activar*, *promover*, *estimular,* etc.

Dintel. Es la parte superior de una puerta o ventana. No debe confundirse con **umbral**: parte inferior o escalón, por lo común de piedra y contrapuesto al dintel, en la puerta o entrada de una casa.

Discapacitado. El DRAE registra este término, además de *minusválido.*

Discreto. Se emplea frecuentemente con los significados de *regular* o *mediocre*, que están aceptados por la Academia.

Diseño. Se abusa de este término, sobre todo en el mundo de la enseñanza, por *plan* o *proyecto.*

Disparar. Se dispara *con*, *contra*, *al*, pero no *sobre.*

Dispépsico. «Enfermo de dispepsia». La forma *dispéptico* no es correcta.

Distorsionar. Aunque este verbo figura en el DRAE, puede sustituirse por *deformar*, *desvirtuar*, *retorcer*, *desfigurar* o *tergiversar.*

Disyuntiva. Véase **alternativa**.

Divergir. No **diverger**.

Dolerse. «Arrepentirse de haber hecho una cosa y tomar pesar de ello». No debe aplicarse a problemas físicos (una persona no *se duele* de la espalda o de un brazo).

Doméstico. Este vocablo, con el significado, habitual en la política y en la aviación comercial, de *nacional*

o *interno*, frente a *internacional*, no está admitido por la Academia.

Dondequiera. Se construye con *que*: «dondequiera que estés» (no «dondequiera estés»).

Drástico. Aunque, por lo general, se olvida, el castellano tiene también *severo*, *enérgico*, *radical*, etc. El DRAE no registra *drasticidad* (sustitúyase por *severidad* o *dureza*).

Ductilidad. No *ductibilidad.*

Duelo. Significa «combate o pelea entre dos, a consecuencia de un reto o desafío», no entre varios.

Dulzor. Aunque este sustantivo está equiparado a *dulzura*, se suele aplicar a cosas materiales (*dulzura* a las inmateriales).

E

Echar a faltar. Dígase *echar en falta* o *echar de menos.*

Edil. Equivale a *concejal*. El alcalde no es un edil.

Educacional. Aunque este adjetivo está admitido por la Academia con el significado de «perteneciente o relativo a la educación», es preferible emplear *educativo*, que también se refiere a lo que educa o sirve para educar.

Efectivo. Significa *real*, *verdadero* o *válido*. No debe confundirse con *eficaz* y *eficiente.*

Efeméride. En singular es el «acontecimiento notable que se recuerda en cualquier aniversario del mismo». En plural (**efemérides**) significa «libro o comentario en que se refieren los hechos de cada día» y «sucesos notables ocurridos en la fecha en que se está o de la que se trata, pero en años anteriores».

Efemérides. Véase **efeméride**.

Eficaz. Significa «activo, poderoso para obrar» y «que logra hacer efectivo un intento o propósito». Distíngase de **eficiente**: «que tiene la virtud y la facultad para lograr un efecto determinado». *Eficaz* se suele aplicar a cosas; *eficiente* a personas (una persona puede ser *eficiente* en su trabajo; un medicamento o un arma son *eficaces* si cumplen con su objetivo).

Eficiente. Véase **eficaz**.

Ejemplarizador. Dígase *ejemplar*.

Elocución. Véase **alocución**.

Elucubración. La Academia prefiere *lucubración*.

Elucubrar. La Academia prefiere *lucubrar*.

Emblemático. Se abusa de este término con los significados de *importante, relevante, significativo* y *trascendente*.

Emergencia. Significa «suceso, accidente que sobreviene». A este sustantivo se le hace, con excesiva frecuencia, sinónimo de *urgencia, imprevisto, apuro* o *aprieto*.

Enajenar. Véase **alienar**.

En aras. Véase **aras**.

En base a. Esta locución, hoy muy extendida, debe evitarse. En su lugar, dígase: *basado en, tomando como base, según, de acuerdo con, basándose en, sobre la base de, en relación con*, etc.

En calidad de. No es necesario emplear esta expresión para sustituir a *como*: «Asisten a la reunión en calidad de invitados» («como invitados»).

En cantidad. Es un vulgarismo por *en abundancia*: «Había allí comida en cantidad» (correcto: «mucha comida» o «comida en abundancia»).

Enclave. Es el «territorio incluido en otro con diferentes características políticas, administrativas, geográficas, etc.». No equivale a *lugar* o *emplazamiento*.

En concepto de. Puede sustituirse por *como*.

Encontrar. No debe emplearse por *creer, considerar, opinar*.

Encontrar a faltar. Catalanismo por *echar en falta* y *echar de menos*.

Encontrar culpable. Anglicismo por *declarar culpable* o *ser considerado culpable*.

En cuanto que. Vulgarismo por *en cuanto*: «En cuanto la vi» (no «En cuanto que la vi»).

En el marco de. Puede sustituirse por *dentro de* o *en*.

Enervar. Significa «debilitar, aflojar, relajar, quitar las fuerzas, poner nervioso». No es sinónimo de *irritar*, *exasperar* o *alterar*.

En especie. Se paga *en especie* (no *en especies*), es decir, en frutos o géneros, no en dinero.

Enfatizar. Este verbo, del que se abusa, puede sustituirse por *poner de relieve*, *poner de manifiesto*, *hacer hincapié* o *recalcar*. Lo mismo puede decirse de la expresión *poner el énfasis*.

Enfervorizado. No *enfervorecido*.

Enfrentar. Aunque se dice *hacer frente a*, este verbo, cuando se utiliza como pronominal, se emplea más con la preposición **con** (también es correcta la construcción con **a**). Véase **afrontar**.

En honor. Sólo se construye con **a** la expresión «en honor a la verdad». En los demás casos, dígase «en honor de».

Enjuagar. Significa «limpiar la boca y dentadura con un líquido» y «aclarar y limpiar con agua». Distíngase de **enjugar**: «quitar la humedad».

Enjugar. Véase **enjuagar**.

En la mañana de hoy. Dígase «esta mañana».

En la noche de ayer. Dígase «anoche».

En medio. No *enmedio*.

En ocasión de. Dígase *con ocasión de*.

En olor de multitud. Están muy extendidas las expresiones «en olor de multitud» y «en olor de muchedumbre» para referirse a alguien que es recibido o despedido con entusiasmo. Ambas, relacionadas con «en olor de santidad», que se aplica a la persona fallecida con fama de santo, han tenido muchos detractores y algún valedor. J. Martínez de Sousa escribe: «Si nos atenemos a lo que expresan las palabras se trata, en efecto, de un disparate. Si todo el lenguaje se analizara de la misma forma simplista, frases como *a tontas y a locas*, *alma de cántaro*, *no dar una sed de agua* y tantas otras no podrían usarse, pues, estudiados sus componentes, el resultado es incomprensible en cada caso. Por analogía con *en olor de santidad*, la frase *en olor de multitud* aplicada a aquella persona a quien la multitud aplaude y recibe o despide con entusiasmo es admisible». En sustitución de esta expresión, desde hace tiempo se usa *en loor de multitud* o *en loor de muchedumbre*, sin tenerse en cuenta que el significado varía: a quien se alaba con esta fórmula es a la multitud o a la muchedumbre, no a una persona.

En orden a. Significa t*ocante a* o *respecto a*. En los demás casos debe sustituirse por *a fin de*, *para* o *con el propósito de*.

En otro orden de cosas. Dígase *por otro lado* o *por otra parte*, o suprímase.

En positivo. Dígase *de forma positiva*, *con buena disposición de ánimo* o *con optimismo*.

En profundidad. Anglicismo por *enteramente*, *a fondo*, *con detalle* o *con detenimiento*.

En relación a. Dígase *en relación con* o *con relación a*.

Enrollarse. Con los significados de *meterse en un asunto* y *ligar* no figura en el DRAE.

Enseñante. Puede sustituirse por *profesor*, *maestro* o *docente*.

En solitario. Véase **solitario**.

En tanto en cuanto. Puede reducirse a *en tanto* o a *mientras*.

Ente. Empresa pública, en particular la televisión. En otros contextos es preferible emplear *entidad* u *organismo*.

Entorno: Véase **en torno**.

En torno a o **en torno de**. Significan *alrededor de*. Distínganse de **entorno**: *contorno*, *lo que rodea*.

Entrenar. Es verbo transitivo o pronominal. No puede decirse que los deportistas o un equipo *entrenan*, sino que *se entrenan*.

Entreno. No debe emplearse como equivalente de *entrenamiento*.

En último análisis. Galicismo por *en definitiva* o *en última instancia*.

Envergadura. No debe emplearse por *estatura*, *corpulencia* o *fortaleza*.

En vías de. Significa *en curso*, *en trámite* o *en camino de*. La expresión *en vía de* es incorrecta.

Errabundear. Este verbo no está aceptado por la Academia. Dígase *errar*.

Errar. «No acertar». Distíngase de **herrar**: «ajustar y clavar las herraduras».

Es a eso que. Dígase *a eso* o *eso es a lo que*.

Es así como. Dígase *así*, *de esta manera* o *así es como*.

Escanear. La Academia acepta *escáner*, pero no *escanear* (explorar una parte del organismo o un original de imprenta con un *escáner*).

Escuadra. Cuando se refiere al mundo del deporte, este italianismo debe sustituirse por *equipo* o *conjunto*.

Es cuando. Deben evitarse las expresiones *es cuando* o *es donde* para definir un concepto: «El Renacimiento es cuando (o «es donde») triunfa una visión diferente del mundo» (correcto: «En el Renacimiento triunfa...»).

Escuchar. Significa «aplicar el oído para oír» y «prestar atención a lo que se oye». No debe confundirse con **oír**: «percibir con el oído los sonidos». Téngase en cuenta que *escuchar*, a diferencia de *oír*, no se construye con infinitivos.

Esotérico. Es lo «oculto y reservado». Diferénciese de **exotérico**, que significa lo contrario: «común, accesible para el vulgo».

Especia. Es cualquier sustancia vegetal aromática que sirve de condimento. No debe confundirse con **especie**: «conjunto de cosas semejantes entre sí por tener uno o varios caracteres comunes».

Especie. Véase **especia**.

Especulaciones. Se abusa de esta palabra con los significados de *rumores, sospechas, conjeturas, creencias, suposiciones, indicios, cálculos, cábalas* o *presunciones*.

Especular. Significa «registrar, mirar con atención una cosa para reconocerla y examinarla», «meditar» y «efectuar operaciones comerciales o financieras». No debe emplearse con los significados de *calcular, creer, sospechar* o *conjeturar*.

Esperar. Es «creer que ha de suceder alguna cosa, especialmente si es favorable». Los hechos negativos *se temen*.

Espiar. Significa «acechar, observar disimuladamente, intentar conseguir informaciones secretas». No debe confundirse con **expiar**: «borrar las culpas o purificarse de ellas».

Espiral. Evítense las expresiones *la espiral de los precios, la espiral de la violencia*, etc.

Espirar. Significa «exhalar, echar de sí un cuerpo buen o mal olor».

Distíngase de **expirar**: «morir; acabarse un período de tiempo».

Espurio. No *espúreo*.

Esquemas. Este vocablo se ha generalizado, innecesariamente, en sustitución de *ideas* o *proyectos*: «Me ha roto todos los esquemas».

Estampía (**de**). Se emplea con los verbos *embestir, partir* o *salir* (cuando algo se hace de repente y de forma impetuosa, sin preparación o anuncio alguno). Diferénciese de **estampida**: «ruido fuerte y seco; resonancia; divulgación rápida y estruendosa de algún hecho».

Estampida. Véase **estampía**.

Estandarizar o **estandardizar**. Significan «tipificar, ajustar a un tipo, modelo o norma». Existen también el sustantivo *estandarización* (o *estandardización*) y el adjetivo y el sustantivo *estándar* (lo que sirve como *modelo, patrón* o *referencia*). Sin embargo, es preferible servirse de los equivalentes castellanos.

Estatalizar. Véase **estatificar**.

Estático. «Lo que permanece en un mismo estado» y «el que se queda parado de asombro o de emoción». Distíngase de **extático**: «que está en éxtasis».

Estatificar. Es «poner bajo la administración o intervención del Estado». El verbo *estatalizar* no tiene registro académico.

Estimación. Es el «aprecio y valor que se da y en que se tasa o considera una cosa». No es sinónimo de *cálculo*.

Estimulativo. No figura en el DRAE. Dígase *estimulante* o *estimulador*.

Estrategia. Véase **táctica**.

Euskadi. Nombre *vasco* del País Vasco. Algunos organismos oficiales utilizan la grafía Euzkadi.

Eusquera o **euskera**. Son los términos aceptados por el DRAE para denominar la lengua vasca. Puede decirse además *vascuence*. La Academia también acepta *euscalduna*: persona que habla vascuence.

Evento. Significa *acaecimiento* o *eventualidad*. No se puede aplicar a sucesos previstos y preparados. Con el sentido de *hecho importante* o *acontecimiento* es anglicismo.

Evidencia. No es sinónimo de *prueba*.

Ex. Esta partícula se antepone a personas: *ex ministro, ex monárquico*. Es impropio, por tanto, decir «la ex Yugoslavia», «la ex Guinea española», etc. En algunos casos (*excautivo, excombatiente*) se junta la partícula con la palabra a la que modifica.

Excepcionalidad. Dígase *excepción*.

Exclusivo. Como sinónimo de *selecto* o *elegante* es anglicismo.

Exento. Significa *libre, eximido, desembarazado* o *liberado* de algo.

No equivale a *carente* o *falto de alguna cosa*.

Exhaustivo. Existen también otros términos: *minucioso, detallado, pormenorizado*.

Exiliado. No *exilado*.

Exiliar. No *exilar*.

Exotérico. Véase **esotérico**.

Expedir. Véase **expender**.

Expender. Significa «gastar; vender al por menor». No se confunda con **expedir**: «dar curso a las causas y negocios; remitir; enviar».

Expiar. Véase **espiar**.

Expirar. Véase **espirar**.

Extático. Véase **estático**.

Extorsionador. Persona que consigue las cosas con amenazas. Este término no figura en el DRAE.

Extra. Este prefijo, que significa *fuera de* o *sumamente*, no debe separarse del término al que modifica: *extrajudicial, extraplano*, etc.

Extradir. Dígase **extraditar**: conceder un gobierno la extradición de un reclamado por la justicia de otro país.

Extrañar. En la forma personal se construye con ***de***: «No me extraño de que se haya ido». En los demás casos va sin preposición: «No es extraño que se haya ido».

Extravertido. La Academia prefiere esta forma a **extrovertido**.

Exultante. Es el que está pletórico de alegría. Este término no figura en el DRAE.

Exvoto. A diferencia de *ex libris*, *ex profeso*, etc., se escribe en una sola palabra.

F

Facción. Significa «parcialidad de gente amotinada o rebelada», «bando o partido violento» y «cualquiera de las partes del rostro humano». No debe usarse como sinónimo de *fracción*, *grupo* o *sector*.

Falacia. Equivale a «engaño, fraude o mentira». No es un *argumento falso* o un *error*.

Falsa alarma. Puede sustituirse por *alarma injustificada*.

Falsa maniobra. Es preferible decir *maniobra equivocada*.

Fasto. Es el día, año, etc., venturoso. Distíngase de **fausto**: pompa exterior; lujo extraordinario; aunque también feliz o afortunado.

Fausto. Véase **fasto**.

Felación. Succión bucal del pene. No figura en el DRAE.

Femineidad. Significa lo mismo que *feminidad*.

Fiable. Se dice de la persona a quien se puede fiar, o de quien se puede responder. Por extensión, se aplica también a las cosas que ofrecen seguridad; sin embargo, en este caso es preferible emplear *seguras*.

Filosofía. Esta palabra se aplica hoy, degradada, a asuntos triviales o cotidianos: «Ahora lleva el negocio con otra filosofía»; «En el trato con sus hijos mantiene una filosofía equivocada». En estos casos deben emplearse *criterio, punto de vista, supuesto, espíritu, intención, motivo, fundamento, base, contenido, idea*, etc.

Finalizar. Además de este verbo, del que se abusa, existen *acabar, rematar, terminar, concluir, cerrarse, ultimar, consumar*, etc.

Fleco. Con el significado de «cabo suelto» o «lo que ha quedado pendiente en algún negocio», no tiene registro académico.

Florería. La Academia prefiere este término, pero se emplea más *floristería*.

Florescencia. Véase **fluorescencia**.

Fluorescencia. Es la luminosidad que tienen algunas sustancias mientras reciben la excitación de ciertas radiaciones. Distíngase de **florescencia**: acción de florecer.

Forofo. Es el hincha o partidario de algo. No figura en el DRAE.

Friki. En el fútbol, *golpe franco directo* o *tiro libre*. No tiene registro académico.

Fuegos de artificio. Es galicismo. Dígase *fuegos artificiales*.

Fuerte. De forma poco apropiada, suele emplearse, en frases exclamativas, con los significados de *importante, anómalo* o *increí-*

ble (*–Juan se ha ido de casa. –¡Qué fuerte!*).

Fundamentalismo. Esta palabra, lo mismo que *fundamentalista*, no está admitida por la Academia. Pueden sustituirse por *integrismo* e *integrista*.

Futurible. Es lo que puede ocurrir si se da una condición determinada. No es lo mismo que *futuro*.

G

Gama. Significa *escala musical* y *gradación de colores*. No debe emplearse por *conjunto*, *clase*, *serie* o *cantidad*.

Gasoducto. No *gaseoducto*.

Geografía española. En lugar de esta manida expresión, puede decirse *España*.

Geranio. No *geráneo*.

Gerona. En castellano se dice Londres, Marsella, Turín, Florencia, etc., en lugar de London, Marseille, Torino, Firenze, etc. Por la misma razón deberían emplearse Gerona, Lérida, La Coruña y Orense, términos arraigados en nuestra lengua, en lugar de Girona, Lleida, A Coruña y Ourense. Éstos, sin embargo, están oficialmente aceptados.

Gira. Véase **Jira**.

Globalizar. Este verbo no está aceptado por la Academia. Dígase *generalizar*.

Gnóstico. Véase **agnóstico**.

Gobernabilidad. Este sustantivo no figura en el DRAE. Dígase *gobernación* o *gobierno*.

Golpeamiento. No tiene registro académico. Dígase *golpeo* o *golpeadura*.

Grabar. Significa «señalar con incisión o labrar sobre una superficie un letrero, figura o representación de cualquier objeto». Distíngase de **gravar**: «imponer a alguien una carga o una obligación».

Grandilocuencia. No *grandielocuencia*.

Gravar. Véase **grabar**.

Grillarse. La Academia ha aceptado este verbo con el significado de *chiflarse*.

Guarda. Persona que tiene a su cargo la conservación de una cosa. Distíngase de **guardia**: miembro de un cuerpo encargado de la vigilancia o defensa.

Guardabosque. No *guardabosques*.

Guardarropa. No *guardarropas*.

Guardia. Véase **guarda**.

Guru o **gurú**. En la India, director o jefe espiritual. Ninguna de las dos formas figura en el DRAE.

H

Hacer abstracción de. Galicismo por *prescindir de* o *dejar aparte*.

Hacer agua. Penetrar agua en una embarcación por una grieta (en sentido figurado se dice que un asunto *hace agua* cuando no marcha bien). No debe confundirse con *hacer aguas*: *orinar*.

Hacer aguas. Véase **hacer agua**.

Hacer el amor. El DRAE acepta esta expresión con los significados de *enamorar*, *galantear* y *copular* (hoy, el que se ha impuesto es este último).

Hacer el efecto. Catalanismo y galicismo por *tener la sensación de* (*que*), *parecer* o *dar la impresión de* (*que*).

Hacer llegar. Dígase *enviar* o *remitir*.

Hacer mención a. Dígase *hacer mención de*.

Hacer público. *Público* debe concertar en género y número con el nombre que sigue: «Hizo públicas las razones»; «Hizo público un decreto».

Herrar. Véase **errar**.

Hindú. El DRAE equipara *hindú* e *indio*: «natural de la India». Sin embargo, *hindú* se suele reservar para los que practican el hinduismo.

Hispanoamérica. Comprende los países americanos de habla española. *Iberoamérica* incluye también a Brasil.

Hispanohablante. No *hispanoparlante*.

Hiper–. Este prefijo, que significa *superioridad* o *exceso*, se une con la palabra a la que modifica: *hipertensión*, *hipermercado*.

Histórico. F. Lázaro Carreter se ha referido al «abuso de *histórico*, que ha pasado a querer decir casi siempre 'digno de recordación', perdiendo el más solemne significado de 'recordado por la historia', lo cual sólo puede saberse calificando aguas muy pasadas e historiadas. Pero cada día se encuentran seis u ocho sucesos *históricos*, olvidados horas después». Lo mismo puede decirse del empleo reiterado de *memoria histórica*.

Hojear. Véase **ojear**.

Homólogo. Véase **colega**.

Honesto. Significa «decente, recatado, pudoroso, justo». **Honrado** es el que manifiesta «rectitud de ánimo e integridad en el obrar».

Honrado. Véase **honesto**.

Huso horario. No *uso horario*. Es cada una de las partes en que queda dividida la superficie terrestre por veinticuatro meridianos igualmente espaciados y en que rige una misma hora.

I

Iberoamérica. Véase **Hispanoamérica**.

Idolatrizar. Dígase *idolatrar*.

Ignorar. No es sinónimo de *despreciar*, *no hacer caso*, *despreocu-*

parse, *desobedecer*, *no tener en cuenta* o *no darse por enterado*.

Igual. Se construye con *que* («Es igual que tú»). Sólo se emplea *a* en Matemáticas: 2+2 = 4 («dos más dos igual a cuatro»).

Ilación. Se escribe sin *h* ya que procede del latín *illatio*.

Ilegalizar. El DRAE registra *ilegitimar* y *deslegalizar*, pero no *ilegalizar*, *ilegalización* y *deslegitimar*, aunque su uso parece aceptable.

Ilegitimar. No *ilegitimizar*.

Imbatido. Portero de un equipo deportivo al que no le han marcado un gol. No figura en el DRAE.

Imberbe. Véase **barbilampiño**.

Imitación a. Dígase *imitación de*.

Impacto. Este término, del que se abusa, puede ser sustituido por *impresión*, *repercusión* o *efecto*.

Impartir. Las clases, las conferencias y los cursos pueden *impartirse*, pero, sobre todo, *se dan*. Sí *se imparte* la bendición.

Impeler. No *impelir*.

Implante. Dígase *implantación*.

Implementar. El DRAE admite este término con el significado, en informática, de «poner en funcionamiento, aplicar métodos, medidas, etc., para llevar algo a cabo». No debe emplearse en sustitución de *ejecutar*, *aplicar*, *poner en práctica* o *realizar*.

Implemento(s). La Academia acepta este anglicismo con el significado de *utensilio* o *utensilios*. Pueden emplearse también, para sustituirlo, *enseres*, *instrumentos* o *aperos*.

Imprecar. Proferir palabras con que se expresa el vivo deseo de que alguien sufra mal o daño. Diferénciese de **increpar**: reprender con dureza y severidad.

Inalterable. Significa «que no se puede alterar». Distíngase de **inalterado**: «que no ha sufrido alteración». En un partido de fútbol, el marcador puede estar *inalterado*, pero no *inalterable*.

Inaudito. «Nunca oído; monstruoso». No es lo mismo que **insólito**: *raro*, *extraño* o *desacostumbrado*.

Incautarse. Es un verbo pronominal, no transitivo. No puede decirse: «La policía incautó el dinero» (correcto: «se incautó del dinero»).

Incentivación. Dígase *incentivo*.

Incentivar. Aunque este verbo está admitido oficialmente («estimular para que algo se acreciente o aumente»), el castellano dispone también de *propulsar*, *promover*, *fomentar*, *proteger*, *favorecer*, etc. El DRAE no registra *incentivación*.

Incidente. Es algo que sobreviene en el curso de un asunto o negocio y tiene con éste algún enlace; significa también *disputa* o *riña*. No debe confundirse con *accidente*.

Incidir. Se abusa de este verbo en lugar de *incurrir*, *influir*, *repercutir*, *afectar*, *hacer hincapié*, etc.

Incinerar. Véase *inhumar*.

Incipiente. Es lo que empieza. Distíngase de **insipiente**: *falto de sabiduría*, *ciencia* o *juicio*.

Inclusive. Este adverbio indica que se incluye el último objeto nombrado o la última cifra («Estaremos de vacaciones hasta el 31 de agosto inclusive»). No debe confundirse con *incluso* cuando equivale a *hasta*: «Incluso comprende a los que no opinan como él».

Inconcluso. Significa «inacabado». Diferénciese de **inconcuso**: «firme, sin contradicción».

Inconcuso. Véase **inconcluso**.

Inconsútil. Significa «sin costura». No es sinónimo de *fino* o *liviano*.

Incorporar. Evítese el empleo de este verbo con los significados de «dar cuerpo o vida a algo». Los actores *encarnan* a un personaje de ficción, pero no lo *incorporan*.

Increpar. Véase **imprecar**.

Indigerible. Dígase *indigestible*.

Indio. Véase **hindú**.

Indiscriminar. En el DRAE no figura este verbo. Sí el adverbio *indiscriminadamente*.

Ineficiencia. Sustitúyase por *ineficacia*.

Inerme. «Que está sin armas» (en sentido real o figurado). Distíngase de **inerte**: inactivo, estéril o inútil.

Inerte. Véase **inerme**.

Infectar. Transmitir los gérmenes de una enfermedad. **Infestar**, aunque es lo mismo, tiene también los significados de «causar daños y estragos con hostilidades y correrías», «causar estragos y molestias los animales o las plantas advenedizas en los campos cultivados y aun en las casas» y «llenar un sitio gran cantidad de personas y de cosas».

Inferior que. Dígase *inferior a*.

Inficionar. Equivale a **infectar**.

Inflación. No *inflacción*.

Infligir. Significa «causar daños» e «imponer castigos». Distíngase de **infringir**: «quebrantar leyes, órdenes, etc».

Influenciar. Véase *influir*.

Influir. La Academia prefiere este verbo a *influenciar*.

Informal. No debe usarse por *extraoficial* u *oficioso*.

Infra. Elemento compositivo que significa *inferior* o *debajo*.

Infringir. Véase **infligir**.

Ingerir. Es «introducir comida, bebida o medicamentos por la boca». Diferénciese de **injerir** («meter una cosa en otra») y de **injerirse** («entremeterse» e «introducirse en una dependencia o negocio»).

Inglés. No debe confundirse con **británico**. Inglaterra forma, con Escocia, Gales e Irlanda del Norte, el Reino Unido de Gran Bretaña e Irlanda del Norte.

Ingravidez. No *ingravidad*.

Inherente. Se construye con *a*.

Inhumar. Significa «enterrar un cadáver». No debe confundirse con **incinerar**: «reducir un cadáver a cenizas».

Iniciar. Este verbo, del que se abusa, puede ser sustituido por *comenzar, empezar, emprender, entablar* o *principiar*. La Academia no registra *reiniciar* y *reinicio* (sí acepta *reanudar* y *reanudación*).

Injerir. Véase **ingerir**.

Inmoral. Véase **amoral**.

Inoperancia. El DRAE registra *inoperante* («no operante, ineficaz»), pero no *inoperancia*, que se emplea con el significado de «ineficacia».

Inquirir. Significa «indagar, averiguar o examinar cuidadosamente una cosa». No es sinónimo de *preguntar*.

Insipiente. Véase **incipiente**.

Insólito. Véase **inaudito**.

Instrumentalizar. Este verbo, que se aplica a los que se aprovechan de algo o de alguien para conseguir sus fines, no tiene registro académico.

Instrumentar. Se suele usar, impropiamente, por *dar, disponer, proponer* o *preparar*.

Integral. Este adjetivo está aceptado por el DRAE con los significados de *global* y *total*. También puede sustituirse por *íntegro* o *completo*.

Inteligencia (**servicio de**). Este anglicismo está aceptado por la Academia con el significado de «organización secreta de un Estado para dirigir y organizar el espionaje».

Intercepción. Este término no tiene registro académico. Dígase *interceptación*.

Interdisciplinar. Dígase *interdisciplinario*.

Interfecto. No una persona de la que se está hablando, sino alguien que ha muerto violentamente.

Intermediación. Dígase *intermedio* o *mediación*.

Intratable. En el lenguaje deportivo se usa, impropiamente, con los significados de *invencible, imbatible* e *irreductible*.

Inusual. Este término no figura en el DRAE. Pueden emplearse, en su lugar, *inusitado, desacostumbrado, infrecuente, desusado, insólito* y *raro*.

Inverosímil. No es sinónimo de *increíble, insólito* o *indiferente*.

Irrogarse. Véase **arrogarse**.

Isóbara. La Academia equipara esta forma a *isobara*.

Israelí. Se refiere al ciudadano del actual Estado de Israel. *Israelita*, sinónimo de judío o hebreo, hace referencia al antiguo reino de Israel.

J

Jerarquización. Dígase *jerarquía*.

Jira. Significa «banquete o merienda, especialmente campestres, entre amigos, con regocijo y bulla» y «pedazo que se corta o rasga de una tela». Diferénciese de **gira**: «excursión o viaje por distintos lugares, volviendo al punto de partida» y «serie de actuaciones sucesivas de una compañía teatral o de un artista en diferentes localidades».

Jornadas. Con el significado de «reuniones o cursos de escasa duración» no figura en el DRAE.

Jugar un papel. Galicismo por *representar* o *desempeñar un papel* y *cumplir una función* o *un cometido*.

L

Labor. La expresión «estar por la labor» («estar dispuesto a hacer algo») no figura en el DRAE.

La casi totalidad. Dígase *casi todos* o *casi la totalidad*.

Lapso. Véase **lapsus**.

Lapsus. Significa «falta, equivocación o error cometidos por descuido». Distíngase de **lapso**: espacio de tiempo.

Laso. Véase **laxo**.

Laxo. Significa «flojo, que no tiene la tensión que naturalmente debe tener» (se aplica sobre todo a la moral relajada, libre o poco sana). Diferénciese de **laso**: «cansado, desfallecido, falto de fuerzas».

Lectura. Se abusa de este término en sustitución de *interpretación*, *opinión*, *conclusión* y *consecuencia* (se hacen lecturas de un discurso, de un partido de fútbol o de cualquier hecho).

Legitimizar. Barbarismo por **legitimar**.

Lérida. Véase **Gerona**.

Liberalizar. Véase **liberar**.

Liberar. Significa «eximir a alguien de una obligación» y «poner en libertad al que está preso o atado». Distíngase de **liberalizar**: «hacer liberal en el orden político a una persona o cosa.

Libido. Es palabra llana.

Librar. Con el significado de «desarrollarse» o «tener lugar una batalla» es un galicismo que no está admitido por la Academia.

Liderar. El castellano también tiene otros términos equivalentes: *dirigir*, *ancabezar*, *acaudillar*, *presidir* o *capitanear*.

Liderato. Se dice del que tiene y ejercita su condición de líder. **Liderazgo** se aplica, además, a la situación de superioridad en que se halla una empresa, un producto o un sector económico, dentro de su ámbito.

Liderazgo. Véase **liderato**.

Límite. Empleada como aposición, esta palabra no varía: *La situación* o *las situaciones límite*.

Liposucción. Técnica médica para succionar la grasa existente debajo de la piel. No tiene registro académico.

Litrona. Botella de cerveza de un litro. No figura en el DRAE.

Lívido. Significa amoratado e intensamente pálido.

Loro. La expresión «estar al loro» (estar al corriente o al tanto de algo) no figura en el DRAE.

Lubricar o **lubrificar**. Es «hacer lúbrica o resbaladiza una cosa».

Lubricar significa, además, «suministrar lubricante a un mecanismo para mejorar las condiciones de deslizamiento de las piezas».

Lúcido. Significa «claro en el razonamiento, en las expresiones, en el estilo, etc». Distíngase de **lucido**: participio del verbo *lucir*.

Lucido. Véase **lúcido**.

Lucubrar. Véase **elucubrar**.

Ludópata. Es el que tiene afición desmedida por el juego. No figura en el DRAE.

Ludopatía. Enfermedad psicológica que puede contraer el *ludópata*.

Macarra. Chulo, hortera, persona vulgar. No tiene registro académico.

Macrocosmos. La Academia prefier *macrocosmo*.

Madrugada. No se debe hablar de las doce o de la una de la madrugada. Este término se reserva para el alba y el amanecer.

Magdalena. Bollo pequeño. La forma *madalena* es vulgar.

Magnetófono. No *magnetofón*.

Malentendido. No *mal entendido*.

Maníaco. La Academia prefiere esta forma a *maniaco*.

Mañana. «De buena mañana» es galicismo. Dígase «muy de mañana» o «por la mañana temprano».

Marcha. Las expresiones «irle a uno la marcha» y «tener mucha marcha» (ser un juerguista) no figuran en el DRAE.

Marginalidad. Dígase *marginación*.

Maruja. Ama de casa con pocas inquietudes intelectuales. No figura en el DRAE.

Masculinidad. No *masculineidad*.

Mayonesa. La Academia también admite *mahonesa*.

Mayoría de. Debe construirse con artículo antepuesto y pospuesto: «La mayoría de los empleados».

Más nada. Dígase *nada más*.

Más pronto o más tarde. Galicismo por «más tarde o más temprano».

Meapilas. Persona muy beata o muy apocada. No tiene registro académico.

Mecánica. No equivale a *desenvolvimiento*, *desarrollo* o *proceso*.

Mediático. Se aplica a los medios de comunicación o a lo transmitido por ellos. No figura en el DRAE.

Medioambiental. Se escribe junto. *Medio ambiente*, separado.

Medioevo. Es preferible emplear *medievo*.

Mejoración. Dígase *mejora* o *mejoría*.

Memorial. Con el significado de «concurso deportivo que se celebra en memoria de una persona», no figura en el DRAE.

Merced a. Véase *a merced de*.

Meteorologista. Aunque el DRAE registra esta forma, es preferible emplear *meteorólogo*.

Mini–. Este prefijo, que significa *pequeño*, *breve* o *corto*, forma parte de la palabra a la que modifica: *minicine*, *minifalda*.

Minusvalía: Significa «detrimento o disminución del valor de alguna cosa». Diferénciese de **minusvalidez**: «cualidad de minusválido».

Minusvalidez. Véase **minusvalía**.

Mísil. La Academia prefiere *misil*.

Mistificar. Significa *engañar*, *embaucar*, *falsear*, *falsificar* o *deformar*. Distíngase de **mitificar**: convertir en mito.

Mitificar. Véase **mistificar**.

Mogollón. Significa *holgazán*, *vago*, *gorrón*. Hoy se emplea, con demasiada frecuencia, en sustitución de *lío*, *confusión*, *gran cantidad de una cosa* o *mucho*.

Monarca. No puede aplicarse, en plural, al rey y a la reina, ya que solo puede haber un monarca.

Montar. La expresión coloquial «montárselo bien» o «montárselo mal» (habilidad o incapacidad de alguien para organizarse la vida) no tiene registro académico.

Morro. La expresión «tener mucho morro» (tener mucha cara dura) no está aceptada por la Academia.

Mortalidad. Es el «número proporcional de defunciones en población o tiempo determinados». Distíngase de **mortandad**: «muertes causadas por epidemia, cataclismo, peste o guerra».

Mortandad. Véase **mortalidad**.

Motín. Es el «movimiento desordenado de una muchedumbre, por lo común contra la autoridad constituida». La **sedición** supone el «alzamiento colectivo y violento contra la autoridad, el orden público o la disciplina militar, sin llegar a la gravedad de la rebelión». La **sublevación** implica «alzar o alzarse en sedición o motín».

Movida. Se emplea, como sustantivo, para designar los lugares de mucha diversión o en los que se intenta innovar o crear algo provocador y estimulante, diferente a lo impuesto. No tiene registro académico.

Mucho. Seguido de *más* o de *menos* y de un nombre, concuerda con éste: «Muchas más personas».

Muestra. Empleado en sustitución de *feria*, *exposición* o *festival*, este término es un italianismo.

Multi–. Este prefijo, que significa *muchos*, forma parte de la palabra a la que modifica: *multimillonario*, *multicolor*.

Multimedia. Combinación de medios de comunicación audiovisuales. No figura en el DRAE.

Musicar. Este verbo no figura en el DRAE.

N

Nada a. Dígase *nada que* («nada que hacer»).

Nadar en la abundancia. La Academia no registra esta expresión.

Nado. No puede emplearse como equivalente de una forma de nadar. Sí existe la locución adverbial *a nado* (nadando).

Naturopatía. Es el tratamiento de las enfermedades con medios naturales. No tiene registro académico.

No. Debe evitarse en las oraciones que empiezan con *ni*: «Ni él ni ella no se plantean casarse» (correcto: «Ni él ni ella se plantean casarse» o «Él y ella no se plantean casarse»).

Noche de ayer. Dígase *anoche*.

Noche de hoy. Dígase e*sta noche*.

Nominar. Significa «dar nombre a una persona o cosa». No debe emplearse en sustitución de *designar*, *seleccionar*, *proclamar*, *proponer* o *elegir* a alguien como candidato a un premio.

Novel. Es el «que comienza a practicar un arte o profesión». Es palabra aguda.

Noventayochista. Perteneciente a la Generación del 98. No *noventaiochista*.

Nuclear. Es un adjetivo, no un verbo. En su lugar dígase *agrupar* o *congregar*.

O

Óbice. Significa *obstáculo*, *embarazo*, *estorbo* o *impedimento*. No equivale a *excusa*.

Obsoleto. Pueden emplearse también *anticuado*, *envejecido*, *vetusto*, *trasnochado* o *pasado de moda*.

Obstruccionar. Dígase *obstruir*.

Ofertar. En el comercio, «ofrecer en venta un producto». No debe emplearse como sinónimo de *ofrecer*.

Ojear. Es «dirigir los ojos y mirar con atención a determinada parte» y «espantar la caza». Distíngase de **hojear**: pasar las hojas de un libro.

Olimpiada. La Academia equipara la forma llana y la esdrújula (*olimpíada*).

Olímpicamente. Con el significado de *absolutamente* («Pasa olímpicamente de todo») no figura en el DRAE.

Olvidarse. Como verbo transitivo no lleva preposición: «Olvidé las llaves en el coche». En su forma pronominal se construye con ***de***: «Me olvidé de que era su cumpleaños».

Onda. La expresión «estar en la onda» (estar al tanto de algo) no tiene registro académico.

Opción. Se abusa de este término con los significados de *posibilidad* y *oportunidad*. A veces se emplea, impropiamente, por *candidatura*: «Los electores prefirieron la opción centrista».

Opcionar. Dígase *optar*.

Operativo. Este término está sustituyendo, abusivamente, a *práctico*, *eficaz*, *disponible*, *preparado*, *efectivo* y *eficiente*.

Optimizar. La Academia prefiere **optimar**: «buscar la mejor manera de realizar una actividad».

Orden de búsqueda y captura. Dígase «orden de busca y captura».

Orense. Véase **Gerona**.

Orfanato. Véase **orfelinato**.

Orfelinato. La Academia no acepta este galicismo; sólo recoge *orfanato*.

Orquestar. En castellano existen también *fomentar*, *organizar* y *dirigir*.

Ostensible. Significa *claro*, *manifiesto*, *patente*. Distíngase de **ostentoso**: *magnífico* o *suntuoso*.

Ostentar. Es «mostrar o hacer patente una cosa» y «hacer gala de grandeza, lucimiento y boato». No tiene los significados de *desempeñar* o *ejercer un cargo*.

Ostentoso. Véase **ostensible**.

P

Palabro. Es una palabra mal dicha, estrambótica o malsonante.

Palo. La expresión «ser [algo] un palo» (convertirse en un contratiempo o un revés) no figura en el DRAE.

Pandemónium. Es «la capital imaginaria del reino infernal» o «un lugar en que hay mucho ruido y confusión».

Panfleto. Es un «libelo infamatorio» o «un opúsculo de carácter agresivo». No debe confundirse con *folleto*.

Paquete. Con los significados de *multa* o *castigo* («Le metieron un buen paquete») no figura en el DRAE.

Paquete de medidas. Dígase «conjunto o serie de medidas o de disposiciones».

Parámetro. Se usa, impropiamente, por *dato*, *aspecto*, *circunstancia*, *motivo*, *criterio*, *variable*, *variante*, *punto de referencia*, etc.

Para nada. Esta expresión, empleada habitualmente con valor final («Esto no sirve para nada»), se está extendiendo, impropiamente, como negación.

Parapente. Modalidad deportiva que consiste en arrojarse en paracaídas desde un precipicio, una montaña, un acantilado o una pendiente.

Paraplejia. La Academia prefiere *paraplejía*.

Parecer. Este verbo va seguido de una proposición introducida por *que*, con verbo en indicativo: «Parece que va a llover». Si va en forma negativa, se emplea el subjuntivo: «No parece que vaya a llover».

Parida. Con los significados de *tontería*, *contestación absurda* o *poco apropiada* no figura en el DRAE.

Parir. La expresión «poner a parir» (hablar mal de alguien) no tiene registro académico.

Parolímpico. En Barcelona se celebraron en 1992 unos Juegos Paralímpicos (la grafía correcta es *parolímpicos*).

Parricida. Es el que mata a su ascendiente o descendiente, directos o colaterales, o a su cónyuge.

Pasable. Galicismo por *aceptable*, *regular* o *mediano*.

Pasada. Con los significados de *extraordinario* o *demasiado bueno* («eso es una pasada») no figura en el DRAE.

Pasar desapercibido. Véase *desapercibido*.

Pasar por. Se utiliza a veces, indebidamente, por *depender de*: «La discusión del problema pasa por un acuerdo previo».

Pasota. Se aplica a la persona indiferente y despreocupada. No tiene registro académico.

Pedir disculpas. No significa «pedir perdón o disculparse», ya que las disculpas pueden ser alegadas, pero no pedidas (por tanto, en lugar de «les pedimos disculpas», hay que decir «nos disculpamos»). Tampoco se *piden excusas* (se presentan o se pide perdón).

Pelota (en). No *en pelotas*. Significa *desnudo*, *en cueros*.

Penalizar. Figura en el DRAE con la acepción de «imponer una sanción o castigo». Puede sustituirse por *sancionar*, *penar*, *castigar*, *multar*, etc.

Pentágrama. La Academia prefiere *pentagrama*.

Pequinés. No *pekinés*. Los gentilicios y ciudades que llevan la letra *k* deben excribirse con *q*.

Perentorio. Significa *urgente*, *decisivo* o *apremiante*. No equivale a *pasajero* o *de poca duración*.

Perfil. En el mundo de la enseñanza este sustantivo se ha impuesto para designar a la persona con méritos profesionales idóneos para ocupar un cargo.

Perjuicio. Es el efecto de *perjudicar* o *perjudicarse*. Diferénciese de **prejuicio**: «acción y efecto de prejuzgar».

Permear. Este verbo no tiene registro académico. Dígase *calar, penetrar, impregnar, esparcirse.*

Permisividad. En castellano existen también *tolerancia, indulgencia, transigencia, pasividad.*

Petrolero. Véase **petrolífero**.

Petrolífero. No debe confundirse con *petrolero*. Existen *productos* y *yacimientos petrolíferos* y *compañías* y *buques petroleros*.

Petulante. El DRAE registra *petulancia* y *petulantemente*, pero no *petulante* (*presuntuoso, presumido*).

Pichichi. Es el máximo goleador de la liga de fútbol. No tiene registro académico.

Pie. La locución *a pie de*, hoy muy extendida (no sólo se está *a pie de coche*, sino *a pie de negociación, de césped, de campo*, etc.), debe evitarse.

Pimpón. La Academia prefiere esta forma a *ping-pong*.

Pino. La expresión coloquial «en el quinto pino» (muy lejos) no figura en el DRAE.

Pionero. En castellano existen también *precursor* y *adelantado*.

Pírrico. Es el triunfo o victoria obtenidos con más daño del vencedor que del vencido. No significa *escaso, pobre* o *de poca importancia*.

Plagiador. Dígase *plagiario*.

Planificar. En castellano también existe *planear*.

Plataforma electoral. Dígase *programa electoral*.

Plausible. Es lo que merece aplauso y lo atendible, admisible y recomendable. No equivale a *posible* o *viable*.

Plebiscitar. Este verbo no figura en el DRAE. Dígase *someter a plebiscito*.

Poco. *A poco* significa «poco después»; *por poco*, «casi»; *poco a poco*, «despacio, con lentitud»; *un poco* aporta un valor afirmativo respecto de un adjetivo («está un poco lejos»).

Politólogo. Dígase *comentarista político*.

Poner el acento. Véase **acento**.

Poner en cuestión. Galicismo por *poner en duda, cuestionar* y *poner en tela de juicio*.

Por contra. Dígase *por el contrario, en cambio*.

Por espacio. Esta expresión puede suprimirse: «Lo estuvimos esperando por espacio de dos horas» equivale a «Lo estuvimos esperando dos horas».

Por la vía de. Es más apropiado emplear *con, por* o *mediante*.

Por parte de. Esta expresión puede eliminarse al hablar o escribir. En lugar de «Por parte del Gobierno, quedó clara su actitud» o «Ha habido reticencias por parte de algunos», puede decirse: «Quedó clara la actitud del Gobierno» y «Algunos opusieron reticencias».

Por sistema. Puede sustituirse por *obstinadamente* o *sin justificación*.

Por un casual. Dígase *casualmente* o *por casualidad*.

Posicionar. Este verbo y el sustantivo *posicionamiento* han encontrado numerosos detractores. F. Lázaro Carreter escribía en 1984: «Estoy seguro de que otras muchas acepciones han segregado ya el verbo y el nombre susodichos, que, en su infancia aún, muestran una fecundidad de ratas para engendrar significaciones. Son terriblemente paridores. Pero la más inquietante, me parece, es la antes mencionada de 'adoptar una actitud', 'tomar una postura', 'definirse', 'inclinarse o decidirse por', 'optar'... Porque son esos modos de decir comunes las víctimas de *posicionarse*. Y 'postura', 'actitud' y 'posición', los nombres inmolados a *posicionamiento*». La Academia ha aceptado *posicionar*, con el significado de *tomar posición*, y *posicionamiento*, con el de «acción y efecto de posicionar». Este último término puede sustituirse por *posición*, *postura* o *actitud*.

Positivar. Este verbo, que no tiene registro académico, se emplea para indicar que se ha convertido en positivo un negativo fotográfico.

Poso. «Sedimento del líquido contenido en una vasija». Diferénciese de **pozo**: «hoyo».

Posponer. Significa «poner o colocar a una persona o cosa después de otra» y «apreciar a una persona o cosa menos que a otra». No equivale a *aplazar* o *suspender*.

Post–. Debe emplearse cuando la palabra que sigue empieza por vocal (*postelectoral*, *postoperatorio*). En los demás casos puede escribirse *pos* (*posguerra*, *posdata*). A veces es innecesario (un *posgraduado* es lo mismo que un *graduado*).

Póster. Sirve para decorar. Carece de los fines publicitarios o propagandísticos del *cartel*.

Posteriormente a. Dígase *después de* o *con posterioridad a*.

Potenciar. Significa «comunicar potencia a una cosa o incrementar la que ya tiene». Aunque impropiamente, suele emplearse por *estimular*, *impulsar* e *impeler*.

Pozo. Véase **poso**.

Practicidad. No tiene registro académico.

Praxis. Dígase también *práctica*.

Pre–. Este prefijo, que significa *anterioridad local o temporal*, *prioridad* o *encarecimiento*, forma parte de la palabra a la que modifica: *prefijar*, *preestreno*, *preclaro*.

Precarización. Sustitúyase por *deterioro* o *desgaste*.

Preeminente. Es lo *superior* o *excelso*. Distíngase de *prominente*: «lo que se levanta o sobresale de lo que está a su alrededor».

Preferencial. Dígase *preferente*.

Prejuicio. Véase **perjuicio**.

Premisa. Significa «señal o indicio por donde se infiere una cosa o se viene en conocimiento de ella». No significa *condición* o *supuesto*.

Preocupante. En castellano existen también *inquietante* y *alarmante*.

Presa. Significa «persona, animal o cosa que sufre o padece aquello que se expresa» («Fue presa del terror al ver arder su vivienda»). El plural es invariable: «Presa del pánico, todos huyeron».

Prescribir. Significa «preceptuar, ordenar, recetar, extinguirse una carga o una deuda». Distíngase de **proscribir**: «echar a uno del territorio de su patria; excluir o prohibir una costumbre o el uso de algo».

Preservar. No es sinónimo de *conservar* o *proteger*.

Preso. Es la persona que sufre prisión o cárcel. No debe confundirse con **prisionero**: «el que cae en poder del enemigo» o «el que está dominado por un afecto o pasión».

Prever. Este verbo se conjuga como *ver* (no como *proveer*). Son incorrectas las formas *prevee*, *pre-*

veyó, *preveyera* y *preveyendo*. Tampoco debe emplearse como sinónimo de *ordenar*, *disponer*, *establecer*, *mandar*, *estipular* o *prevenir*.

Previamente a. Dígase *antes de*.

Primar. Significa *prevalecer*, *predominar* o *sobresalir*. Distíngase de *privar*.

Primero de todo. Sustitúyase por *en primer lugar* o *ante todo*.

Primo (**hacer el**). Significa «realizar algo que no va a ser valorado». No figura en el DRAE.

Priorizar. Este verbo no tiene registro ecadémico. Dígase *dar prioridad*, *dar preferencia*, *anteponer*.

Privacidad. Sustitúyase por *intimidad*, *vida privada*.

Pro. Es sustantivo ambiguo (*la pro*; *los pros*). Como prefijo, significa *por*, *en vez de* (*pronombre*) y *ante* o *delante de* (*prólogo*). Empleado con valor preposicional, equivalente a *en favor de*, mantiene su independencia si precede a un nombre («cupón pro ciegos»); en cambio, suele juntarse al adjetivo que sigue («política proafricana»).

Problemático. Significa *dudoso*, *incierto*. No es sinónimo de *conflictivo* o *difícil*, aunque se diga con frecuencia «es una persona problemática» (es decir, que causa problemas).

Procedimental. Es un neologismo (*de* o *del* procedimiento) que no recoge el DRAE.

Proclive. Es el que está «inclinado o propenso a una cosa, frecuentemente a lo malo». Si no ocurre así, puede decirse *predispuesto, bien dispuesto* o *propicio*, que significa «favorable, inclinado a hacer un bien».

Producir. En lugar de «se produjo un accidente» o «se produjo un terremoto», es preferible decir «ocurrió un accidente» y «hubo un terremoto».

Proferir. «Pronunciar, decir, articular palabras o sonidos». No se *profiere* algo por escrito.

Profundizar. En castellano existen también *ahondar* y *examinar detenidamente*.

Prolegómeno (s). «Tratado que se pone al principio de una obra o escrito» y «preparación, introducción excesiva o innecesaria de algo». No debe usarse por *comienzo, principio, preparativos, momentos previos*.

Prominente. Véase **preeminente**.

Promocionar. El castellano tiene también *promover, fomentar* y *ascender*.

Pronunciamiento. Es un «alzamiento militar contra el gobierno». En otros casos, sustitúyase por *declaración, exposición* o *manifestación*.

Propalar. Es divulgar una cosa oculta. No debe confundirse con *propagar*.

Propicio. Significa «favorable, inclinado a hacer un bien; favorable para que algo se logre». Nadie puede mostrarse propicio a realizar algo negativo.

Propileo. Vestíbulo de un templo. No *propíleo*.

Proscribir. Véase **prescribir**.

Prosperar. No debe usarse por *triunfar* o *tener éxito* («Su propuesta no prosperó») o *progresar*.

Protagónico. En lugar de «un *papel protagónico*», dígase «un papel de protagonista».

Provisoriamente. Dígase *provisionalmente*.

Prueba. «La prueba del nueve» se emplea, sin que muchas veces se sepa cuál es su significado real, para indicar que una demostración o argumento son verdaderos.

Pseudo–. Véase **seudo**.

Psico–. La Academia, aunque acepta *sicoanálisis, sicofísica, sicología, sicológico, sicólogo, sicópata, sicopatía, sicosis, sicoterapia* y *sicrómetro*, prefiere en estos casos el elemento compositivo *psico–* (en el resto de palabras que lo llevan sólo se registra esta forma).

Publicitar. Este verbo no tiene registro académico. Dígase *divulgar, hacer propaganda* o *hacer publicidad*.

Puenting. Deporte o diversión en el que una persona se arroja desde un puente sujeta con cuerdas.

Puertorriqueño. Es preferible esta forma a *portorriqueño*.

Pulsión. Dígase *impulso*.

Punta. Sustitúyase *a punta de pistola* por *pistola en mano*. Sí es correcto decir *a punta de cuchillo* o *de navaja*. En lugar de *tecnología punta*, dígase *tecnología avanzada*.

Puntual. Este adjetivo está sustituyendo, de forma abusiva, a *concreto*, *exacto*, *preciso* y *diligente*.

Puñeta. La locución «hacer la puñeta» (fastidiar) no figura en el DRAE.

Q

Quedarse. En lugar de *quedarse* seguido de complemento directo, debe emplearse *quedarse con*: «Quédate con el dinero» (no «el dinero»); «Me quedo con tu chaqueta» (no «tu chaqueta»).

R

Radiactividad. No *radioactividad*.

Rango. Los militares tienen *graduación*, no *rango*.

Rapapolvo. No *rapapolvos*.

Raptar. Significa, además de «retener a una persona en contra de su voluntad, por lo general, con el fin de conseguir un rescate» (en lo que coincide con *secuestrar*): «sacar a una mujer, violentamente o con engaño, de la casa y potestad de sus

padres y parientes». **Secuestrar** también significa «tomar por las armas el mando de un vehículo a fin de conseguir dinero o la concesión de ciertas reivindicaciones».

Ratio. Esta palabra latina, que nos llega a través del inglés («relación, coeficiente, proporción»), no figura en el DRAE.

Real Academia Española. No Real Academia de la Lengua.

Realizar. En lugar de este verbo, del que se abusa, pueden emplearse *hacer, ejecutar, llevar a cabo, efectuar, cumplir, construir, elaborar, establecer, acometer*, etc.

Rebelarse. Significa *sublevarse, oponer resistencia*. Distíngase de **revelarse**: «descubrir o manifestar lo ignorado o secreto».

Rebosar. «Derramarse un líquido por encima de los bordes de un recipiente». Distíngase de **rebozar**: «cubrir casi todo el rostro con la capa o manto», «disimular o esconder un propósito» y «bañar un alimento en huevo batido, harina, miel, etc.»

Rebozar. Véase **rebosar**.

Recepcionar. Este verbo, relacionado con *recepción*, no tiene registro académico. Aunque se emplea para indicar que se está de acuerdo con lo recibido, es preferible sustituirlo por *recibir*.

Receso. Significa *separación, apartamiento* o *desvío*. No es sinónimo de *suspensión, aplazamiento* o *descanso*.

Rechace. Se emplea, en el lenguaje futbolístico, en lugar de *rechazo* («El rechace del portero»).

Reciclaje. La Academia prefiere *reciclamiento*.

Reciclar. En castellano existen también *actualizar* y *poner al día*.

Reclamarse de. Galicismo por *invocar, apelar a, apoyarse en*.

Reconducir. En castellano existen también *cambiar, reconsiderar, modificar, rectificar* y *variar de rumbo*.

Recurrir. Es verbo intransitivo. En lugar de «Ellos recurrirán esta resolución», dígase «recurrirán contra» o «presentarán recurso contra».

Reembolsar. Es preferible a *rembolsar*.

Reemplazar. Se prefiere a *remplazar*.

Reforzamiento. Dígase *refuerzo*.

Registrar. Los combates se *libran*, no *se registran*.

Reiniciar. Dígase *reanudar* o *continuar*. Lo que ya se ha iniciado no se puede *volver a iniciar*.

Reinsertar (**se**). La Academia no registra este verbo. Sustitúyase por *reintegrar* (*se*). En lugar de *reinserción*, dígase *reintegración*.

Relanzar. No significa *volver a lanzar, reactivar* o *impulsar*, sino *rechazar* o *repeler*.

Remarcable. Es un galicismo. Sustitúyase por *notable, importante, significativo* o *relevante*.

Remarcar. Significa *volver a marcar*. Con los significados de *recalcar, subrayar, reparar* y *llamar la atención* es galicismo.

Remodelación. No figura en el DRAE. Dígase *reforma, mejora, modificación, reestructuración, reajuste*, etc.

Remodelar. No tiene registro académico. Puede sustituirse por *reformar, modificar, mejorar* o *reestructurar*.

Rendir un servicio. Galicismo por *prestar un servicio*.

Rentabilizar. Sacar rendimiento o provecho de algo. No figura en el DRAE.

Repera. Se refiere a algo extraordinario, en sentido positivo o negativo («La novela que estoy leyendo es la repera»). No figura en el DRAE.

Repercutir. Se construye con *en*.

Represaliar. No figura en el DRAE. Dígase *tomar represalias*.

Resabiado. Es el que tiene un vicio o mala costumbre difícil de quitar. Distíngase de **resabido**: «que se precia de entendido».

Resabido. Véase **resabiado**.

Restañar. Significa «estancar; parar o detener el curso de un líquido o humor». Las heridas *cicatrizan*, no *se restañan*.

Restar. No debe emplearse en sustitución de *quedar* o *faltar* (en lugar de «restan diez minutos», dígase «faltan diez minutos»).

Reticente. No es sinónimo de *recio* o *remiso*.

Revelarse. Véase **rebelarse**.

Reverter. Significa «rebosar o salir una cosa de sus términos o límites». Distíngase de **revertir**: «volver una cosa al estado o condición que tuvo antes».

Revertir. Véase **reverter**.

Revindicar. Es «defender al que se halla injuriado». Distíngase de **reivindicar**.

Revulsivo. Es un medicamento. Se emplea, sin embargo, frecuentemente, por *estímulo* o *incentivo*.

Riesgo. Es la contingencia o proximidad de un daño. No se puede decir que hay *riesgo de lluvias* si éstas se consideran beneficiosas (sí existe *posibilidad* o *probabilidad de lluvias*).

Romance. Este término está admitido por la Academia con el significado de «relación amorosa pasajera».

Rosca. La expresión popular «no comerse una rosca» (fracasar en el plano amoroso) no figura en el DRAE.

Rutinario. Es lo que se hace o practica por rutina, no lo *habitual* o *cotidiano*.

![S]

Saga. La Academia no tiene en cuenta este término con los significados de *familia, dinastía familiar, estirpe* o *ascendencia*. Sí lo acepta como «relato novelesco que abarca las vicisitudes de dos o más generaciones de una familia».

Salobre. Significa «con sabor de sal». Distíngase de **salubre**: «bueno para la salud, saludable».

Salubre. Véase **salobre**.

Sanctasanctórum. No *sancta sanctórum*. Es lo de mucho aprecio, lo reservado y misterioso.

Sarí. Vestido típico de las mujeres de la India. La Academia sólo admite la forma aguda, pero se emplea más la llana (*sari*).

Secuestrar. Véase **raptar**.

Sedición. Véase **motín**.

Sefardí. Es preferible a *sefardita*.

Segar. Véase **cegar**.

Seguidamente a. Dígase *después de, a continuación de* o *tras*.

Seguimiento. En lugar de «una comisión de seguimiento» o «una operación de seguimiento», puede decirse «una comisión de control» y «una operación de vigilancia» o «de inspección».

Seguras. En lugar de «fuentes seguras», dígase «fuentes dignas de crédito».

Sello. Anglicismo por *marca* o *nombre de empresa* («sello editorial», «sello discográfico»).

Semi–. Este prefijo, que significa *medio*, es inseparable de la palabra a la que modifica: *semiculto, semifinal*.

Sentarse a la mesa. Distíngase de *sentarse en la mesa*.

Sentenciar. Se usa, impropiamente, por *resolver* o *decidir* («con aquel gol, el partido quedó sentenciado»).

Sentimentalidad. Dígase *sentimentalismo*.

Señalizar. Es poner señales en calles, carreteras, etc. Diferénciese de *señalar*.

Serializar. Dígase *seriar*.

Ser objeto de. Cuando se refiere a malos tratos, puede sustituirse por *sufrir*; si se refiere a un recibimiento, puede decirse *se le tributó* o *fue acogido*.

Sesionar. Figura en el DRAE con los significados de «celebrar sesión» y «asistir a una sesión participando en sus debates». Sin embargo, es preferible utilizar *reunirse, celebrar una reunión*, etc.

Seudo–. La Academia sólo mantiene el elemento compositivo *pseudo–* en *pseudología* («trastorno mental que consiste en creer sucesos fantásticos como realmente sucedidos»). En los demás casos se prefiere *seudo–*.

Severo. No debe aplicarse a cosas. En su lugar, empléense *serio, duro, grave, fuerte*, etc.

Sida. La Academia registra *sida* y *sidafobia* («terror morboso al sida»), pero no *sidoso* o *sídico* («el que tiene sida»).

Sima. Véase **cima**.

Similaridad. Dígase *similitud* o *semejanza*.

Simultáneamente con. Dígase *a la vez que* o *coincidiendo con*.

Sincretizar. Este verbo no tiene registro académico. Sustitúyase por *conciliar* o *armonizar*.

Sindicalizar. Dígase *sindicar*.

Síndrome. Es el conjunto de síntomas característicos de una enfermedad.

Sinfín. «Infinidad, sinnúmero». Distíngase de la locución *sin fin*: «sin número, innumerables».

Singladura. Es la distancia que recorre una nave en veinticuatro horas. Rechácese su empleo metafórico por *etapa* («La empresa, en su nueva singladura, pretende reformas»).

Siniestrabilidad. Figura en el DRAE con el significado de «frecuencia o índice de siniestros».

Sinólogo. No *chinólogo*. Figura en el DRAE con el significado de «persona que estudia la lengua, la literatura y las instituciones de China».

Sintomatología. Dígase *síntomas*.

Sobre–. Este prefijo, que significa *superposición* o *adición* (*sobrearco*), intensificación del significado del nombre al que se antepone (*sobrealimentación*) o acción repentina (*sobrecoger, sobresaltar*), es inseparable del término al que modifica.

Sobredimensionar. Este verbo no tiene registro académico. Dígase *exagerar* o *desorbitar*.

Sobrentender. Es preferible esta forma a *sobreentender*.

Sobrevivencia. Dígase *supervivencia*.

Socorrido. No significa *muy visto* o *muy oído*.

Sofisticado. Véase **sofisticar**.

Sofisticar. Es *adulterar* o *falsear* una cosa. En cambio, para *sofisticado*, la Academia acepta los significados con los que habitualmente se emplea este término: *falto de naturalidad*, *artificioso*, *refinado*, *complicado* (cuando se dice de aparatos, técnicas o mecanismos).

Solitario (en). Esta expresión, utilizada sobre todo en ciclismo, no tiene registro académico. Puede sustituirse por *solo en cabeza*, *destacado* o *escapado*. Cuando se trata de un artista que se ha separado de un grupo, puede decirse: «Su primera grabación individual».

Solvente. Las *fuentes solventes* son las *fidedignas* o *dignas de crédito*.

Sorpresivo. Dígase *sorprendente* o *inesperado*.

Sosia. No *sosias*. Es la persona que tiene mucho parecido con otra.

Subjetivar. Este verbo, lo mismo que *subjetivizar,* no figura en el DRAE.

Sublevación. Véase **motín**.

Sugerimiento. Dígase *sugerencia*.

Sub–. Este prefijo, que significa *bajo*, *debajo de*, o que indica inferioridad, acción secundaria, atenuación o disminución, es inseparable de la palabra a la que modifica: *subsuelo*, *subdelegado*, *subarrendar*, *subcultura*.

Sumergir. No *sumerger*.

Super–. Este prefijo, que significa *encima de*, *preeminencia* o *grado sumo*, es inseparable de la palabra a la que modifica: *superhombre*, *superdotado*, *supermercado*, *superproducción*. Hoy, de forma abusiva, en lugar del superlativo, se antepone a palabras que no admiten una gradación: *superextraordinarios*, *superfabuloso*, *supercrédito*, *superbueno*, etc.

Supervivir. Este término no tiene registro académico. Sí *sobrevivir*, *supervivencia* y *superviviente*.

Suponer. No puede emplearse como verbo pronominal. Es incorrecto decir «me supongo».

Surtir. Es «proveer a uno de alguna cosa» o «salir del agua». No debe confundirse con *surgir*.

Suscitar. Véase **concitar**.

Suturación. Dígase *sutura*.

T

Táctica. «Método o sistema para ejecutar o conseguir algo». Diferénciese de **estrategia**: «arte, traza para dirigir un asunto».

Tal es así o **tan es así**. Dígase *tanto es así* o *tan así es*.

Tan pronto como sea posible. Anglicismo por *cuanto antes* o *lo más pronto posible*.

Tándem. «Unión de dos personas que tienen una actividad común, o que colaboran en algo» y «bicicleta para dos personas». El plural es invariable.

Tangibilizar. Dígase *hacer tangible*.

Teleférico. No *telesférico*.

Tema. Es uno de los comodines más usados al hablar. Para sustituirlo pueden emplearse *asunto, cuestión, problema, materia, negocio*, etc. Muchas veces puede eliminarse. Por ejemplo, en lugar de «En cuanto al tema de los obreros», puede decirse «En cuanto a los obreros».

Temerario. Es el excesivamente imprudente. Distíngase de **temeroso**: *medroso, irresoluto*.

Temeroso. Véase **temerario**.

Temporalizar. Es «convertir lo eterno o espiritual en temporal, o tratarlo como temporal». Se emplea, impropiamente, con el significado de «distribuir en tiempos o etapas».

Tenacidad. Véase **contumacia**.

Tener efecto. Catalanismo por *ejecutar, realizarse, tener lugar, celebrarse*.

Tener en mente. Dígase *tener en la mente* o *in mente*.

Tener mala conciencia. Galicismo por *sentir remordimiento*.

Tentado a. Dígase *tentado de*.

Tercer. Como forma apocopada de *tercero*, precede a un sustantivo masculino (si es femenino se emplea *tercera*), aunque se interponga un adjetivo: *el tercer hombre, el tercer gran hombre*. En cambio, no se apocopa si sigue una conjunción: *el tercero y último día*.

Termostato. La Academia prefiere esta forma a *termóstato*.

Tesitura. Significa «altura propia de cada voz o de cada instrumento» y, figuradamente, «actitud o disposición de ánimo». No es sinónimo de *situación, trance* o *momento*.

Tictac. No *tic-tac*.

Tiempo soleado. Puede sustituirse por *tiempo despejado*.

Tildar. Es señalar a alguien con una nota denigrativa. No es sinónimo de *calificar*.

Tomar a pechos. «Tomar una cosa con mucha eficacia y empeño». La Academia sólo registra el plural, pero se suele decir *tomar a pecho*.

Tomate. Con los significados de *escándalo* o *alboroto* no figura en el DRAE.

Tónica. La Academia no acepta este término como equivalente de *característica, tono* o *carácter*.

Torácico. «Perteneciente o relativo al tórax» (*canal torácico, aorta torácica*). No puede decirse *toráxico*.

Tortícolis. La Academia prefiere esta forma a *torticolis*.

Tos ferina. No *tosferina*.

Trans–. Prefijo latino que significa *al otro lado*, *a través de*.

Translúcido. Es el cuerpo que deja pasar la luz, pero no deja ver nítidamente los objetos. **Transparente** es el cuerpo a través del cual pueden verse los objetos distintamente.

Transparente. Véase **translúcido**.

Trastocar. Significa *trastornar*, *revolver*. Como pronominal: *trastornarse* o *perturbarse la razón*.

Trastrocar. Es «mudar el ser o estado de una cosa, dándole otro diferente del que tenía».

Traumar. Barbarismo por *traumatizar*. En lugar de *traumado*, dígase *traumatizado*.

Tribual. La Academia antepone *tribual* a *tribal*, aunque es esta forma la que se ha impuesto.

Tripitir. Aunque está muy extendido entre alumnos y profesores, con el significado de «repetir por segunda vez», este verbo no tiene registro académico.

U

Ubicar. En castellano existen también *colocar*, *instalar*, *establecer*, *situar* y *poner*.

Ufología. Es la ciencia que estudia todo lo relacionado con *ovnis*. No figura en el DRAE.

Ultra. No debe separarse de la palabra a la que modifica: *ultraligero*, *ultrasecreto*.

Umbral. Véase **dintel**.

Una vez que. Con esta locución se supone o da por cierta una cosa para pasar adelante en el discurso. Diferénciese de *toda vez que* o *una vez que*: supuesto que, siendo así que.

Un es, no es o **un sí es, no es**. Expresión con que se significa *cortedad*, *pequeñez* o *poquedad*. También se dice *un sí es no es* y *un si is no es*.

Unísono (al). No significa *a la vez*, sino *sin discrepancia*, *con unanimidad*.

Un total de. Esta expresión puede suprimirse. «Un total de veinte personas» equivale a «veinte personas».

Urgir. Es intransitivo y no debe llevar sujeto personal: «Urge resolver los problemas». Es incorrecto escribir: «Los socios urgen a los directivos» o «Los obreros urgen a los patronos para que les suban el sueldo». En casos como estos, dígase *instar*, *solicitar*, *apremiar*, *encarecer*, *acuciar*, *incitar* o *reclamar*.

V

Vacilar. Con el significado de *burlarse* no figura en el DRAE.

Vagaroso. No *vagoroso*.

Vagido. «Gemido o llanto del recién nacido». Distíngase de **vaguido**: «turbado, o que padece vahídos».

Vaguido. Véase **vagido**.

Vale. Aunque su uso está muy extendido, no figura en el DRAE. Puede sustituirse por *de acuerdo* o *conforme*.

Válido. «Firme, robusto, fuerte, esforzado». Distíngase de **valido**: «El que tiene el primer lugar en la gracia de un príncipe o alto personaje».

Valido. Véase **válido**.

Valorar. Implica apreciar algo en sentido positivo. Por tanto, *valorar positivamente* es una redundancia. En lugar de *valorar* se puede *opinar*, *estimar*, *analizar*, *estudiar*, etc.

Vasectomía. Operación quirúrgica para esterilizar al hombre. No figura en el DRAE.

Vastitud. Dígase *vastedad*.

Vasto. Véase **basto**.

Vecindaje. Dígase *vecindad*.

Vedar. Significa «prohibir por ley, estatuto o mandato; impedir, dificultar». **Vetar** es «poner el veto a una proposición, acuerdo o medida».

Vehicular. Es un barbarismo. Dígase *hacer posible*, *transmitir*, *canalizar*, *encauzar*, etc.

Venir. Los tiempos de este verbo seguidos de un infinitivo, con el significado de *acabar de* («viene de ganar»), constituyen galicismos. Delante de un participio, con el

sentido de *estar* («Los dueños de los animales vienen obligados a vigilarlos»), son italianismos.

Ventriloquia. No *ventriloquía*.

Verdemar. No *verde mar*. Es el color semejante al verdoso que suele tomar el mar.

Vergonzante. Se refiere al que tiene vergüenza (por ejemplo, el que pide limosna con disimulo). No es sinónimo de **vergonzoso**: que causa vergüenza o que se avergüenza con facilidad.

Versátil. Se emplea a veces, elogiosamente, con los significados de *polifacético*, *dúctil*, *flexible* o *capaz*. En realidad, significa «que se vuelve o se puede volver fácilmente» y «de genio o carácter voluble e inconstante».

Versionar. No figura en el DRAE. Dígase *traducir* o *hacer una versión de algo*.

Verter. No *vertir*.

Vetar. Véase *vedar*.

Vía. Este sustantivo se usa a menudo como preposición: «De Madrid a Londres, vía París». En su lugar deben emplearse *por*, *con escala en* o *pasando por*.

Vía crucis. Tiene género masculino. Con frecuencia se escribe *viacrucis*, término que no registra la Academia.

Vice–. No va separado de la palabra a la que modifica: *vicepresidente*, *vicerrector*.

Victimismo. Tendencia de alguien a considerarse víctima. No figura en el DRAE.

Virulento. No equivale a *violento*.

Visa. Dígase *visado*.

Visceral. Se suele aplicar a sentimientos intensos y profundos, aunque no tiene registro académico.

Visionar. La Academia ha aceptado este verbo con el significado de «ver imágenes cinematográficas o televisivas, especialmente desde un punto de vista técnico o crítico».

Visualizar. Distíngase de *ver*.

Vitalizar. No figura en el DRAE. Puede sustituirse por *vivificar*.

Vodka o **vodca**. Especie de aguardiente ruso. Según el DRAE es palabra de género ambiguo.

Votar. «Dar uno su voto en una elección de personas». Distíngase de **botar**: «echar al agua un buque».

Voto a brios. No *voto a bríos*.

Vudú. La Academia acepta *vudú* y *vodú*, pero no *vudu* o *vodu*.

Y

Yo de ti. Catalanismo por *yo que tú, si yo estuviera en tu lugar*.

Yugoslavo. La Academia antepone esta forma a *yugoeslavo*.

Z

Zepelín. Globo dirigible. No figura en el DRAE.

Zigzag. El plural es *zigzagues*, aunque también se emplea *zigzags*.

Zodiaco. La Academia antepone esta forma a *zodíaco*.

Expresiones latinas

Es costumbre antigua emplear términos latinos al escribir en castellano. Téngase en cuenta, sin embargo, que el abuso de ellos resulta casi siempre pedante. De otros peligros que puede acarrear su empleo nos advierte Fernando Lázaro Carreter: «Las expresiones latinas siguen gozando de predicamento, y hasta se diría que se han recrecido en los últimos tiempos. Entre decir, por ejemplo, que '*de hecho*, los resultados son los mismos', o que lo son *de facto*, esto resulta preferible, porque eleva medio palmo la estatura de los hablantes. Si alguien confiesa *espontáneamente*, queda mucho mejor contado diciendo que lo ha hecho *de motu propio*, expresión donde sobra el *de*, y ha de escribirse y pronunciarse *proprio*. He aquí la única pena: que queriendo latinizar, se apalea el latín y se cometen disparates como ése. Gente hay que dice *mutatis mutandi* (por *mutandis*). O *de corpore insepulto*, que, a ese otro *de* superfluo, añade el menosprecio de la locución castellana correspondiente. En efecto, así suelen denominarse las misas, terroríficamente frecuentes por los asesinados, en vez de llamarlas *de cuerpo presente*, que es lo propio».

Entre las expresiones latinas más empleadas, figuran las que siguen (las incorporadas en el DRAE se han sometido a las reglas de acentuación castellanas).

Ab aeterno. Desde siempre; desde mucho tiempo atrás; sin principio.

Ab imo pectore (o **imo pectore**). Del fondo del corazón; a pecho abierto; con toda franqueza.

Ab initio. Desde el principio.

Ab irato. Arrebatadamente; a impulsos de la ira; sin reflexión.

Ab ovo. Desde el huevo. Cuando se trata de narraciones, significa desde el origen o desde un momento muy remoto del suceso narrado.

Absit. Con esta voz se manifiesta el deseo de que alguna cosa esté o vaya lejos de quien habla.

Ab urbe condita. Desde la fundación de la ciudad (Roma).

Abusus non tollit usum. El abuso no anula el uso.

Accessit. Segundo premio; mención honorífica.

A contrariis. Por los contrarios; por las cosas contrarias. El *argumento a contrariis* es aquel en que se parte de dos posiciones opuestas y se concluye de una lo contrario de lo que se sabe por la otra.

Ad calendas graecas. Para las calendas griegas. Esta expresión se usa para referirse a un plazo que nunca se ha de cumplir o a un tiempo que nunca llegará.

Addenda. Adenda; apéndice, sobre todo de un libro. Se emplea más en femenino.

Addenda et corrigenda. Lo que debe añadirse y corregirse.

Ad hoc. Apropiado; adecuado; lo que se dice o hace sólo para un fin determinado.

Ad hominem. Contra el hombre; al hombre; a la persona. El argumento *ad hominem* se aplica a una forma de razonar en la que se intenta refutar o convencer al adversario utilizando sus propias palabras o hechos, en lugar de apelar a argumentos generales.

Ad honorem. Lo que se hace sin retribución alguna.

Ad infinitum. Hasta lo infinito; lo que no tiene límites.

Ad interim. Provisionalmente; con carácter interino; entretanto.

A divinis. De las cosas divinas. Se utiliza en Derecho canónico para indicar la penalidad que consiste en la suspensión de los oficios religiosos. Un sacerdote *suspendido a divinis* no puede ejercer su ministerio. La *cesación a divinis* es, según el DRAE, la «suspensión canónica de los divinos oficios en una iglesia violada».

Ad libitum. A voluntad; a elección; a gusto; con libertad. La abreviación *ad lib* se ha popularizado en el mundo de la moda.

Ad limina Apostolorum. Hacia los umbrales de los apóstoles, es decir, hacia la Santa Sede.

Ad litem. Se refiere a un poder, mandato, etc., relativo a un proceso.

Ad Maiorem Dei Gloriam (A.M.D.G.). A la mayor gloria de Dios.

Ad nauseam. Hasta producir repugnancia (física y moral).

Ad nutum. A voluntad. Según criterio personal.

Ad pedem litterae. Al pie de la letra. Literalmente.

Ad perpetuam memoriam. Para eterna memoria.

Ad referendum. A condición de ser aprobado por la autoridad superior.

Ad rem. Con precisión; al caso.

Ad usum Delphini. Para uso del Delfín. La expresión se aplicaba a las ediciones de clásicos destinadas al Delfín, hijo de Luis XIV, en las que se habían suprimido algunos fragmentos. Hoy se usa, irónicamente, para designar un escrito expurgado o amañado.

Ad valorem. Según el valor. Se usa, sobre todo, para indicar que una mercancía importada paga un derecho de entrada proporcional a su valor.

Affirmanti incumbit probatio. El que afirma algo está obligado a presentar pruebas.

A fortiori. Con mayor razón.

Alea iacta est. La suerte está echada.

Alias. Por otro nombre; de otro modo; mote; apodo.

Alma mater. Madre nutricia. Los escritores latinos se referían a la patria con esta expresión. Hoy se emplea para aludir a la Universidad. *Alma mater* es un sintagma femenino: la *alma mater* (se emplea *la* delante de *a* tónica, en lugar de *el*, porque *alma* no es aquí sustantivo, sino adjetivo).

Alter ego. Otro yo. Es la persona en la que se ve un trasunto de otra.

Amicus Plato, **sed magis amica veritas**. Amigo de Platón, pero más amigo de la verdad. Es decir, la verdad y la objetividad están por encima del argumento de autoridad.

Ante meridiem. Antes del mediodía.

A posteriori. Después, con posterioridad.

A priori. Antes; con anterioridad.

Ars longa, **vita brevis**. El arte (la ciencia) es duradero, pero la vida es breve. Esta expresión se emplea para indicar que cualquier tarea importante requiere mucho esfuerzo y tiempo; pero la vida de quien la emprende es corta.

Ars moriendi. Arte de morir.

Audaces fortuna iuvat. La fortuna favorece a los audaces.

Aurea mediocritas. Áurea medianía. Con esta expresión se alude a los que viven felices sin grandes ambiciones.

Aut Caesar aut nihil. O César o nada. Esta expresión sirve para ponderar la extremada ambición de alguna persona.

Ave, Caesar, morituri te salutant. Dios te guarde, César, los que van a morir te saludan. Así se expresaban los gladiadores del circo antes de emprender sus luchas.

Bis. Dos veces. Se emplea para indicar que algo está repetido o debe repetirse. También se aplica a la repetición de una obra o de un fragmento de ella para corresponder a los aplausos del público.

Bona fide. De buena fe.

Campus. Conjunto de terrenos y edificios pertenecientes a una Universidad.

Carpe diem. Disfruta del presente; goza mientras vivas.

Castigat ridendo mores. Corrige las costumbres con humor.

Casus belli. Motivo de guerra o discusión; algo que ocasiona o justifica emprender hostilidades.

Cogito, **ergo sum**. Pienso, luego existo.

Consummatum est. Todo se ha cumplido o consumado.

Corpore insepulto. De cuerpo no sepultado. Con esta expresión se alude al funeral que se celebra por un difunto que se encuentra de cuerpo presente.

Corpus delicti. El cuerpo del delito.

Cui prodest? ¿A quién aprovecha o beneficia?

Cuique suum. A cada uno lo suyo.

Cum grano salis. Con un grano de sal. Se emplea para indicar que algo debe ser tomado con gracia o de forma jovial.

Cum laude. Calificación máxima que puede otorgarse a una tesis doctoral.

Curriculum vitae. Relación de los títulos, honores, cargos, trabajos realizados, datos biográficos, etc., que califican a una persona.

De facto. De hecho, es decir, no oficialmente (se opone a *de iure*).

Déficit. Falta.

De iure. De derecho; por virtud o por ministerio de la ley.

Delirium tremens. Delirio con agitación y alucinaciones.

Deo gratias. Gracias sean dadas a Dios (solía usarse para saludar al entrar en una casa).

Deo volente. Dios mediante; si Dios quiere.

De profundis (clamavi). Es el comienzo de un salmo penitencial: «Desde lo profundo de mi alma clamé a Ti, Señor». Suele decirse en las plegarias por los difuntos.

Desideratum. Aspiración, deseo que aún no se ha cumplido. El plural, *desiderata*, significa, además, la relación de objetos que se echan de menos o cuya adquisición se propone.

Deus ex machina. Dios bajado por un mecanismo especial. La expresión se aplica al personaje poderoso que, de forma a veces poco verosímil, resuelve una situación complicada.

De visu. Con la vista; por haberlo visto.

Dies irae. Día de la cólera. Prosa o secuencia latina que se recita en las misas de difuntos y que comienza con estas palabras.

Dominus vobiscum. Dios sea con vosotros.

Do ut des. Doy para que des; en reciprocidad. Se refiere a la acción de la que se espera algo a cambio.

Se aproxima a la expresión castellana «toma y daca».

Dramatis personae. Personajes de una obra teatral.

Dura lex, **sed lex**. La ley es dura, pero es la ley.

Ecce Homo. He aquí al hombre. El DRAE recoge *eccehomo* con los significados de «imagen de Jesucristo como lo presentó Pilatos al pueblo» y «persona lacerada, rota, de lastimoso aspecto».

Emporium. Emporio. Lugar donde concurren para el comercio gentes de diversas naciones; ciudad o lugar notable por el florecimiento del comercio.

Ergo. Por tanto, luego, pues. Se usa en la argumentación silogística, y también festivamente.

Errare humanum est. Errar es propio de los humanos.

Ex abrupto. De repente, de improviso; bruscamente, sin guardar el orden establecido.

Ex aequo. Con igualdad de méritos. Se aplica especialmente a premios.

Ex aequo et bono. Según lo que es justo y bueno. En Derecho, precedida del verbo juzgar, esta expresión equivale a actuar con equidad.

Ex cathedra. Desde la cátedra (de San Pedro). Se dice de las verdades que proceden del Papa. En sentido figurado: en tono magistral; con autoridad de maestro. La Academia admite también *ex cátedra*, sin hache intercalada.

Ex libris. Etiqueta o sello grabado que se estampa en el reverso de la tapa de un libro, donde consta el nombre del dueño o el de la biblioteca en que se encuentra. A veces, aparece escrito junto, *exlibris*, como sustantivo castellanizado.

Ex nihilo, **nihil**. De la nada no sale nada.

Explicit. Término con que en las descripciones bibliográficas se designan las últimas palabras de un escrito o de un impreso antiguo.

Ex profeso. Intencionadamente; deliberadamente. La forma *exprofesamente* es incorrecta.

Factotum (de **fac** y **totum**). El que lo hace todo. Sujeto que desempeña en una casa o dependencia todos los menesteres; persona de plena confianza de otra y que en nombre de ésta despacha sus principales negocios.

Festina lente. Apresúrate lentamente. La expresión recuerda el refrán «Vísteme despacio que tengo prisa», es decir, que no se debe proceder atropelladamente para ganar tiempo, porque con la prisa se suele perder.

Fiat lux. Hágase la luz. Sirve para manifestar el deseo de que resplandezca la verdad y para indicar un gran descubrimiento.

Fiat voluntas tua. Hágase tu voluntad.

Finis coronat opus. El fin corona la obra.

Flos sanctorum. Libros en que se contienen las vidas de los santos por el orden en que los celebra la Iglesia.

Fugit irreparabile tempus. El tiempo que huye no se puede recuperar.

Gaudeamus. Alegrémonos; gocemos. Como sustantivo masculino se emplea en castellano para indicar fiesta y regocijo.

Gaudeamus igitur, iuvenes dum sumus. Gocemos, pues, mientras somos jóvenes. Es el comienzo de una antigua canción estudiantil, todavía en vigor en nuestras universidades.

Gloria in excelsis Deo. Gloria a Dios en las alturas.

Grosso modo. Aproximadamente; a grandes rasgos; más o menos; sumariamente. Nunca debe anteponerse la preposición *a*.

Habeas corpus. Derecho del detenido o del preso a ser oído, inmediata y públicamente, por un juez o un tribunal.

Hic et nunc. Aquí y ahora; inmediatamente.

Hodie mihi, **cras tibi**. Hoy a mí, mañana a ti. La inscripción aparece frecuentemente en los cementerios para recordarnos el destino de todos los humanos.

Homines dum docent discunt. Los hombres, mientras enseñan, aprenden.

Homo finit, **opera manent**. El hombre muere, las obras permanecen.

Homo homini lupus. El hombre es un lobo para el hombre.

Homo sapiens. El ser humano que sabe y progresa.

Homo sum; **humani nihil a me alienum puto**. Soy hombre; nada de lo que es humano me es ajeno.

Honoris causa. Por razón o causa de honor. *Doctor honoris causa* es un título honorífico que conceden las universidades a una persona eminente (debe decirse «doctor honoris causa por», no «doctor honoris causas de»).

Horror vacui. Horror al vacío.

Ibidem. En índices, notas o citas de impresos o manuscritos, se usa con su propia significación de *allí mismo* o *en el mismo lugar*.

Idem. El mismo; lo mismo. Se suele usar en las citas para representar el nombre de un autor últimamente mencionado.

Idem per idem. Lo mismo es lo uno que lo otro.

Imprimatur. Es la licencia que da la autoridad eclesiástica para imprimir un escrito.

In absentia. En ausencia. Cuando un tribunal juzga a alguien *in absentia*, en castellano se dice que se le juzga en rebeldía.

In aeternum. Para siempre; eternamente.

In albis. En blanco. Una persona está *in albis* cuando no está enterada o al corriente de algo.

In anima vili. En un ser vil. Se emplea en medicina para indicar que los experimentos deben hacerse en animales irracionales y no en el hombre.

In articulo mortis. En peligro de muerte o próximo a ella.

In continenti. Prontamente, al instante. El DRAE registra *in continenti*.

In dubio, **pro reo**. En caso de duda, a favor del reo.

In excelsis. En las alturas. Tomado del himno «Gloria».

In extenso. En toda la extensión; en su totalidad; con todo detalle.

In extremis. En circunstancias extremas; poco antes de morir.

In flagranti delicto. Sorprendido en el momento de cometer un delito. El DRAE recoge *in fraganti*.

In hoc signo vinces. Con este signo vencerás. Según la tradición, Constantino, cuando iba a combatir contra Majencio, divisó en el cielo una cruz acompañada de estas palabras. Se dice también de cualquier lema o signo que sirve para incitar a la lucha y vaticinar el triunfo de los partidarios de alguna causa.

In illo tempore. En aquel tiempo; hace mucho tiempo.

In medias res. En medio de las cosas; en plena acción; en pleno asunto.

In memoriam. En recuerdo de alguien o de algo.

In partibus infidelium. En tierra de infieles. Se aplica al obispo cuyo título honorífico no le da derecho a ejercer jurisdicción sobre ningún territorio. También se dice, irónicamente, de la persona que tiene un cargo que no ejerce.

In pectore. En el pecho. Se aplica al que mantiene en secreto una decisión que ha tomado.

In perpetuum. Para siempre.

In promptu. De repente; de improviso; de modo no deliberado.

In puribus. Corrupción vulgar de *in puris naturalibus*: desnudo, en cueros.

In saecula saeculorum. Por los siglos de los siglos. Con esta locución, que va seguida, generalmente, de la respuesta *amen*, terminan, en la liturgia romana, las oraciones. Figuradamente se emplea para indicar un tiempo lejano que no hemos de ver.

In situ. En el sitio; en el mismo lugar.

In solidum. Por entero. Expresa la facultad u obligación que, siendo común a dos o más personas, puede ejercerse o debe cumplirse enteramente por cada una de ellas.

In statu quo. Las cosas están o deben estar en la situación que tenían; en el mismo estado.

Inter alia. Entre otras cosas.

Interim. Entre tanto. El DRAE registra *ínterin*.

In terminis. En último lugar.

Inter nos. Entre nosotros.

Inter vivos. Entre vivos. Una donación *inter vivos* es la que se realiza con las condiciones que exigen las leyes para que tenga efecto en vida del donante.

In utroque iure. En uno y otro derecho (el civil y el canónico); en cualquier derecho.

In vino, **veritas**. En el vino está la verdad.

In vitro. En el cristal; en una probeta. Se aplica a los experimentos biológicos hechos en el laboratorio, y no sobre el organismo vivo.

In vivo. En vivo (cuando los experimentos se efectúan en un organismo que tiene vida).

Ipso facto. Inmediatamente; en el acto.

Ite, **missa est**. Id, la misa ha terminado.

Lapsus calami. Error de pluma. Se trata de los errores involuntarios que se cometen al escribir.

Lapsus linguae. Error de palabra. Se dice de las equivocaciones que se producen al hablar.

Lato sensu. En sentido amplio.

Laus propria vilescit. La alabanza propia envilece.

Lignum Crucis. Reliquia de la Cruz de Cristo.

Loco citato. En el lugar citado. Se usa en citas, referencias, etc.

Magister dixit. El maestro lo ha dicho. Se suele emplear de forma irónica.

Manu militari. Con mano militar; por la fuerza; con rigor.

Mare magnum. Abundancia, confusión, grandeza, muchedumbre confusa de personas o cosas. A veces aparece escrito *maremágnum*, forma que el DRAE no registra.

Maxime. Principalmente; sobre todo.

Mea culpa. Por mi culpa.

Memento, **homo**, **quia pulvis es et in pulverem reverteris**. Acuérdate, hombre, de que eres polvo y en polvo te has de convertir.

Mens sana in corpore sano. Mente sana en cuerpo sano.

Modus operandi. Modo de actuar o proceder.

Modus vivendi. Manera de vivir; norma de conducta.

Motu proprio. Por impulso propio; por propia voluntad; libremente. Son incorrectas las expresiones *de motu proprio* y *motu propio*.

Multi (enim) sunt vocati, pauci vero electi. Muchos son los llamados, pero pocos los elegidos.

Mutatis mutandis. Cambiando lo que se deba cambiar.

Nemine discrepante. Sin contradicción, discordia ni oposición alguna.

Nemo dat quod non habet. Nadie da lo que no tiene.

Nihil obstat. Nada lo impide; no hay ningún obstáculo. Era una fórmula empleada por los censores eclesiásticos para indicar que no existía impedimento para la publicación de una obra.

Nolens volens. Quieras o no; de grado o por fuerza; por las buenas o por las malas. La expresión es sinónima de *velis nolis*.

Noli me tangere. No me toques.

Non decet. No conviene.

Non liquet. No está claro.

Non multa, sed multum. No muchos libros, sino muchas veces los mismos autores; no muchas cosas, sino mucho. Con esta expresión se quiere indicar que es preferible aprender pocas cosas bien, en lugar de muchas mal.

Non omnia possumus omnes. No todos lo podemos todo. Signi-fica que una persona no está capacitada para abarcar demasiado.

Non (o nec) plus ultra. No más allá. Designa un límite que no ha sido o no será superado. Esta expresión se emplea en castellano como sustantivo masculino para ponderar las cosas, exagerándolas y levantándolas a lo más que pueden llegar.

Non sancta. Se aplica a personas o cosas consideradas reprobables.

Non scholae, sed vitae discimus. No aprendemos de la escuela, sino de la vida.

Nosce te ipsum. Conócete a ti mismo.

Nota bene (N.B.). Observación, aclaración. Se emplea en impresos o manuscritos para llamar la atención hacia alguna particularidad.

Obiter dictum. Algo dicho de paso, incidentalmente.

Oderint, dum metuant. Que me odien, si así me temen. Se aplica a todo soberano autoritario y despótico.

Omne ignotum pro magnifico est. Todo lo ignorado se tiene por magnífico.

Omnia vincit amor. El amor todo lo puede.

Opere citato. En la obra citada. Se utiliza en los escritos científicos para no tener que repetir el título de una obra ya mencionada.

Opus Dei. Obra de Dios.

Oratio vultus animi est. El lenguaje es el espejo del alma.

O tempora!, O mores! ¡Oh tiempos!, ¡oh costumbres! Con esta expresión, Cicerón se quejaba de algunas costumbres perniciosas de su época.

Pane lucrando. Para ganarse el pan.

Passim. Aquí y allí; en una y otra parte; en lugares diversos. En castellano se usa en las anotaciones de impresos y manuscritos.

Pater noster. Padre Nuestro. El DRAE registra *paternóster*.

Pauca, **sed bona**. Pocas cosas, pero buenas.

Pauci vero electi. Pocos son los escogidos.

Peccata minuta. Error, vicio o falta leve.

Per accidens. Accidentalmente.

Per capita. Por cabeza; por persona; individualmente.

Per se. Por sí mismo.

Persona non grata. Persona mal recibida.

Plus ultra. Más allá.

Post meridiem. Después del mediodía; por la tarde.

Post mortem. Después de la muerte.

Post mortem, **nulla voluptas**. Después de la muerte, se acabaron los placeres.

Post scriptum. Después de lo escrito.

Prima facie. A primera vista.

Primus inter pares. El primero entre iguales.

Princeps. Primera edición de una obra.

Pro domo sua. En su provecho; con egoísmo.

Pro indiviso. Sin dividir.

Pro rege, **saepe**; **pro patria**, **semper**. Por el rey, a menudo; por la Patria, siempre.

Quae sunt Caesaris, Caesari. Lo que es del César, al César.

Quid prodest. ¿De qué aprovecha?, ¿a quién beneficia?

Quid pro quo. Una cosa por otra.

Qui scribit, bis legit. Quien escribe, lee dos veces.

Quod natura non dat, Salmantica non praestat. Lo que la naturaleza nos ha negado, no nos lo puede proporcionar Salamanca. Es decir, no hay remedio para el torpe por naturaleza.

Quod scripsi, scripsi. Lo escrito, escrito está.

Quod tibi fieri non vis, alteri ne feceris. Lo que no quieras para ti, no lo hagas a otro.

Quorum. Número de individuos necesario para que un cuerpo deliberante tome ciertos acuerdos; proporción de votos favorables para que haya acuerdo.

Quo vadis? ¿Dónde vas?

Rara avis. Extraño; fuera de lo común.

Relata refero. Como lo cuentan lo cuento.

Requiescat in pace (R.I.P.). Descanse en paz.

Res, non verba. Hechos, no palabras.

Res nullius. Cosa de nadie; sin dueño.

Sancta sanctorum. Parte o lugar más santo de los santos. El DRAE registra *sanctasanctórum*: «Lo de mucho aprecio, lo muy reservado y misterioso».

Semper et ubique. Siempre y en todo lugar.

Sensu contrario. En sentido contrario.

Sensu lato. En sentido amplio.

Sensu stricto. En sentido estricto.

Sic. Así; de esta manera. En las citas textuales, escrita entre paréntesis o corchetes, esta palabra indica que una expresión que podría parecer inexacta está así en el original.

Sic transit gloria mundi. Así pasa la gloria del mundo.

Sine die. Sin fecha fija.

Sine ira et studio. Sin cólera y con conocimiento; sin rencor ni parcialidad. En una polémica, suele emplearse para refutar las opiniones del contrario.

Sine qua non [**conditio**]. Condición sin la cual no se hará una cosa o se tendrá por no hecha.

Si non caste, caute. Si no vives castamente, sé cauto.

Si vis pacem, para bellum. Si quieres la paz, prepara la guerra.

Si vis scire, doce. Si quieres aprender, enseña.

Stabat Mater. La Madre estaba de pie. Es el comienzo de un himno de la Iglesia católica en el que se recuerdan los dolores de la Virgen durante la Pasión.

Statu quo. Se usa como sustantivo masculino para designar el estado de cosas en un determinado momento.

Stricto sensu. En sentido estricto; de forma precisa.

Sub iudice. Bajo tratamiento judicial; pendiente de resolución (por lo general, ante los tribunales).

Sui generis. Muy especial; peculiar.

Summum ius, summa iniuria. Exceso de justicia, exceso de injusticia. Indica que una aplicación demasiado rigurosa de la Ley puede en ocasiones originar injusticia.

Suo tempore. A su tiempo; en la ocasión precisa.

Superavit. En contabilidad, cantidad que sobrepasa a la de los gastos.

Sursum corda! ¡Arriba los corazones! Se usa para animar o infundir valor a alguien que está desalentado. No debe confundirse con el *sursuncorda*, supuesto personaje anónimo de mucha importancia.

Suum cuique. A cada uno lo suyo.

Taedium vitae. Tedio de la vida; disgusto de vivir.

Te Deum o **Te Deum laudamus**. A Ti, oh Dios, te alabamos. El DRAE registra *tedéum* con el significado de «cántico que usa la Iglesia para dar gracias a Dios por algún beneficio».

Tertius gaudet. Se beneficia un tercero (no uno de los dos beligerantes).

Thesaurus. Tesauro (nombre dado a algunos diccionarios, catálogos, antologías, etc.).

Tibi gratias. Gracias te doy.

Tolle, **lege**. Toma, lee.

Tu quoque, fili mi! ¡Tú también, hijo mío! Son las palabras que Julio César dijo cuando vio que Bruto iba a matarlo.

Turba multa. Turbamulta; multitud confusa y desordenada.

Ultima ratio. Razón última; argumento extremo. *Ultima ratio regum* («última razón de los reyes») era una inscripción grabada en los cañones de la época de Luis XIV.

Ultimatum. Resolución definitiva. Decisión terminante.

Urbi et orbi. A la ciudad y al mundo (la ciudad es Roma, ya que se trata de la bendición del Papa); a los cuatro vientos; a todas partes.

Usque ad finem. Hasta el fin.

Usque ad mortem. Hasta la muerte.

Ut infra. Como abajo se dice.

Ut supra. Como se ha indicado arriba. Se emplea en algunos escritos para referirse a una fecha, cláusula o frase escritas antes, con lo que se evita su repetición.

Vade mecum. Marcha conmigo. El DRAE recoge *vademécum*: «Libro de poco volumen y de fácil manejo para consulta inmediata de nociones o informaciones fundamentales».

Vade retro. Retírate, retrocede; se emplea para rechazar a una persona o cosa.

Vae victis! ¡Ay de los vencidos!

Vale. Consérvate sano; pásalo bien. Es una fórmula de despedida.

Vanitas vanitatum, **et omnia vanitas**. Vanidad de vanidades, y todo vanidad.

Velis nolis. Quieras o no; de grado o por fuerza.

Veni, vidi, vici. Llegué, vi, vencí. Con estas palabras anunció César al Senado Romano una de sus victorias. Se usa familiarmente para expresar el éxito rápido en alguna empresa.

Vera effigies. Imagen verdadera de una persona o cosa.

Verba volant, **scripta manent**. Las palabras vuelan, los escritos permanecen.

Verbi gratia. Por ejemplo; verbigracia.

Versus. Hacia.

Via Crucis. El camino de la Cruz.

Vice versa. Viceversa; al contrario; cambiadas dos cosas recíprocamente.

Vinum laetificat cor hominis. El vino alegra el corazón del hombre.

Vir sapit qui pauca loquitur. Varón sabio es el que habla poco.

Volaverunt. Volaron. Se usa festivamente para significar que una cosa faltó, se perdió o desapareció.

Vox populi. Voz del pueblo; opinión popular o generalizada; del dominio público.

Vulnerant omnes, **ultima necat**. Todas hieren, la última mata (referido a las horas).

Damos a continuación una lista de palabras extranjeras que se emplean con frecuencia en castellano. Sólo cuando no tienen un equivalente exacto en nuestra lengua o cuando en la traducción pierden algunas de sus connotaciones es admisible su empleo. Como advierte José Martínez de Sousa: «Tal vez la solución intermedia sea lo aceptable: mantener las puertas abiertas a los estímulos exteriores que contribuyan al enriquecimiento de la lengua, y cerrar el paso a cal y canto a todo aquello que solo sirva para crear confusión y marasmo».

Los términos en los que figuran las siglas DRAE, correspondientes al *Diccionario* de la Real Academia Española, son los aceptados oficialmente.

Utilizamos las siguientes abreviaturas: al. (del alemán); fr. (del francés); ing. (del inglés); it. (del italiano); jap. (del japonés); cat. (del catalán); gall. (del gallego); port. (del portugués); vasc. (del vascuence).

A

Ace (ing.). En tenis, tanto directo de saque; saque ganador.

Aerobics (ing.). *Aeróbic* o *aerobic* (DRAE): técnica gimnástica acompañada de música y basada en el control del ritmo respiratorio.

Afer. Véase **affaire**.

Affaire (fr.). Negocio; asunto; escándalo; caso. El DRAE registra **afer**, que nadie emplea.

Affiche (fr.). *Afiche* (DRAE): cartel; bando; edicto.

After-hours (ing.). Fuera de horario. Se refiere a establecimientos (por lo general, discotecas) que permanecen abiertos después de las horas habituales de cierre.

After-shave (ing.). Loción para después del afeitado.

Aggiornamento (it.). Puesta al día; actualización.

Airbag (ing.). Bolsa de plástico que, en los automóviles, se infla automáticamente para proteger al conductor. Suele emplearse en el sentido de *cojín* o de *dispositivo de seguridad*. F. Lázaro Carreter, que propone, como posibles traducciones, *peto de seguridad* o *escudo de aire*, comenta así este término: «Es fantástica invención: vas conduciendo, chocas de frente, y en lugar de romper con el cráneo el parabrisas, o el volante con las costillas, eres acogido por un piadoso cuadrante o almohadoncillo que ha surgido súbitamente ante ti, y se ha inflado en menos que dura un ¡zas!».

À la page (fr.). (Estar) al día.

Allô! (fr.). Diga, dígame (al iniciar una conversación telefónica).

All stars (ing.). Todas las estrellas. Se refiere a los grupos artísticos o deportivos formados por profesionales de gran valía o muy populares.

Amateur (fr.). Aficionado; no profesional.

Ambigú. Véase *buffet*.

Ancien régime (fr.). Antiguo régimen.

Anorak (fr., aunque de origen esquimal). *Anorak* (DRAE): chaqueta impermeable, con capucha.

Antidoping (ing.). Antidopaje; control de estimulantes; control antidroga.

Apartheid (afrikaans). Segregación o separación racial.

Aparthotel (ing.). Edificio de apartamentos en el que se ofrecen los servicios de un hotel.

Approach (ing.). En golf, golpe, a corta distancia, de aproximación al hoyo señalado por la bandera.

Argot (fr.). *Argot* (DRAE): jerga; lenguaje especial entre personas de un mismo oficio o actividad.

Art director (ing.). Director artístico.

Art nouveau (fr.). Modernismo; estilo artístico que se desarrolló a finales del siglo XIX. En Inglaterra se llama *Modern style*; en Alemania, *Jugendstil*, y en Austria, *Sezessionsstil*.

Atelier (fr.). Taller de artista.

Atrezzo (it.). *Atrezo* (DRAE): conjunto de útiles, como bastidores, decorados, etc., que se usan en la escena de un teatro o en un plató.

Attaché (fr.). Agregado; adjunto (a una embajada).

Au-dessus de la mêlée (fr.). Por encima de la disputa.

Auditing (ing.) Revisión de cuentas; auditoría.

Au pair (fr.). Se aplica a la persona que cuida niños a cambio de alimentación y hospedaje.

Auto-stop (falso anglicismo creado en Francia: el término inglés es *hitch-hiking*). *Autostop* (no *auto-estop*) (DRAE). La Academia acepta también *autostopista*.

Avant la lettre (fr.). Adelantado a su época; antes de tiempo.

Average. Véase **goal average**.

B

Baby (ing.). Niño, bebé, crío. El DRAE registra *babi*: babero.

Baby sitter (ing.). Niñera tomada por horas; canguro. A veces se transcribe como *baby sister*.

Baccara (fr.). *Bacarrá* o *bacará* (DRAE): juego de naipes.

Bacon (ing.). *Beicon* (DRAE): panceta ahumada.

Badminton (ing.). *Bádminton* o *badminton* (DRAE): juego con raqueta.

Baedeker (al.). Guía de viajes; guía turística.

Baffle (ing.). Dispositivo que facilita la mejor difusión y calidad del sonido de un altavoz.

Baguette (fr.). Barra de pan estrecha y alargada.

Ballottage (fr.). Ausencia de mayoría absoluta para los candidatos que se presentan a una elección, lo que obliga a unas nuevas votaciones. El DRAE acepta el uso en América de *balotaje* con el significado de «escrutinio, recuento de votos».

Barman (ing.). Camarero; especialista en hacer cócteles.

Basket (ing.). Baloncesto. El DRAE registra, sólo en países de Hispanoamérica, *básquet* y *basquetbol* (del inglés *basketball*).

Bazooka (ing.) *Bazuca* (DRAE): lanzagranadas portátil consistente en un tubo que se apoya en el hombro.

Bazuka: Véase **bazooka**.

Beatnik (ing.). Joven rebelde que desprecia los valores tradicionales.

Beautiful people (ing.). Gente de la alta sociedad; gente bien; profesionales de alto nivel económico.

A veces se reduce, jocosamente, a *la biuti*.

Béchamel (fr.). *Besamel* o *besamela* (DRAE): salsa blanca.

Behaviorism (ing.). La Academia, aunque registra *behaviorismo*, prefiere *conductismo*: ciencia que tiene por objeto el estudio de los actos y los comportamientos humanos objetivamente observables, sin recurrir a la conciencia o a la introspección.

Beicon. Véase *bacon*.

Beige (fr.). *Beige* (DRAE). De color castaño claro.

Belle époque (fr.). Época dorada.

Belvedere (it.). Mirador.

Best-seller (ing.). *Best-séller* (DRAE): obra literaria de gran éxito y de mucha venta.

Bête noir (fr.). *Bestia negra*: persona que se convierte en una obsesión o en una pesadilla para otra.

Bibelot (fr.). Figurilla; objeto de adorno.

Birdie (ing.). En golf, un golpe menos que el par.

Biscuit (fr.). Bizcocho.

Bistrot (fr.). Taberna; bar.

Bit (ing.). *Bit* (DRAE): en informática, unidad de medida de información equivalente a la elección entre dos posibilidades igualmente probables.

Bitter (ing.). *Bíter* (DRAE): bebida generalmente amarga.

Blackout (ing.). Bloqueo informativo; censura informativa.

Black power (ing.). Poder negro.

Blazer (ing.). Chaqueta, generalmente azul, con un escudo sobre un bolsillo. La emplean los colegiales y los deportistas. También se denomina así una chaqueta larga de mujer.

Blister pack (ing.). *Blister* (DRAE): envase para manufacturados pequeños. Se emplea más la forma llana.

Block (ing.). *Bloc* o *bloque* (DRAE). La forma *bloque* no es aceptada por la lengua hablada ni por la escrita.

Blue collar (ing.). Personal obrero de una fábrica.

Blue jeans o **jeans** (ing.). Pantalones vaqueros.

Blues (ing.). *Blues* (DRAE): forma musical del folclore de los negros de Estados Unidos.

Bluff (ing.). Camelo; falsa apariencia; persona que, sin méritos que la avalen, consigue engañar a los demás y alcanzar el éxito.

Bock (al.). *Bock* (DRAE): jarro de cerveza de un cuarto de litro de capacidad.

Body (ing.). Prenda interior femenina parecida a un bañador; especie de malla para practicar gimnasia.

Body-piercing (ing.). Moda que consiste en la perforación de la piel –orejas, nariz, labios, mejillas, ombligo, etc.– para introducir aros, imperdibles u otros objetos.

Bogey (ing.). En golf, un golpe sobre el par.

Boicot. Véase *boycott*.

Boîte (fr.). Sala pública de baile.

Bonsai (jap.). *Bonsái* (DRAE): árbol de dimensiones muy reducidas.

Bon vivant (fr.). Hedonista; sibarita; vividor.

Bookmaker (ing.). Corredor de apuestas.

Boom (ing.). Auge súbito; popularidad repentina; moda; apogeo.

Boomerang (ing.). *Bumerán* (DRAE): arma arrojadiza formada por una lámina de madera encorvada que, después de ser arrojada, puede volver al punto de partida.

Boss (ing.). Patrón; cacique; mandamás.

Boudoir (fr.). Saloncito; tocador.

Bouquet (fr.). *Buqué* (DRAE): aroma del vino.

Boutade (fr.). Salida de tono; dicho agudo; ocurrencia; tontería.

Boutique (fr.). *Boutique* (DRAE): tienda de ropa de moda y de temporada; tienda de productos selectos.

Box (ing.). En automovilismo, taller, caseta de mantenimiento; cuadra (si se trata de caballos); buzón, apartado de correos.

Boycott (ing.). *Boicot* (DRAE). La Academia prefiere *boicoteo*. También está admitido el verbo *boicotear*.

Boy scout (ing.). Escultista; joven integrado en un movimiento que pretende la educación del individuo por medio de la autoformación y el contacto con la naturaleza.

Braille (fr.). *Braille* (DRAE): sistema de escritura para ciegos.

Brasserie (fr.). Cervecería.

Break (ing.). En tenis, cuando el jugador que saca pierde el punto.

Bric-à-brac (fr.). Baratillo; tópico; batiburrillo.

Bricolage (fr.). *Bricolaje* (DRAE): actividad manual realizada en la propia vivienda por no profesionales.

Bridge (ing.). Juego de naipes. En periodismo se traduce por *puente* (frase que sirve para ensamblar dos partes de una información).

Briefing (ing.). Conferencia de prensa; reunión informativa.

Brioche (fr.). Especie de bollo.

Broker (ing.). Intermediario sin riesgo; operador financiero; corredor de bolsa; agente de negocios.

Brunch (ing.). Comida ligera de media mañana.

Buffet (fr.). *Bufé* (DRAE): comida, por lo general nocturna, compuesta de platos calientes y fríos; local para tomar refacción ligera

en estaciones de ferrocarriles y otros sitios. La Academia prefiere este término al olvidado *ambigú*, que significa lo mismo.

Bulldozer (ing.). Tractor de gran potencia que sirve para remover la tierra y hacer hoyos con gran rapidez.

Bungalow (ing., y este del hindi *bangla*, bengalí). *Bungaló* (DRAE): casa pequeña de una sola planta que se suele construir en parajes destinados al descanso.

Bunker (del ing. *bunker*, carbonera de un barco, a través del al. *bunker*). **Búnker** (DRAE): fortín; grupos resistentes a cualquier cambio político. Aunque dicho diccionario no lo registra, también se emplea en el mundo del golf con el significado de *obstáculo de arena*.

Bureau (fr.). Despacho; comité; comisión. El DRAE acepta *buró* sólo con el significado de *escritorio*.

Burger (ing.). Lugar donde se venden hamburguesas.

Business (ing.). Negocio o negocios; comercio.

Businessman (ing.). Hombre de negocios.

Bye-bye (ing.). Adiós, hasta luego.

Bypas (ing.). En medicina, puente, derivación, desvío.

Byte (ing.). Es una unidad de medida en informática, formada por un número variable de *bits*.

C

Cabaret (fr.). *Cabaré* (DRAE). Sala de fiestas.

Cachet (fr.). Personalidad; toque de distinción; cotización de los artistas.

Caddie (ing.). *Cadi* (DRAE): muchacho que lleva los palos de los jugadores de golf.

Cake (ing.). Bizcocho; tarta.

Call girl (ing.). Prostituta que cita por teléfono.

Cameraman (ing.). En el rodaje de una película, operador, técnico encargado de la parte fotográfica. En castellano existe el término *camarógrafo*.

Camicace. Véase **kamikaze**.

Camping (ing.). Acampada; lugar al aire libre, dotado de servicios comunes, preparado para albergar a viajeros.

Capo (it.). *Capo* (DRAE): jefe de una mafia, especialmente de narcotraficantes.

Capot (fr.). *Capó* (DRAE): cubierta del motor del automóvil.

Carrousel (fr.). *Carrusel* (DRAE): espectáculo en el que varios jinetes ejecutan vistosas evoluciones; tiovivo.

Cash (ing.). Dinero en efectivo, en metálico.

Cassette (fr.). *Casete* (DRAE).

Casting (ing.). Reparto. Aunque en inglés se reserva este término para los encargados (generalmente uno) de hacer la selección de intérpretes (para denominar a éstos se emplea *cast of characters*), en español se ha generalizado para designar las pruebas y las entrevistas que se realizan con el fin de seleccionar a las personas que han de intervenir en una película, en un desfile de modas, etc.

Catch (ing.). Deporte emparentado con la lucha libre.

Catenacio (it.). En fútbol, cerrojo.

Catering (ing.). Servicio se comidas de encargo.

Cellotape (ing.). *Celo* (DRAE): cinta de celulosa o plástico, adhesiva por uno de sus lados, que se emplea para pegar.

Chaise-longue (fr.). Sofá sin respaldo ni brazos que se utiliza para sentarse y para tenderse.

Chance (ing.). Oportunidad; suerte; posibilidad.

Chandail (fr.). *Chándal* (DRAE).

Chansonnier (fr.). Persona que canta canciones.

¡Chao! Véase **Ciao**.

Chapeau! (fr.). *¡Chapó!* (DRAE): interjección que se emplea para expresar admiración por algo o por alguien.

Charme (fr.). Encanto; atractivo; hechizo.

Charmeur (fr.). Hombre de finos modales.

Charter (ing.). *Chárter* (DRAE): vuelo fletado ex profeso, al margen de los vuelos regulares. Como adjetivo en aposición suele emplearse en singular (*vuelos chárter*).

Chartreuse (fr.). *Chartreuse* (DRAE): licor verde o amarillo de hierbas aromáticas.

Chauvinisme (fr.). *Chovinismo* (DRAE): exaltación desmesurada de lo nacional frente a lo extranjero.

Check (to) (ing.). Controlar; verificar; examinar; comprobar.

Chef (fr.). Primer cocinero; jefe de cocina.

Chic (fr.). *Chic* (DRAE): elegante; distinguido; de moda.

Chinatown (ing.). Barrio chino.

Chip (ing.). *Chip* (DRAE). En informática, pequeño circuito integrado que realiza numerosas funciones en ordenadores y dispositivos electrónicos. Plural: *chips*.

Choque. Véase **shock**.

Chotis. Véase **schottisch**.

Christmas (ing.). Tarjetas de Navidad.

Ciao (it.). ¡*Chao*! (DRAE): adiós; hasta luego.

Cicerone (it.). *Cicerone* (DRAE): persona que enseña y explica las curiosidades de una localidad, edificios, etc.

Claque (fr.). *Clac* (DRAE): grupo de personas que asisten de balde a un espectáculo para aplaudir.

Claquette (fr.). *Claqué* (DRAE): baile caracterizado por el zapateo que el bailarín realiza con la punta y el tacón de sus zapatos.

Claxon. Véase **klaxon**.

Clearing (ing.). Sistema de comercio entre países sin intercambio de divisas (las importaciones se pagan con las exportaciones); liquidación entre varias personas que participan en un negocio.

Clergyman (ing.). Traje civil negro y alzacuello que llevan algunos clérigos.

Cliché (fr.). *Cliché* (DRAE): clisé de imprenta; lugar común; tira de película fotográfica revelada, con imágenes negativas.

Clip (ing.). *Clip* o *clipe* (DRAE): utensilio hecho de metal o de plástico que sirve para sujetar papeles. La forma *clipe* apenas se utiliza.

Closet (ing.). *Clóset* (DRAE): armario empotrado.

Close-up (ing.). Primer plano.

Clown (ing.). *Clon* (DRAE). Es preferible decir *payaso*.

Club (ing.). *Club* o *clube* (DRAE): sociedad fundada por un grupo de personas con intereses comunes y lugar donde se reúnen sus miembros. *Club nocturno*: lugar de esparcimiento.

Cocktail (ing.). *Cóctel* o *coctel* (DRAE): bebida compuesta de una mezcla de licores; reunión o fiesta.

Collage (fr.). *Colage* (DRAE): técnica pictórica consistente en pegar sobre lienzo o tabla materiales diversos.

Comic (ing.). *Cómic* (DRAE): serie de secuencias de viñetas con desarrollo narrativo; libro o revista que contiene estas viñetas.

Comme il faut (fr.). Como es debido.

Compact disc (ing.). Disco compacto.

Complot (fr.). *Complot* (DRAE): conspiración o conjuración de carácter político o social; trama; intriga.

Confetti (it.). *Confeti* (DRAE): pedacitos de papel de colores que se arrojan las personas en algunas fiestas.

Confort (fr.). Comodidad; bienestar. La Academia acepta *confortable*, pero no *confort*.

Consulting (ing.). Consultoría; empresa consultora; asesoría empresarial.

Container (ing.). Contenedor.

Copyright (ing.) Derecho de propiedad intelectual; derechos de autor.

Corn flakes (ing.). Copos de maíz.

Corner (ing.). *Córner* (DRAE): saque de esquina.

Corset (fr.). *Corsé* (DRAE): prenda interior femenina.

Couché (fr.). *Cuché* (DRAE): papel muy satinado.

Country (ing.). Música de carácter tradicional procedente de Estados Unidos.

Coupé (fr.). *Cupé* (DRAE). Coche de caballos cerrado.

Cover-girl (ing.). En las revistas ilustradas, chica de portada.

Cowboy (ing.). Vaquero.

Crack (ing.). Estrella, as o deportista excepcional, sobre todo en fútbol. También se emplea para designar el hundimiento de la bolsa de Nueva York en 1929.

Crash (ing.). Quiebra, caída (de la bolsa, de un negocio).

Crawl (ing.). *Crol* (DRAE): estilo de natación.

Crème de la crème (fr.). Lo selecto; lo exquisito; lo mejor de lo mejor.

Crêpe (fr.). *Crepe* (DRAE): tortita.

Cricket (ing.). Juego de pelota que se practica con paletas de madera.

Crochet (fr.). *Croché* (DRAE): ganchillo; en boxeo, cierto golpe.

Croissant (fr.). *Cruasán* (DRAE): bollo en forma de media luna. La Academia acepta también *medialuna*, que en España nadie emplea.

Crol. Véase **crawl**.

Cross (ing.). *Cross* (DRAE): carrera deportiva de larga distancia a campo traviesa.

Croupier (ing.). *Crupier* (DRAE): persona que dirige las partidas en las casas de juego.

Cruasán. Véase **croissant**.
Cuásar. Véase **quasar**.
Cupé. Vease **coupé**.
Cyclostyle (ing.). *Ciclostil* o *ciclostilo* (DRAE): aparato que sirve para copiar muchas veces un escrito o dibujo.

D

Dancing (ing.). Salón de baile.
Dandy (ing.). *Dandi* (DRAE): hombre que se distingue por su extrema elegancia y buen tono.
Débâcle (fr.). *Debacle* (DRAE): desastre; derrota; cataclismo; ruina.
Début (fr.). *Debut* (DRAE): estreno; presentación; primera actuación de alguien en una actividad cualquiera.
Decalage (fr.). Desfase; desnivel; diferencia; desajuste.
Démarrage (fr.). En ciclismo, arrancada, aceleración brusca. Se suele escribir *demarraje*.
Démodé (fr.). Pasado de moda; anticuado.
Derby (ing.). *Derbi* (DRAE): encuentro, generalmente futbolístico, entre dos equipos de la misma ciudad o de ciudades próximas.
Dernier cri (fr.). Último grito (en el sentido de la novedad más reciente).
Deshabillé (fr.). Traje de casa; bata; salto de cama.

Détail (fr.). La venta al *detalle* (DRAE) es la que se realiza al por menor.
Détente (fr.). Distensión.
Deuce (ing.). En tenis, iguales.
Dilettante (it.). *Dilettante* (DRAE): aficionado a las artes, en especial a la música; el que cultiva algún campo del saber en el que no es especialista.
Disc-jockey (ing.). Pinchadiscos; persona que selecciona los discos en una discoteca.
Diskette (ing.). *Disquette* (fr.). En informática, *disquete* (figura en el DRAE sin indicación de su origen): disco magnético portátil, de capacidad reducida, que se introduce en un ordenador para su grabación o lectura.
Dock (ing.). Muelle; desembarcadero; dársena.
Dolby (ing.) Sistema para reducir el ruido en grabaciones.
Dolce far niente (it.). Dulce ociosidad; indolencia.
Dolce vita (it.). Dulce vida; vida frívola.
Doping (ing.). Dopaje; acción y efecto de dopar o doparse.
Dossier (fr.). *Dossier* (DRAE): informe o expediente.
Drag queen (ing.). Hombre que, vestido de mujer, se emperifolla y maquilla exageradamente. Con frecuencia se reduce a *drag* (plural *drags*).

Dribble (to) (ing.). *Driblar* (DRAE). Según este diccionario, significa: «en el fútbol y otros deportes, regatear». Pero el término inglés carece de la idea de esquivar al adversario que tiene el término *regate* («finta que hace el jugador para no dejarse arrebatar el balón»). Sería más propio hablar, en castellano, de la habilidad que tiene un jugador para que el balón no se separe mucho de sus pies mientras avanza.

Drive (ing.). En tenis, *golpe natural* (no *derechazo*). En golf, *golpe largo*.

Drugstore (ing.). Tienda en la que se vende de todo.

Dry (ing.). *Seco*, aplicado a bebidas (no parece, sin embargo, que sea muy apropiado llamar *seca* a una bebida que no tiene sabor dulce).

Dry-cleaning (ing.). Limpieza en seco.

Dumping (ing.). Competencia desleal; abaratamiento anormal.

Duty free shop (ing.). Tienda con productos libres de impuestos (normalmente, las enclavadas en la zona internacional de los aeropuertos).

E

Eagle (ing.). En golf, dos golpes menos del par.

Écharpe (fr.). *Echarpe* (DRAE): chal.

Ecuyère (fr.). Amazona; en un espectáculo circense, artista ecuestre.

Editing (ing.). Corrección estilística de un original para su impresión.

Electroshock (ing.). Tratamiento médico consistente en una descarga eléctrica.

Élite (fr.). *Elite* (DRAE). Los hablantes suelen mantener en esta palabra, erróneamente, la acentuación esdrújula.

Enfant terrible (fr.). Se dice de las personas que muestran una actitud díscola o provocadora en el medio social en que viven.

Entente (fr.). Armonía; entendimiento; acuerdo. Se emplea en femenino.

Entrecôte (fr.). *Entrecot* (DRAE): trozo de carne sacado de entre costilla y costilla de la res.

Épater (fr.). Asombrar; deslumbrar; pasmar. En castellano se transforma muchas veces en *epatar*.

Ertzaina (vasc.). Miembro de la *Ertzaintza*.

Ertzaintza (vasc). Policía vasca.

Escaner. Véase **scanner**.

Eslalon. Véase **slalom**.

Eslogan. Véase **slogan**.

Esmoquin. Véase **smoking**.

Esnifar. Véase **sniff**.

Esnob. Véase **snob**.

Espagueti. Véase **spaghetti**.

Esplín. Véase **spleen**.

Establishment (ing.). Régimen establecido; sector o grupo dominante; clase dirigente.

Estándar. Véase **standard**.

Estanflación. Véase **stagflation**.

Esthéticienne (fr.). Esteticista; persona especializada en cosmética.

Estor. Véase **store**.

Exprès (fr.). *Exprés* (DRAE): rápido.

F

Fair play (ing.). Juego limpio; conducta caballerosa.

Fan (ing.). Partidario; seguidor, admirador fanático.

Fané (fr.). Marchito; mustio.

Fanzines (**fan**+**magazine**). Revistas dirigidas a jóvenes aficionados a la música o a partidarios de un tema determinado.

Far west (ing.). Lejano o extremo oeste (de Estados Unidos).

Fashionable (ing.). Elegante; de buen tono; de moda.

Fast-food (ing.) Comida rápida.

Fax (ing.). *Fax* y *telefax* (DRAE). Sistema telefónico que permite reproducir a distancia escritos, gráficos o impresos; documento recibido por *telefax*. El plural es *faxes*.

Feedback (ing.). Retroacción; retroalimentación, retroinforma-ción, etc. Significa la respuesta o la reacción a un proceso.

Feeling (ing.). Sensación; sentimiento; emoción; tacto.

Ferry (ing.). Transbordador.

Fifty, **fifty** (ing.). Mitad y mitad; al cincuenta por ciento.

Film (ing.). *Filme* (DRAE).

Finger (ing.). Corredor o pasarela que permiten el acceso al interior del avión directamente desde la sala de espera de los aeropuertos.

Flash (ing.). *Flas* (DRAE): dispositivo luminoso con destello breve e intenso usado cuando la luz es insuficiente; en periodismo, noticia importante de última hora.

Flash-back (ing.). Escena retrospectiva.

Flirt (ing.). *Flirteo* y *flirtear* (DRAE): juego amoroso que no se formaliza ni supone compromiso; coqueteo.

Flou (fr.). En fotografía y cine, imagen borrosa (a veces deliberadamente buscada).

Folk (ing.). Tipo de música folclórica inglesa y norteamericana.

Fondue (fr.). Plato de cocina hecho con queso derretido y vino blanco.

Footing (ing.). Caminar; correr a paso corto.

Forcing (ing.). Presión; coacción sobre una o varias personas.

Forfait (**à**) (fr.). A tanto alzado; todo comprendido; precio global.

Foulard (fr.). *Fular* (DRAE): pañuelo o bufanda de seda para el cuello.

Foyer (fr.). En un teatro, saloncito, sala de descanso.

Frac (fr.). *Frac* (DRAE): vestidura de hombre que por delante llega hasta la cintura y por detrás tiene dos faldones más o menos anchos y largos.

Freelance (ing.). Persona que trabaja por su cuenta y riesgo y vende los resultados de su actividad.

Fular. Véase **foulard**.

Full time (ing.). Dedicación exclusiva; plena dedicación; a tiempo completo.

Fumetto (it.). Tebeo; cómic.

G

Gadget (ing.). Objeto de consumo corriente caracterizado por su valor efímero.

Gag (ing.). Golpe ingenioso; chiste; situación ridícula o cómica.

Game (ing.). En tenis, juego.

Gangster (ing.). *Gángster* (DRAE): miembro de una banda organizada de malhechores que actúa en las grandes ciudades.

Garden-party (ing.). Fiesta en un jardín.

Gauche divine (fr.). Intelectuales izquierdistas que, sin comprometerse, critican la actividad de los partidos políticos.

Gaufrer (fr.). *Gofrar* (DRAE): estampar en seco, sobre papel o en las cubiertas de un libro, motivos en relieve o en hueco.

Gay (ing.). Homosexual. Plural *gays.*

Geisha (jap.). En Japón, joven educada en el canto, el baile y el arte de la conversación. No es una prostituta.

Gentleman (ing.). Caballero.

Ghetto (it.). *Gueto* (DRAE): barrio en que vivían o viven los judíos; barrio o suburbio en que viven personas de un mismo origen, marginadas por el resto de la sociedad.

Gigolo (fr.). *Gigoló* (DRAE): amante joven de una mujer de más edad, que lo mantiene.

Gin (ing.). Ginebra (bebida alcohólica). *Gin-tonic*: ginebra con agua tónica.

Ginger-ale (ing.). Bebida refrescante y tónica elaborada con jengibre.

Girl (ing.). Corista.

Glamour (ing.). Encanto; hechizo; fascinación. Incluso se emplea el adjetivo *glamouroso.*

Glasnot (del ruso). Transparencia informativa.

Globe-trotter (ingl.). Trotamundos.

Goal average (ing.). Promedio o diferencia de goles o de tantos.

Gofrar. Véase *gaufrer.*

Golden (ing.). Lo mismo que *starking*, es una variedad de manzana.

Golf (ing.). *Golf* (DRAE). Este diccionario también registra *golfista*: persona que juega al golf.

Gore (ing.). Se aplica a las películas sangrientas.

Gospel (ing.). Música negra estadounidense que imita la de los himnos evangélicos.

Gouache (fr.). *Guache* (DRAE): aguada; color diluido en agua sola, o en agua con ciertos ingredientes; pintura que se hace con colores así preparados.

Gourmet (fr.). Entendido en vinos o comidas; sibarita. No es correcta la grafía *gurmet*.

Graffito (it.). *Grafito* (DRAE): letrero o dibujo grabado o escrito en paredes u otras superficies resistentes, de carácter popular y ocasional, sin trascendencia.

Grand prix (ing.). En deportes, gran premio.

Grand slam (ing.). Circuito compuesto por un conjunto de grandes pruebas (se aplica al tenis).

Green (ing.). En golf, césped que rodea al hoyo.

Grill (ing.). Parrilla.

Groggy (ing.). *Grogui* (DRAE): atontado por el cansancio o por otras causas físicas o emocionales. En el boxeo, aturdido, tambaleante.

Grunge (ing.). Movimiento musical que defiende el desaliño y la mugre. También se aplica a la indumentaria descuidada y de apariencia pobre, pero no siempre barata, que llevan algunos jóvenes.

Guache. Véase **gouache**.

Guignol (fr.). *Guiñol* (DRAE): representación teatral por medio de títeres movidos con las manos.

Gymkhana (palabra inglesa, tal vez de origen indio). Conjunto de pruebas de habilidad que se realizan con un automóvil. En castellano se suele escribir *gincana*.

H

Hall (ing.). Vestíbulo; recibidor; entrada.

Hamster (al.). Mamífero roedor de pequeño tamaño.

Handicap (ing.). Obstáculo; desventaja; dificultad; estorbo. Se usa como palabra esdrújula.

Happening (ing.). Espectáculo espontáneo e improvisado.

Happy end (ing.). Final feliz.

Haraquiri (jap.). Forma de suicidio consistente en abrirse el vientre.

Hardware (ing.). Soporte físico; conjunto de elementos materiales que constituyen un ordenador o cualquier objeto informatizado.

Heavy metal (ing.). Metal pesado; tipo de música rock. Con frecuencia se reduce a *heavy*.

High life (ing.). Gran vida; vida regalada; sociedad elegante; gran mundo.

Hippy o **hippie** (ing.). Movimiento cultural surgido en los años sesenta que se caracterizó por el pacifismo, el rechazo de las convenciones y el amor por la naturaleza. Uno de sus lemas fue: «Haz el amor y no la guerra».

Hit (ing.). Triunfo; en cabeza de éxitos.

Hit parade (ing.). Relación de discos o libros más vendidos.

Hobby (ing.). Afición; pasatiempo favorito.

Hockey (ing.). Deporte de equipo que consiste en impulsar la pelota, con un palo encorvado, para introducirla en la portería contraria.

Holding (ing.). Grupo financiero o industrial; agrupación o consorcio de empresas bajo control superior.

Hooligan (ing.). Seguidores violentos de equipos ingleses.

Hot dog (ing.). Perrito caliente; bocadillo de salchichas.

Hovercraft (ing.). Aerodeslizador.

I

Ice-cream (ing.). Helado

Ikastola (vasc.). Escuela del País Vasco en la que se enseña vascuence.

Ikurriña (vasc.). Bandera vasca.

Impasse (fr.). Atolladero; callejón sin salida. No es sinónimo de compás de espera.

In (ing.). En otros tiempos se decía de lo que estaba de moda.

Input (ing.). En los ordenadores, *entrada*, *potencia de entrada*; en economía, *coste*, *inversión*, *factores de producción*.

Intelligentsia. Conjunto de intelectuales de un país o de un área cultural.

Interface (ing.). *Interfaz* (DRAE): en electrónica, zona de comunicación o acción de un sistema sobre otro.

Interphone (fr.). Interfono: instalación telefónica, equipada con altavoces, que permite la conversación entre varios interlocutores.

Interview (ing.). *Interviú* (DRAE): entrevista. Existe el verbo *interviuvar*: «mantener una conversación con una o varias personas, para informar al público de sus respuestas».

J

Jacuzzi (jap.). Bañera con un sistema de chorros de agua utilizada para masajes.

Jazz (ing.). *Yaz* (DRAE): cierto género de música derivado de ritmos y melodías de los negros norteamericanos. La forma española apenas se usa.

Jeans (ing.). Pantalones vaqueros o tejanos.

Jeep (ing.). Pequeño vehículo o automóvil apto para cualquier terreno. Ha tenido poco éxito la traducción *todoterreno* (o *todo terreno*).

Jet (ing.). Avión de reacción; reactor.

Jet foil (ing.). Deslizador. Se refiere a un tipo de barco.

Jet lag (ing.). Desfase horario; inconveniencias que el cambio de hora causa a los viajeros de largos recorridos a través de meridianos distintos.

Jet set (ing.). Personas de alto nivel social que frecuentan los lugares de moda.

Jockey (ing.). *Yóquey* o *yoqui* (DRAE): jinete profesional de carreras de caballos.

Jogging (ing.). Carrera ligera.

Joint venture (ing.). Negocio conjunto; empresa de riesgo compartido; inversión conjunta.

Jumelage (fr.). Hermanamiento de dos o más ciudades.

Junior (ing.). Designa una categoría de deportistas basada en la edad (en algunos deportes se establecen diferencias con los *alevines* o los *juveniles*). También se emplea, innecesariamente, para designar al hijo que tiene el mismo nombre que el padre (en inglés a menudo se abrevia en *jr.* o *Jr.*). El DRAE sólo acepta el término *júnior* con el significado de «religioso joven que, después de haber profesado, sigue sujeto a la enseñanza y obediencia del maestro de novicios».

K

Kamikaze (jap.). *Camicace* (DRAE): avión suicida empleado por los japoneses en la Segunda Guerra Mundial; acción temeraria.

Karaoke (jap.). Lugar en el que una persona pone la voz a la música y la letra, que va apareciendo en una pantalla, de canciones que conoce.

Kárate. El DRAE acepta este término, sin indicar su origen. Modalidad de lucha japonesa.

Kart (ing.). Automóvil pequeño, con cilindrada reducida, utilizado para carreras.

Ketchup (ing.). Salsa de origen malayo.

Kilt (ing.). Faldilla a cuadros de los escoceses.

Kindergarten (al.). Jardín de infancia.

Kit (ing.). Conjunto de piezas cuyo montaje puede realizar cualquiera siguiendo unas instrucciones; bolsa o estuche que contiene objetos variados.

Kitsch (ing.). Cursi; recargado; de mal gusto.

Klaxon (ing.). *Claxon* (DRAE): bocina.

Kleenex (ing.). Pañuelo de papel. El plural es invariable. Es nombre de una marca comercial.

Knock out (ing.). Dejar sin sentido o fuera de combate.

Know-how (ing.). Destreza; habilidad; experiencia; pericia; tecnología.

L

Lady (ing.). Señora.

Laiser-faire (fr.). Dejar hacer, no intervenir, no oponerse (se emplea sobre todo en economía).

Latin lover (ing.). Amante latino.

Lead (ing.). En periodismo, *entrada* o *entradilla*; primer párrafo de una información en la que se resume lo más importante de su contenido.

Leasing (ing.). Arrendamiento con opción a compra.

Leggings (ing.). Pantalones ajustados de tipo elástico.

Leitmotiv (al.). Motivo central; idea en la que se insiste.

Libero (it.). En el fútbol, defensa libre; defensa situado en la última línea.

Lied (al.). Canción lírica. Plural (al.): *lieder*.

Lifting (ing.). Operación que consiste en quitar las arrugas de la cara estirando la piel. A veces sólo se emplea *lift*.

Light (ing.). Suave; ligero; desvirtuado.

Limousine (fr.). En castellano suele decirse *limosina* o *limusina*: automóvil grande de lujo.

Linier: juez de línea. Para el DRAE es palabra inglesa, aunque no figura en los diccionarios de esa lengua.

Living o **living room** (ing.). Sala; cuarto de estar; antesala.

Lob (ing.). En tenis, *golpe en parábola* o *globo*.

Lobby (ing.). Antesala; recibidor; camarilla; grupo de presión.

Lock-out (ing.). Cierre patronal; despido colectivo; cierre de la empresa por parte de la dirección para obligar a los obreros a aceptar ciertas condiciones.

Long-play (ing.). Disco de larga duración. Sus siglas son LP (*elepé*).

Look (ing.). Aspecto; imagen; presencia. Con frecuencia se emplea *new look*: nueva imagen.

Lumpenproletariat (al.). Proletariado mísero; trabajadores marginales. Suele castellanizarse: *lumpenproletariado*.

Lunch (ing.). Merienda; refrigerio; almuerzo; comida ligera que se toma, a veces de pie, con motivo de un acontecimiento.

Luthier (fr.). Violero (fabricante de instrumentos musicales de cuerda).

M

Made in (ing.). Fórmula obligada en productos importados (hecho en...; fabricado en...; manufacturado en...).

Magasin (fr.). **magazine** (ing.). *Magacín* o *magazín* (DRAE): publicación periódica con artículos de diversos autores; espacio de televisión en que se tratan temas inconexos y mezclados.

Maglia rosa (it.). Camiseta rosa (es la que llevan los ciclistas que ocupan la primera posición en la clasificación general del *Giro* de Italia).

Mailing (ing.). Conjunto de correspondencia o de propaganda enviada por un remitente de una vez a personas hipotéticamente interesadas en el producto que se ofrece.

Maillot (fr.). *Maillot* (DRAE): traje de baño femenino de una pieza; camiseta deportiva, especialmente la de los ciclistas.

Maître (fr.). Jefe de comedor; jefe de camareros.

Majorette (ing.). Joven uniformada que, integrada en un grupo, anima los acontecimientos deportivos o festivos.

Make-up (ing.). Maquillaje.

Manager (ing.). Gerente; representante; empresario; apoderado.

Ma non troppo (it.). Pero no demasiado.

Mansarde (fr.). Mansarda; buhardilla.

Marchand (fr.). *Marchante* (DRAE): persona que comercia con obras de arte.

Marine (ing.). *Marine* (DRAE): soldado de la infantería de marina estadounidense o de la británica.

Marketing (ing.). *Marketing* (DRAE): mercadotecnia; conjunto de principios y prácticas que buscan el aumento del comercio, especialmente de la demanda, y estudio de los procedimientos y recursos tendentes a este fin.

Market price (ing.). Precio de mercado.

Marron glacé (fr.). Castaña confitada.

Massacrer (fr.). *Masacrar* (DRAE): cometer un asesinato colectivo. Existe el sustantivo *masacre*.

Mass media (ing.). Medios de comunicación de masas; medios de difusión.

Master (ing.). Cursos universitarios en los que se adquieren conocimientos especiales; suele emplearse con el significado, aunque no es lo mismo, de titulación obtenida tras la realización de los estudios complementarios de una licenciatura.

Match (ing.). Partido; encuentro deportivo; en boxeo, combate.

Match point (ing.). En tenis, tanto en litigio que decide el partido.

Matinée (fr.). Función de tarde (en espectáculos).

Meeting (ing.). *Mitin* (DRAE): reunión pública en la que varios oradores abordan asuntos sociales y políticos con intención proselitista. **Meeting**, derivación caprichosa del inglés *meet*, se usa también para designar una competición de atletismo.

Mêlée (fr.). Barullo; pelea; refriega; aglomeración de jugadores de fútbol ante la portería.

Ménage (fr.). *Menaje* (DRAE): ajuar; material pedagógico de una escuela.

Ménage à trois (fr.). Relaciones sexuales entre tres personas.

Merchandising (ing.). Estudio de los problemas de creación, mejora, presentación y distribución de mercancías en función de la evolución de las necesidades (es una rama de la mercadotecnia).

Meteosat (ing.). Satélite meteorológico.

Meublé (fr.). Forma abreviada de *hôtel meublé*: casa de citas.

Middleman (ing.). Intermediario.

Mise en scène (fr.). Escenificación; puesta en escena.

Miss (ing.). Ganadora de un concurso de belleza.

Missing (ing.). Ausente, desaparecido.

Mister (ing.). En un deporte, entrenador, preparador.

Mitin. Véase **meeting**.

Mocassin (ing.). *Mocasín* (DRAE). Calzado de cuero flexible, sin tacón.

Modern style (ing.). Modalidad artística de finales del siglo XIX y comienzos del XX.

Monitoring (ing.). Control de calidad, comprobación.

Motel (ing.). *Motel* (DRAE). Establecimiento hotelero situado generalmente fuera de los núcleos urbanos y en las proximidades de las carreteras.

Mountain bike (ing.). Bicicleta de montaña.

Mousse (fr.). Crema esponjosa de chocolate, fresa, etc.

Music-hall (ing.). Sala de diversiones; revista musical.

N

Naïf (fr.). Ingenuo (designa un estilo artístico). Femenino: *naïve*.

Nécessaire (fr.). *Neceser* (DRAE): caja o estuche con diversos objetos de tocador, costura, etc.

Negligé (fr.). Bata de casa; desaliño.

New look (ing.). Nueva imagen (en el peinado, en la forma de vestir, etc.).

Night club (ing.). Club nocturno; sala de fiestas.

Ninot (cat.). Muñeco; monigote; pelele.

No comment (ing.). Sin comentarios.

Number one (ing.). La persona que más destaca en algo.

Nurse (ing.). Niñera; institutriz.

Nylon (ing.). *Nailon* o *nilón* (DRAE).

O

Off. Véase *voz en off*.

Off the record (ing.). Confidencial; extraoficial.

Office (fr.). Antecocina.

Offset (ing.). En litografía, técnica con tres bases de impresión distintas.

Offside (ing.). Fuera de juego.

O.K. (*Okey*) (ing.). Muy bien; de acuerdo.

Ombudsman (ing.). Defensor del pueblo.

On-line (ing.). En informática, *en directo*, *en línea*.

Open (ing.). *Open* (DRAE): competición deportiva en la que pueden participar todas las categorías.

Out (ing.). *Pasado de moda*; en deportes, *fuera*.

Outillage (fr.). *Utillaje* (DRAE): conjunto de útiles necesarios para una industria.

Output (ing.). En electricidad e informática, *salida*, (*potencia*) *de salida*, *resultado*.

Outsider (ing.). Competidor desconocido de rendimiento dudoso; en unas elecciones, candidato escasamente popular; en hípica, caballo que no figura como favorito.

Overbooking (ing.). Saturación; contratación de plazas (en un hotel, en un avión, etc.) en número superior al disponible.

P

Pack (ing.). Conjunto de botellas o de otros objetos en un estuche de cartón para su mejor transporte.

Palmarès (fr.). *Palmarés* (DRAE): lista de vencedores en una competición; relación de méritos, especialmente de deportistas.

Panne (fr.). Avería de un automóvil.

Panty (ing.). Media con braga incluida; leotardos.

Paparazzi (it.). Fotógrafos de prensa que, muchas veces con malas artes, consiguen fotografías de personajes famosos. Aunque en italiano *paparazzi* está en plural, en castellano suele usarse para el singular (plural: *paparazzi* o *paparazzis*).

Paperback (ing.). Libro o encuadernación en rústica.

Parka. Prenda de abrigo de tela o piel. Según Emilio Lorenzo: «El primer testimonio [de esta palabra] lo tenemos en el inglés de Canadá, pero se nos dice que procede del aleutiano, que a su vez lo tomó del ruso, que a su vez lo tomó del samoyedo...».

Parking (ing.). Aparcamiento; estacionamiento.

Parquet (fr.). *Parqué* (DRAE): entarimado hecho con maderas finas de varios tonos.

Partenaire (fr.). Pareja; socio. A veces se emplea la forma inglesa *partner.*

Party (ing.). Fiesta; reunión social.

Party line (ing.). Línea telefónica destinada a conversaciones de carácter sexual.

Parvenu (fr.). Advenedizo; nuevo rico; recién llegado.

Passing-shot (ing.). En tenis, golpe paralelo o golpe cruzado.

Pastiche (fr.). *Pastiche* (DRAE): imitación o plagio que consiste en tomar determinados elementos característicos de la obra de un artista y cambiarlos, de forma que den la impresión de ser una creación independiente.

Patchwork (ing.). Hecho con retazos de telas.

Pâté (fr.). *Paté* (DRAE): pasta comestible hecha de carne o hígado picado.

Pavé (fr.). Adoquinado; empedrado.

Pedigree (ing.). *Pedigrí* (DRAE): genealogía de un animal.

Penalty (ing.). *Penalti* (DRAE).

Pendant (fr.). Pareja, compañero. En castellano suele decirse *hacer pandant*: hacer pareja, hacer juego, tener correlación.

Peppermint (ing.). *Pipermín* (DRAE): licor de menta.

Performance (ing.). Actuación; representación; función teatral; ejecución; hazaña; rendimiento (de un motor).

Petit comité (fr.). Comité restringido; reunión de pocas personas que excluyen a otras.

Photo finish (ing.). En una competición deportiva, fotografía que sirve para comprobar quien es el primero que llega a la meta.

Picnic (ing.). Jira; comida campestre.

Piercing. Véase **body-piercing**.

Pin (ing.). Insignia, broche o emblema, generalmente de metal, colocado en una prenda de vestir.

Pivot (fr.). *Pívot* (DRAE): jugador de baloncesto cuya misión básica consiste en situarse en las cercanías del tablero para recoger rebotes o para anotar puntos.

Pizza (it.). *Pizza* (DRAE).

Pizzeria (it.). *Pizzería* (DRAE): establecimiento comercial en que se elaboran y venden pizzas.

Planning (ing.). Plan; programa; planificación.

Plateau (fr.). *Plató* (DRAE): recinto en que se ruedan películas.

Play-back (ing.). Sonido grabado anteriormente; grabación que utiliza un cantante para fingir que interpreta simultáneamente. La Academia ha propuesto, sin éxito, sustituir esta expresión por **previo**: «Técnica que consiste en reproducir un sonido grabado con anterioridad, generalmente canciones, al que un actor procura seguir mímicamente».

Play boy (ing.). Hombre, por lo general atractivo y rico, que tiene frecuentes aventuras amorosas.

Play-maker (ing.). En baloncesto, jugador *base*, es decir, el que organiza el juego en la cancha.

Play off (ing.). Eliminatoria; fase final; series finales; desempate.

Plum-cake (ing.). Bizcocho con frutas.

Plumier (fr.). *Plumier* (DRAE): caja o estuche que sirve para guardar plumas, lápices, etc.

Pogrom (ruso). *Pogromo* (DRAE): matanza y robo de gente indefensa por una multitud enfurecida, especialmente en las juderías.

Pole position (ing.). En las carreras de coches y motos, primer puesto, posición de cabeza.

Politically correct (ing.). Políticamente correcto. J. Martínez de Sousa prefiere «socialmente adecuado, cortés», ya que la expresión inglesa se refiere al «lenguaje que evita cualquier palabra o expresión que pueda resultar molesta para una persona o un grupo».

Polyester (ing.). *Poliéster* (DRAE): material empleado en la fabricación de fibras, recubrimientos de láminas, etc.

Pony (ing.). *Póney* o *poni* (DRAE): nombre que se da a determinados caballos de raza de poca alzada.

Pool (ing.). Asociación; consorcio; fusión de intereses; agrupamiento de empresas.

Pop (ing.). Sirve para denominar una modalidad de arte (*pop-art*) y de música. Con el nombre de *pop-corn* se designa el maíz que se abre al tostarse. El DRAE sólo acepta esta voz aplicada a la música.

Poster (ing.). *Póster* (DRAE): cartel que se cuelga en la pared como elemento decorativo.

Pot-pourri (fr.). *Popurrí* (DRAE): mezcolanza de diversas cosas.

Premier (ing.). Primer ministro británico.

Première (fr.). Estreno de una película o de una obra teatral.

Pressing (ing.). Acoso o presión (especialmente en deportes).

Press release (ing.). Comunicado o nota de prensa.

Prêt-à-porter (fr.). Listo para llevarse; prenda de vestir confeccionada en diferentes tallas.

Prime time (ing.). Franja horaria de máxima audiencia en televisión o en radio.

Printed in (ing.). Impreso en.

Pub (ing.). Bar; cervecería.

Public relations (ing.). *Relaciones públicas* (DRAE): «Actividad profesional cuyo fin es, mediante gestiones personales o con el empleo de las técnicas de difusión y comunicación, informar sobre personas, empresas, instituciones, etc., tratando de prestigiarlas y de captar voluntades a su favor». Este *Diccionario* también acepta *relacionista*: «persona que cultiva o trabaja en relaciones públicas» y «experto en dichas relaciones». Según Manuel Seco, es preferible emplear *relacionista*, nombre masculino o femenino, y dejar *relaciones públicas* «para designar la actividad, no la persona».

Pudding (ing.). *Budín* o *pudín* (DRAE): dulce que se prepara con bizcocho o pan deshecho en leche y con azúcar y frutas secas. Es frecuente oír *pudin*, con acentuación llana.

Pullman (ing.). Autocares caracterizados por su comodidad.

Pullover (ing.). Tipo de jersey.

Punch (ing.). En boxeo, golpe, puñetazo.

Punk, **punky** o **punki** (ing.). Movimiento contracultural; joven que usa vestidos y peinados estrafalarios y, a veces, accesorios incrustados en el cuerpo (general-mente, pendientes o imperdibles en las orejas).

Puzzle (ing.). *Puzzle* (DRAE): rompecabezas.

Q

Quasar (ing.). *Quásar* o *cuásar* (DRAE): cuerpo celeste de apariencia estelar en las fotografías y de color azulado.

R

Rafting (ing.). Deporte que consiste en el descenso rápido por un río de aguas bravas en una embarcación neumática.

Ragtime (ing.) Música de ritmo intenso y sincopado.

Raid (ing.). Vuelo de aviación a gran distancia; incursión armada en terreno enemigo; viaje atrevido y peligroso (*raid automovilístico*; *raid aéreo*).

Ralenti (fr.). *Ralentí* (DRAE): número de revoluciones por minuto a que debe funcionar un motor de explosión cuando no está acelerado.

Rally o **rallye** (ing.). Carrera automovilística.

Ranking (ing.). Clasificación; lista clasificatoria.

Rap (ing.). Tipo de música cuya letra se recita. Se emplea también el término *rapero*.

Rapport (ing.). Informe; memoria; relación.

Rating (ing.). Valoración que hace el público de programas de radio y televisión, pero también de empresas.

Razzia (del árabe argelino). Para el DRAE, que prefiere *razia*, es la «incursión, correría, en un país enemigo y sin más objeto que el botín» y «una batida o una redada».

Reality show (ing.). Programa televisivo que muestra los aspectos más dramáticos, sórdidos o escandalosos de la realidad. En español se emplea, habitualmente, en género masculino.

Recordman (ing.). Plusmarquista.

Reggae (ing.). Estilo de música popular.

Relax (ing.). *Relax* (DRAE). Relajamiento físico o psíquico.

Remake (ing.). Nueva versión, generalmente cinematográfica, de una obra artística que tuvo éxito o que se cree poder mejorar.

Rendez-vous (fr.). *Cita*. El DRAE acepta, como derivado de esta palabra, el término *rendibú*, con el significado de «acatamiento, agasajo, que se hace a una persona, por lo general con la intención de adularla».

Rent a car (ing.). Alquiler de coches.

Rentrée (fr.). Regreso; vuelta; retorno.

Replay (ing.). Repetición.

Reporter (ing.). Reportero.

Reprise (fr.). Reposición; reestreno; repetición; aceleración (en los automóviles).

Revival (ing.). Evocación; resurrección; rebrote; resurgimiento; intento de revitalizar algo olvidado o pasado de moda.

Ring (ing.). En boxeo, cuadrilátero (espacio limitado por cuerdas en el que se desarrolla el combate).

Ritornello (it.). *Retornelo* (DRAE): repetición de la primera parte del aria. *Ritornelo* (DRAE): trozo musical antes o después de un trozo cantado; repetición; estribillo.

Road movie (ing.). Película cuya acción se desarrolla preferentemente en una carretera. Se emplea en masculino y en femenino.

Roastbeef (ing.). *Rosbif* (DRAE): carne de vaca asada ligeramente.

Rock (ing.). Procede de *rock and roll* (tipo de música que se popularizó en los años cincuenta).

Rocker (ing.). Se castellaniza como *roquero* (amante del *rock* o que lo practica).

Rocks (**on the**) (ing.). Se aplica a las bebidas que se toman con hielo.

Rôle (fr.). Papel que se desempeña; personaje; cometido. Se castellaniza como *rol*.

Rosbif. Véase **roastbeef**.

Rôtisserie (fr.). Establecimiento donde se preparan y venden asados.

Roulotte (fr.). Caravana; remolque.

Round (ing.). En boxeo, asalto.

Royalty (ing.). Regalía; derechos que se pagan al titular de una patente por utilizarla y explotarla comercialmente.

S

Sandwich (ing.). *Sándwich* (DRAE): emparedado hecho con dos rebanadas de pan de molde entre las que se colocan diversos alimentos.

Saudade (gall. y port.). Melancolía; añoranza.

Savoir faire (fr.). Habilidad; competencia profesional; destreza; pericia.

Scanner (ing.). *Escáner* (DRAE): aparato tubular para la exploración radiográfica. También se emplea para designar el aparato que sirve para la obtención de fotolitos textuales y para la reproducción de textos.

Schottisch (al.). *Chotis* (DRAE): baile agarrado y lento. La expresión «ser más agarrado que un chotis» equivale a «ser muy tacaño».

Scoop (ing.). En lenguaje periodístico, primicia informativa, noticia en exclusiva.

Script-girl (ing.). Secretaria de un director de cine que anota los detalles de cada escena.

Secrétaire (fr.). *Secreter* (DRAE): mueble con tablero para escribir y con cajones para guardar papeles.

Securities. En el lenguaje bursátil, *valores de renta fija*.

Self-made man (ing.). Hombre que se ha hecho a sí mismo.

Self-service (ing.). Autoservicio.

Seny (cat.). Juicio; cordura; ponderación.

Senyera (cat.). Bandera catalana.

Set (ing.). En tenis, *manga*. Si se aplica al mundo del espectáculo, dígase *plató* o *estudio*.

Setter (ing.). Raza de perros.

Sex-appeal (ing.). Atractivo sexual.

Sex-shop (ing.). Tienda en la que se venden objetos para la estimulación sexual.

Sex symbol (ing.). Símbolo sexual.

Sexy (ing.). Erótico; atractivo sexual.

Share (ing.). Porcentaje de espectadores que ven una cadena de televisión en un determinado período de tiempo. También se denomina *cuota de pantalla* o *cuota de audiencia*.

Sheriff (ing.). Jefe o comisario de policía.

Shock (ing.). *Choque* (DRAE): estado de profunda depresión nerviosa y circulatoria que se produce después de intensas conmociones.

Shopping center (ing.). Centro comercial.

Short o **shorts** (ing.). Pantalón corto.

Show (ing.). Espectáculo; exhibición. Existen los compuestos *showman* (presentador; animador de un espectáculo) y *show business* (negocios relacionados con el espectáculo).

Single (ing.). Disco sencillo; habitación individual en un hotel.

Skate board (ing.). Monopatín.

Sketch (ing.). Chiste escenificado; escena corta, satírica o cómica, de una obra de teatro o de una película.

Skin-head o **skin** (ing.). Cabeza rapada. Suele aplicarse a individuos violentos y de ideología fascista.

Slalom (noruego). *Eslalon* (DRAE): competición de esquí a lo largo de un trazado con pasos obligados.

Slang (ing.). Jerga; modalidad de inglés familiar y coloquial.

Slide (ing.). Diapositiva.

Slip (ing.). Calzoncillos.

Slogan (ing.). *Eslogan* (DRAE): fórmula breve y original utilizada para publicidad, propaganda política, etc.

Smash (ing.). En tenis, golpe potente dado de arriba abajo y de difícil réplica. Ha dado lugar a

esmachar, verbo no recogido por el DRAE.

Smog (ing.). Niebla tóxica; contaminación.

Smoking (ing.). *Esmoquin* (DRAE): prenda masculina de etiqueta. El significado de esta palabra procede del francés, ya que los ingleses llaman a esta prenda de vestir *dinner jacket*.

Snack-bar (ing.). Cafetería; bar.

Sniff (ing.). *Esnifar* (DRAE): aspirar por la nariz cocaína u otra droga en polvo.

Snob (ing.). *Esnob* (DRAE): persona que imita con afectación las maneras, opiniones, etc., de aquellos a quienes considera distinguidos.

Software (ing.). En informática, soporte lógico, serie de datos. El término francés es *logiciel*.

Soirée (fr.). Sarao, velada.

Sottovoce (it.). En voz baja.

Soufflé (fr.). Combinación gastronómica que lleva claras de huevo batidas a punto de nieve y que se prepara al horno.

Soul (ing.). Música inspirada en los cantos populares de los negros norteamericanos.

Sound track (ing.). Es la banda en la que se registra el sonido, sin el diálogo, de una película. Con ello se facilita el doblaje a otras lenguas.

Souvenir (fr.). Recuerdo (algo que se regala).

Spaghetti (it.). *Espagueti* (DRAE).

Spanglish . Forma de hablar en la que se mezclan el español y el inglés.

Sparring (ing.). En boxeo, contrincante de entrenamiento.

Speaker (ing.). Locutor; conferenciante.

Speech (ing.). Discurso corto; arenga.

Speed (ing.). Efectos estimulantes provocados por anfetaminas o fármacos semejantes; actividad; dinamismo.

Spiritual (ing.). Canto religioso de los negros de Estados Unidos.

Spleen (ing.). *Esplín* (DRAE): melancolía, tedio.

Sponsor (ing.). Patrocinador; mecenas, protector; garante. Suele emplearse la forma castellanizada *esponsor*. Existe también el barbarismo *esponsorización*, por *patrocinio* o *mecenazgo*. Téngase en cuenta que, a diferencia del *patrocinio,* que es desinteresado, la *esponsorización* supone, por lo general, una forma de publicidad.

Sport (ing.). Se aplica a la ropa cómoda e informal.

Sport(s)man y **sport(s)woman** (ing.). Deportista.

Spot (ing.). Anuncio.

Spray (ing.). Pulverizador; vaporizador; aerosol.

Sprint (ing.). En ciclismo, aumento repentino de la velocidad; llegada en grupo; aceleración final.

Sprinter (ing.). Velocista.

Squash (ing.). Deporte en el que dos jugadores, en un frontón cerrado, se sirven de raquetas.

Squatter (ing.). Ocupante ilegal de una vivienda. Es más frecuente el término *okupa*, no recogido en el DRAE.

Staff (ing.). Equipo directivo; personal de dirección; plana mayor; personal docente; personal administrativo. En el ejército, Estado Mayor.

Stage (ing.). Período de preparación de una persona para una actividad profesional posterior.

Stagflation (ing.). Economía caracterizada por un estancamiento con fuerte inflación. En castellano suele aparecer como *estanflación.*

Stand (ing.). Caseta; puesto; pabellón.

Standard (ing.). *Estándar* (DRAE): lo que sirve como tipo, modelo, norma, patrón o referencia.

Stand by (to) (ing.). Estar listo, estar alerta, estar preparado. En la aviación comercial, *stand by* se aplica al viajero sin reserva que debe estar atento por si no se presenta el que la tenía.

Standing (ing.). Categoría; nivel de vida; importancia; solvencia; bienestar social. Se le suele anteponer *alto.* Con significado parecido se emplea *status.*

Star (ing.). Artista famoso.

Starlet (ing.). Joven estrella del espectáculo; aspirante a estrella de cine.

Star system (ing.). Espectáculo basado en el prestigio de sus intérpretes.

Starter (ing.). Motor de arranque; dispositivo del carburador.

Status (ing.). Este anglicismo de origen latino se emplea con los significados de posición económica o social, rango y nivel social.

Stock (ing.). Mercancías destinadas a la venta, guardadas en un almacén o tienda; reservas.

Stop (ing.). Alto; parada.

Store (ing.). *Estor* (DRAE): cortina de una sola pieza.

Story (ing.). Crónica, noticia, cuento o relato.

Streaking (ing.). Se aplica al que se desnuda en lugares públicos. Se emplea con el verbo *hacer*.

Stress (ing.). Para el DRAE, *estrés* es la «situación de un individuo, o de alguno de sus órganos o aparatos, que, por exigir de ellos un rendimiento superior al normal, los pone en riesgo próximo de enfermar».

Stretching (ing.). Ejercicio físico para estirar los músculos del cuerpo.

Stringer (ing.). En periodismo, colaborador o corresponsal ocasional.

Striptease (ing.). Espectáculo en el que alguien, de forma insinuante, se va desnudando.

Suite (fr.). Habitaciones, a manera de apartamento, que se alquilan en un hotel; forma musical en varios tiempos constituida por una yuxtaposición de movimientos.

Superman (ing.). Superhombre.

Superstar (ing.). Artista muy destacado e importante.

Surf (ing.). Deporte de origen hawaiano que consiste en dejarse llevar sobre la cresta de las olas de pie sobre una plancha. También se emplean los derivados y compuestos *surfing*, *windsurf*, *windsurfing* y *windsurfista*.

Surmenage (fr.). Cansancio; fatiga excesiva; agotamiento. Hoy se emplea más *estrés*.

Suspense (fr.). *Suspense* (DRAE): en el cine y otros espectáculos, situación emocional, generalmente angustiosa, producida por una escena dramática de desenlace diferido o indeciso.

Swing (ing.). Movimiento del jugador de golf al ir a golpear la pelota; cualidad rítmica característica de la música de yaz.

T

Taekwondo (coreano). Modalidad de lucha coreana.

Take-off (ing.). Despegue.

Talk show (ing.). Programa de televisión que consta de entrevistas y actuaciones musicales.

Tape (ing.). Cinta magnética en la que se registran sonidos.

Task force (ing.). Destacamento especial; agrupación de fuerzas a las órdenes de un jefe para una misión determinada; grupo de trabajo (en una empresa).

Tatami (jap.). Tapiz acolchado sobre el que se ejecutan algunos deportes como yudo o kárate. Esta voz está aceptada en el DRAE.

Teenager o **teen-ager** (ing.). Adolescente.

Telex (ing.). *Télex* (DRAE): sistema telegráfico internacional por el que se comunican sus usuarios.

Tempo (it.). *Tempo* (DRAE): ritmo, compás (en música); ritmo de una acción novelesca o teatral.

Test (ing.). *Test* (DRAE): cuestionario; prueba; examen.

Tête-a-tête (fr.). Conversación íntima, cara a cara.

Thriller (ing.). Película o novela de corte policiaco, de misterio o de terror.

Ticket (ing.). *Tique* (DRAE): vale; entrada; recibo.

Tie-break (ing.). En tenis, juego decisivo, desempate. También se suele traducir por *muerte súbita*.

Tifosi (it.). Hinchas italianos de fútbol.

Tipp-ex (ing.). Papel o líquido que se emplea para borrar algo escrito. Es una marca comercial.

Toilette (fr.). Tocador; cuarto de baño; limpieza personal; atuendo de una mujer.

Too mach (ing.). Demasiado; increíble; inaudito.

Topless (ing.). Con los pechos al descubierto.

Top model (ing.). Modelo que se cotiza mucho.

Top secret (ing.). Máximo secreto; secretísimo.

Tour (fr.). Vuelta ciclista; recorrido turístico.

Tour de force (fr.). Proeza; exhibición de fuerza; hazaña.

Tournée (fr.). Gira; viaje.

Tour operator (ing.). Intermediario; empresa turística; operador turístico; contratista de viajes.

Trade mark (ing.). Marca registrada.

Trailer (ing.). *Tráiler* (DRAE): avance de una película; remolque de un camión.

Training (ing.). Adiestramiento; perfeccionamiento.

Traveller's cheques (ing.). Cheques de viaje.

Travelling (ing.). *Travelín* (DRAE): desplazamiento de la cámara montada sobre ruedas para acercarla al objeto, alejarla de él o seguirlo en sus movimientos. En el lenguaje corriente suele mantenerse la pronunciación esdrújula.

Travesti (fr.). *Travestido* (según el DRAE, que toma este término del italiano *travestito*, «disfrazado o encubierto con un traje que hace que se desconozca al sujeto que lo usa»). También existe el verbo *travestir* o *travestirse*: «vestir a una persona con la ropa del sexo contrario».

Trial (ing.). *Trial* (DRAE): prueba motociclista de habilidad.

Tricoter (fr.). *Tricotar* (DRAE): tejer, hacer punto a mano o con máquina tejedora.

Trompe-l'oeil (fr.). Apariencia engañosa (se aplica, sobre todo, a la pintura). El DRAE registra *trampantojo*: trampa o ilusión con que se engaña a uno haciéndole ver lo que no es.

Troupe (fr.). Compañía de teatro o de circo.

Trouseau (fr.). Ajuar, sobre todo de la novia.

Trust (ing.). Grupo de empresas con ambición monopolística.

Tutti quanti (it.). Todo el mundo.

Tweed (ing.). Cierto tipo de tela.

Underground (ing.). Clandestino; subterráneo; marginal; secreto.

Unisex (ing.). Lo que es común para hombres y mujeres (moda, peluquería, etc.).

Uperizar (**uperisar** es galicismo). Según Emilio Lorenzo, este verbo, que se aplica a los productos lácteos que han sido esterilizados, puede considerarse un anglicismo híbrido del francés y del inglés, pues «su origen es el verbo angloamericano *to uperize*, contracción de *ultra-* y *pasteurize*, tomado del francés *pasteuriser*».

Utillaje. Véase **outillage**.

V

Valquiria. Véase **walkyrien**.

Vamp (ing.). Vampiresa; mujer fatal.

Variétés (fr.). Variedades; espectáculo en el que se mezclan el baile, la música, los juegos circenses, etc.

Váter. Véase **water**.

Vaudeville (fr.). *Vodevil* (DRAE): comedia frívola, ligera y picante.

Vedette (fr.). Artista de variedades; figura destacada de un espectáculo o, metafóricamente, de un acto público.

Vendetta (it.). Venganza sangrienta.

Vermú. Véase **wermuth**.

Versus. Es un anglicismo, derivado del latín, que ha cobrado el significado de *contra*, *frente a*, en vez del de *hacia* primitivo.

Videocasete (ing. y fr.). Casete de vídeo; casete de imágenes.

Videoclip (ing.). Vídeo musical con el que se ilustra una canción.

Video-tape (ing.). Cinta de vídeo.

Vis-à-vis (fr.). Frente a frente; cara a cara.

Vodevil. Véase **vaudeville**.

Volley-ball (ing.). *Voleibol* (DRAE): balonvolea.

Voyeur (fr.). Mirón.

Voz en off (ing.: **a voice off**). Voz que se oye en una película o en una obra de teatro y que no sale directamente de la boca de los personajes que ve el espectador.

W

Wagon-lit (ing.). Coche cama.

Walkie-talkie (ing.). Transmisor-receptor portátil.

Walkman (ing.). Magnetófono de bolsillo; minicasete (lleva auriculares o cascos).

Walkyrien (antiguo al.). *Valquiria* o *valkiria* (DRAE): divinidad de la mitología escandinava.

Wasp (ing.). Naturales de Estados Unidos, blancos, de origen anglosajón y protestantes.

Water (ing.). *Váter* (DRAE): cuarto de baño; retrete; servicios.

Way of life (ing.). Estilo de vida.

Week end (ing.). Fin de semana.

Weltanschauung (al.). Ideología; concepto del mundo.

Welter (ing. : abreviamiento de *welterweight*): se aplica a una cate-goría de boxeadores. Suele castellanizarse en la forma *wélter*.

Wermuth (al.). *Vermú* o *vermut* (DRAE): licor aperitivo compuesto de vino blanco, ajenjo y otras sustancias amargas y tónicas.

Western (ing.). Película del Oeste.

White-collar (ing.). Personal administrativo.

Windsurf o **windsurfing** (ing.). Deporte náutico.

Wonderbra (ing.). Sujetador; sostén que realza poderosamente los pechos. Es nombre de marca comercial.

Y

Yankee (ing.). *Yanqui* (DRAE). Frente a los manuales de estilo, que suelen condenar esta forma, Emilio Lorenzo escribe: «*Yanqui* es una buena alternativa, inequívoca, a las opciones farragosas *estadounidense*, *norteamericano* o el inexacto *americano*, sin contar el claramente despectivo *gringo*». El plural es *yanquis*.

Yaz. Véase **jazz**.

Yellow press. Se aplica a la prensa sensacionalista. También se emplea el término *amarillismo*.

Yiddish (ing.). Lengua de los judíos asquenazíes (los oriundos de Europa central y oriental). Para su adaptación al castellano se han propuesto *yídish*, *yídich*, *yidis* y *yídico*.

Yóquey. Véase **jockey**.

Yudo (jap.). Sistema japonés de lucha, que hoy se practica también como deporte. Este término y *yudoca* (persona que practica el yudo) figuran en el DRAE.

Yuppie (ing.). Persona que, después de haber sido contestataria, ha aceptado, profesionalmente, un sistema de valores tradicional y disfruta de una desahogada situación económica.

Z

Zapping (ing.). Cambio de canales de televisión con el mando a distancia. Aunque no están admitidas por la Academia, se han impuesto las voces castellanas *zapear* y *zapeo*.

Zoom (ing.). *Zum* (DRAE): teleobjetivo especial con el cual se simula el acercamiento o el alejamiento de la cámara, sin que ésta se mueva.

Zulo (vasc.). Agujero, escondrijo.

Damos a continuación la lista de gentilicios españoles que, por su irregularidad, pueden ofrecer dificultades para su localización geográfica:

Adra (Almería): abderitano.

Alba de Tormes (Salamanca): albense.

Albacete: albaceteño, albacetense.

Alcalá de Guadaira (Sevilla); **Alcalá del Río** (Sevilla); **Alcalá del Valle** (Cádiz): alcalareño.

Alcalá de Henares (Madrid): complutense, alcalaíno.

Alcalá de los Gazules (Cádiz); **Alcalá la Real** (Jaén): alcalaíno.

Alcalá del Júcar (Albacete): alcalaeño.

Alcántara (Cáceres): alcantareño.

Alcaraz (Albacete): alcaraceño.

Alcarria, La: alcarreño.

Alcázar de San Juan (Ciudad Real): alcaceño, alcazareño.

Alcira (Valencia): alcireño.

Algeciras (Cádiz): algecireño.

Almadén (Ciudad Real): almadenense.

Almazora (Castellón): almazorino.

Almería: almeriense.

Almuñecar (Granada): almuñequero.

Álora (Málaga): aloreño.

Alsasua (Navarra): alsasuano.

Andújar (Jaén): andujareño.

Ansó (Huesca): ansotano.

Aoiz (Navarra): aoisco.

Aracena (Huelva): arundense.

Aranda de Duero (Burgos): arandino.

Arcos de la Frontera (Cádiz): arcobricense, arqueño.

Astorga (León): astorgano, asturicense.

Ávila: abulense, avilés.

Avilés (Asturias): avilesino.

Badajoz: pacense, badajocense, badajoceño.

Baeza (Jaén): baezano.

Baracaldo (Vizcaya): baracaldés.

Barbastro (Huesca): barbastrense, barbastrino.

Baza (Granada): baztetano, bastitano.

Béjar (Salamanca): bejarano, bejerano.

Belchite (Zaragoza): belchitano.

Belmonte (Cuenca): belmonteño.

Benavente (Zamora): benaventano.

Benicarló (Castellón): benicarlando, benicarlonense.
Benidorm (Alicante): benidormense.
Berga (Barcelona): bergadán.
Betanzos (La Coruña): brigantino.
Bierzo, **El** (León): berciano.
Blanes (Gerona): blandense.
Borja (Zaragoza): borjano, borsaunense.
Borox (Toledo): borojeño.
Brihuega (Guadalajara): briocense, brihuego.
Brozas (Cáceres): brocense.
Burgos: burgalés.

Cabeza del Buey (Badajoz): capusbovense.
Cabra (Córdoba): cabreño.
Cádiz: gaditano.
Calahorra (Rioja): calahorrano, calagurritano, calahorreño.
Calatayud (Zaragoza): bilbilitano.
Carolina, **La** (Jaén): carolinense.
Cartagena (Murcia): cartagenero.
Caspe (Zaragoza): caspolino.
Castellón de la Plana: castellonense.
Castro del Río (Córdoba): castreño.
Castrojeriz (Burgos): castreño.
Castro-Urdiales (Cantabria): castreño.
Cervera (Lérida): cervariense.
Ceuta: ceutí.

Chinchilla de Monte Aragón (Albacete): chinchillano.
Chinchón (Madrid): chinchonense.
Ciudad Real: ciudadrealeño.
Ciudad Rodrigo (Salamanca): mirobrigense, rodericense.
Coca (Segovia): caucense.
Colmenar de Oreja (Madrid): colmenarete.
Colmenar Viejo (Madrid): colmenareño.
Consuegra (Toledo): consaburense, consuegrero.
Coria (Cáceres): cauriense, coriano.
Coria del Río (Sevilla): coriano.
Covarrubias (Burgos): covarrubiano.
Cuenca: conquense.
Cullera (Valencia): cullerense.

Daimiel (Ciudad Real): daimieleño.
Denia (Alicante): dianense.
Deva (Guipúzcoa): devarés.
Don Benito (Badajoz): dombenitense.
Dos Hermanas (Sevilla): doshermanense.
Dueñas (Palencia): aldanense.
Durango (Vizcaya): durangués.

Écija (Sevilla): ecijano, astigitano.
Éibar (Guipúzcoa): eibarrés.
Elche (Alicante): ilicitano, elchense.

Escorial, El (Madrid): escurialense.
Extremadura: extremeño.

Feria (Badajoz): corito.
Fernancaballero (Ciudad Real): fernanduco.
Ferrol, El (La Coruña): ferrolano.
Foz (Lugo): focense.
Fuengirola (Málaga): fuengiroleño.

Gandía (Valencia): gandiense.
Gelves: (Sevilla): gelveño.
Getafe (Madrid): getafense, getafeño.
Granada: granadino.
Guadalajara: guadalajareño, caracense.
Guadalupe (Cáceres): guadalupense, guadalupeño.
Guadix (Granada): accitano, guadijeño.
Guardia, La (Jaén): guardeño.
Guardia, La (Pontevedra): guardés.
Guardia, La (Toledo): guardiolo.

Haro (Logroño): harense.
Hellín (Albacete): hellinense.
Hierro (Canarias): herreño.
Hinojosa de Duero (Salamanca): hinojosero.
Hinojosa del Duque (Córdoba): hinojoseño.
Huelva: onubense, huelveño.
Huesca: oscense.
Huéscar (Granada): oscense.

Ibiza (Baleares): ibicenco.
Igualada (Barcelona): igualadino.
Inca (Baleares): inquero.

Jaca (Huesca): jaqués, jacetano.
Jaén: jiennense, jaenés, jienense.
Játiva (Valencia): jativés, setabense.

Lebrija (Sevilla): lebrijano, nebrijano.
Leiza (Navarra): leizano.
León: leonés.
Lepe: (Huelva): lepero.
Linares (Jaén): linarense.
Línea, La (Cádiz): liniense.
Liria (Valencia): liriano.
Llanes (Asturias): llanisco.
Lloret de Mar (Girona): loretense.
Logroño: logroñés, lucroniense.
Loja (Granada): lojeño.
Lorca (Murcia): lorquino.
Lucena (Córdoba): lucentino, elisano.
Lugo: lucense, lugués.

Madrid: madrileño, matritense.
Mahón (Baleares): mahonés.
Málaga: malagueño.
Manzanares (Ciudad Real): manzanareño.
Marchena (Sevilla): marchenero.
Martos (Jaén): marteño.
Mataró (Barcelona): mataronés.
Medina del Campo (Valladolid): medinense.

Medina de Rioseco (Valladolid): riosecano.
Medina-Sidonia (Cádiz): asidonense, medinense.
Medinaceli (Soria): medinense.
Melilla: melillense.
Menorca (Baleares): menorquín.
Mérida (Badajoz): emeritense.
Mojácar (Almería): mojaquero.
Mondonedo (Lugo): mindoniense.
Monóvar (Alicante): monovarense, monovero.
Monzón (Huesca): montisonense.
Mora (Toledo): moracho.
Mora de Ebro (Tarragona): morense.
Morella (Castellón): bisgargitano, morellano.
Motril (Granada): motrileño.

Nava (Asturias): navarrusco, naveto.
Nava del Rey (Valladolid): navarrés.
Navalmoral de la Mata (Cáceres): moralo.
Nerja (Málaga): nerjeño.
Niebla (Huelva): iliplense.

Ocaña (Toledo): ocañense, olcadense.
Ojén (Málaga): ojenete.
Olite (Navarra): olitero.
Olivenza (Badajoz): oliventino.
Olot (Gerona): olotense, olotino.

Onteniente (Valencia): onteniense.
Orgaz (Toledo): orgaceño.
Orihuela (Alicante): oriolano, orcelitano.
Oviedo: ovetense.

Palma, **La** (Canarias): palmero.
Palma del Condado , **La** (Huelva): palmerino o palmesino.
P**alma de Mallorca**: palmesano.
Palmas, **Las** (Canarias): palmense.
Palos de la Frontera (Huelva): palense o palermo.
Pamplona: pamplonés.
Pasajes (Guipúzcoa): pasaitarra.
Peñíscola (Castellón): peñiscolano.
Plasencia (Cáceres): placentino.
Pollensa (Baleares): pollensín.
Ponferrada (León): ponferradino.
Priego (Córdoba): priegueño.
Puente Genil (Córdoba): pontanense, puenteño.
Puertollano (Ciudad Real): puertollanero.

Quintanar de la Orden (Toledo): quintanareño.

Reinosa (Cantabria): reinosano.
Rentería (Guipúzcoa): renteriano.
Reus (Tarragona): reusense.
Ribadesella (Asturias): riosellano.
Ronda (Málaga): rondeño, arundense.

Rosas (Gerona): rosense.

Sabadell (Barcelona): sabadellense, sabadellés.
Sagunto (Valencia): saguntino, murviedrés.
Salamanca: salmantino.
San Sebastián: donostiarra.
Sangüesa (Navarra): sangüesino.
Sanlúcar de Barrameda (Cádiz); **Sanlúcar la Mayor** (Sevilla): sanluqueño.
Santander: santanderino.
Santiago de Compostela (La Coruña): santiagués, compostelano.
Santo Domingo de la Calzada (Rioja): calceatense.
Segorbe (Castellón): segorbino, segobricense, segobrigense.
Sevilla: sevillano.
Sigüenza (Guadalajara): seguntino.
Simancas (Valladolid): simanquino, septimancense.
Sitges (Barcelona): sitgetano, suburense, sitgesano.
Sos (Zaragoza): sopicón.

Talavera de la Reina (Toledo): talaverano, talabricense.
Tarazona (Zaragoza): turiasonense.
Tarifa (Cádiz): tarifeño.
Tarragona: tarraconense.
Tarrasa (Barcelona): egarense, tarrasense.

Tenerife (Canarias): tinerfeño.
Teruel : turolense.
Tineo (Oviedo): tinetense.
Toro (Zamora): toresano.
Torredonjimeno (Jaén): torrejimenudo, torrejimeneño.
Torrelavega (Cantabria): torrelavegano, torrelaveguense.
Tortosa (Tarragona): tortosino.
Trujillo (Cáceres): trujillano.
Tudela (Navarra): tudelano.
Tuy (Pontevedra): tudense.

Úbeda (Jaén): ubetense.
Uclés (Cuenca): ucleseño.

Valdepeñas (Ciudad Real): valdepeñero.
Valladolid: vallisoletano.
Vejer de la Frontera (Cádiz): vejeriego.
Vélez-Málaga (Málaga): veleño.
Vélez-Rubio (Almería): egetano, velezano, velezrubiano.
Vigo (Pontevedra): vigués.
Villajoyosa (Alicante): jonense.
Villalar (Valladolid): villarino.
Villena (Alicante): vigerrense, villenense.
Vitoria (Álava): vitoriano.

Yanguas (Segovia): yangüés.

Zarauz (Guipúzcoa): zarauzano.
Zumaya (Guipúzcoa): zumayano.

Siglas, acrónimos y abreviaturas

Siglas

Las siglas se producen cuando se juntan las letras iniciales de varias palabras. Por lo general, suelen referirse a instituciones y organismos de carácter político, económico, comercial, técnico, sindical, etc., pero también a instrumentos y objetos.

Téngase en cuenta lo siguiente:

❍ Deben escribirse con mayúsculas y no hay que poner puntos ni dejar espacios en blanco entre ellas:

PP   PSOE   IU

❍ Las siglas carecen de plural (nunca debe añadirse *s* o *es* al final). El género, masculino o femenino, viene marcado por el de la primera palabra significativa de las que la componen:

La ONU (la primera palabra, *Organización*, va en femenino).
El CIF (la palabra inicial, *Código*, tiene género masculino).

❍ Si las siglas ofrecen dificultades de pronunciación, hay que deletrearlas: D-N-I, U-G-T, etc.

❍ A veces es obligatorio en la lectura el desarrollo de la sigla. En lugar de RN o de RNE, diremos Radio Nacional o Radio Nacional de España.

❍ Siempre que exista, debe usarse la forma castellanizada de las siglas. ADN, CE, COI, OMS, ONU y OTAN, por ejemplo, sustituyen, respectivamente, a DNA (Desoxyribonucleic Acid), EC (European Communities), IOC (International Olympic Committee), WHO (World Health Organization), UNO (United Nations Organization) y NATO (North Athlantic Treaty Organization).

❍ Cuando las siglas han pasado al lenguaje común lexicalizadas y funcionan como nombres pueden escribirse con minúsculas: *ovni*, *talgo*, *láser*, etc. De ahí que a veces admitan el plural.

❍ Debe evitarse la división de las siglas al final y al principio de una línea. Si se hace, hay que respetar las normas habituales en la separación de sílabas: GRA-PO, LOG-SE, MO-PU, etc.

○ Una misma sigla puede corresponder a más de un organismo.
○ No se olvide que la invención de siglas es constante. Ya Pedro Salinas se refirió a «este siglo de siglas». Dámaso Alonso, signifi-
   cativamente, dio el título de «La invasión de las siglas» a uno de
   sus poemas, al que pertenecen estos versos:

> USA, URSS.
> USA, URSS, OAS, UNESCO:
> ONU, ONU, ONU.
> TWA, BEA, K.L.M., BOAC
> ¡RENFE, RENFE, RENFE!
>
> FULASA, CARASA, RULASA,
> CAMPSA, CUMPSA, KIMPSA;
> FETASA, FITUSA, CARUSA,
> ¡RENFE, RENFE, RENFE!
>
> ¡S.O.S., S.O.S., S.O.S.,
> S.O.S., S.O.S., S.O.S! [...]
>
> Oh, Dios, dime,
> ¿hasta que yo cese,
> de esta balumba
> que me oprime
> no descansaré?
> ¡Oh dulce tumba:
> una cruz y un R.I.P!

 Acrónimos

Los acrónimos se diferencian de las siglas en que reproducen una parte de las palabras que los componen (las primeras letras de algunas de
ellas, el principio de la primera y el final de la última o el principio de
una y el final de otra): *Adena*, *Banesto*, *Afanias*, *Aviaco*, *Renfe*, *Fitur*, etc.
A diferencia de las siglas, en los acrónimos se puede escribir con mayúscula sólo la letra inicial.

Abreviaturas

Con la abreviatura se representa una palabra por medio de su letra inicial, sola o acompañada de otras. A veces, sobre todo cuando se trata de fórmulas estereotipadas (q. e. p. d.; q. e. s. m.), la reducción puede afectar a varias palabras.

Deben respetarse las siguientes normas:

❍ Después de cada abreviatura siempre se pone punto, que no puede omitirse aunque siga otro signo ortográfico (etc., - v. gr.:).

❍ La abreviatura no exime del acento cuando en ella aparece una vocal que ha de llevarlo: Admón. (administración).

❍ Cuando una abreviatura lleva una parte volada, el punto se coloca antes de esa parte: C.ta (Cuenta); Em.ª (Eminencia).

❍ Las abreviaturas se escriben normalmente con minúsculas. Las mayúsculas iniciales se reservan para la expresión de respeto por una persona o una institución.

❍ El plural puede formarse con el añadido de una *s* o por duplicación de la letra inicial:

   pág. (página) > págs. (páginas)
   M. (Majestad) > MM. (Majestades)

   Las abreviaturas dobles, es decir, las que corresponden a dos palabras seguidas en plural, pueden separarse por puntos:

   AA. EE.   CC. OO.   JJ. OO.   VV. AA.

   Estas abreviaturas se confunden muchas veces con las siglas.

❍ Las abreviaturas comerciales, sólo empleadas en ciertas fórmulas mercantiles, tienen una raya oblicua en vez de punto: d/v. c/ ch/

❍ A diferencia de las siglas, en la lectura es obligatorio el desarrollo de las abreviaturas.

❍ Al empezar una carta no deben emplearse abreviaturas. En lugar de «Querido sr.», «Estimada sra.», etc., debe escribirse: «Querido señor», «Estimada señora», etc.

❍ En el lenguaje familiar algunas palabras se utilizan de forma abreviada (estas abreviaciones no deben confundirse con las abreviaturas). Así ha ocurrido en *boli* (bolígrafo); *bici* (bicicleta); *bus* (autobús); *cine* (cinematógrafo); *cole* (colegio); *corto* (cortometraje); *depre* (depresión); *foto* (fotografía); *mates* (matemáticas); *mili* (servicio militar); *mini* (minifalda); *otorrino* (otorrinolaringólogo); *poli* (policía); *polio* (poliomelitis); *porno* (pornográfico); *progre* (progresista); *tele* (televisión); *trauma* (traumatismo) y *zoo* (zoológico).

❍ Las abreviaturas se distinguen de los símbolos, que son letras o conjuntos de letras u otros signos con los que en la ciencia o en la técnica se representa una palabra o un sintagma (los símbolos se escriben sin punto abreviativo y carecen de plural): cl, cL (centilitro); dl, dL (decilitro); g (gramo); ha (hectárea); kg (kilogramo); kl, kL (kilolitro); t (tonelada), etc.

❍ Aunque las abreviaturas son corrientes en el lenguaje técnico, administrativo y comercial, no debe abusarse de ellas en la escritura corriente.

Siglas, abreviaturas y acrónimos más empleados

A

AA.: Altezas; autores.

AA. EE.: Asuntos Exteriores (Ministerio de).

ABC: American Broadcasting Corporation (Corporación Americana de Radiodifusión).

a/c.: a cuenta.

a. C., a. de C.: antes de Cristo.

ACUDE: Asociación de Consumidores y Usuarios de España.

ADA: Ayuda del Automovilista.

ADECU: Asociación para la Defensa de los Consumidores y Usuarios.

ADELPHA: Asociación para la Defensa Ecológica y del Patrimonio Histórico-Artístico.

ADENA: Asociación para la Defensa de la Naturaleza.

a. D. g.: a Dios gracias.

admón.: administración.

adm.^{or}: administrador.

ADN: Ácido desoxirribonucleico.

AECI: Agencia Española de Cooperación Internacional.

AEDE: Asociación de Editores de Diarios Españoles.

AEDENAT: Asociación Ecologista de Defensa de la Naturaleza.

a/f.: a favor.

AFANIAS: Asociación de Familias con Niños y Adultos Subnormales.

afmo., af.^{mo}: afectísimo.

AI: Amnistía Internacional.

a. J.C., a. de J.C.: antes de Jesucristo.

alt.: altura, altitud.

a. m.: ante merídiem (antes del mediodía).

ANAFE: Asociación Nacional de Árbitros de Fútbol Españoles.

ANELE: Asociación Nacional de Editores de Libros de Enseñanza.

ANFAC: Asociación Nacional de Fabricantes de Automóviles y Camiones.

ANPE: Asociación Nacional del Profesorado Estatal de EGB.

ap.: aparte; apartado; apóstol.

AP: Alianza Popular.

APA: Asociación de Padres de Alumnos.

APETI: Asociación Profesional Española de Traductores e Intérpretes.

art.: artículo.

arz., **arzpo**: arzobispo.

ASEPEYO: Asistencia Sanitaria Económica para Empleados y Obreros.

ASPLA: Asociación Sindical de Pilotos de Líneas Aéreas.

A. T.: Antiguo Testamento.

ATS: Ayudante Técnico Sanitario.

Aud.: Audiencia.

aum.: aumentativo.

av., avda.: avenida.

AVE: (Tren de) Alta Velocidad Español.

AVIACO: Aviación y Comercio, S. A.

AVIANCA: Aerovías Nacionales de Colombia, S. A.

ayte.: ayudante.

Ayto.: Ayuntamiento.

B

BAC: Biblioteca de Autores Cristianos.

BAE: Biblioteca de Autores Españoles.

BANESTO: Banco Español de Crédito.

BBC: British Broadcasting Corporation (Compañía Británica de Radiodifusión).

BBV: Banco Bilbao-Vizcaya.

bda.: barriada.

Bibl.: bibliografía.

BMW: Bayerische Motorenwerke.

BOE: Boletín Oficial del Estado.

BUP: Bachillerato Unificado Polivalente.

C

c., **ca.**: *circa* (cerca, aproximadamente).

c/: calle; cargo; cuenta.

C.ª: compañía.

CAMPSA: Compañía Arrendataria del Monopolio de Petróleos, S. A.

cap.: capítulo; capital.

cap.º: capítulo.

cast.: castellano.

cat.: catalán.

CAT: Comisaría de Abastecimientos y Transportes.

c/c., **cta**. **cte**.: cuenta corriente.

CC. OO.: Comisiones Obreras.

CD: Cuerpo Diplomático; disco compacto.

CDN: Centro Dramático Nacional.

CD-ROM: Compact disc-read only memory (memoria ROM o de acceso alcatorio).

CDS: Centro Democrático y Social.

CE: Comunidad Europea.

CEAPA: Confederación Española de Asociaciones de Padres de Alumnos.

CEC: Círculo de Escritores Cinematográficos.

CEDADE: Círculo Español de Amigos de Europa.

CEE: Comunidad Económica Europea; Centro de Estudios de la Energía.

cénts., **cts.**: céntimos.

CEOE: Confederación Española de Organizaciones Empresariales.

CEPSA: Compañía Española de Petróleos, S. A.

CEPYME: Confederación Española de la Pequeña y Mediana Empresa.

CESID: Centro Superior de Investigación de la Defensa.

CETME: Centro de Estudios Técnicos de Materiales Especiales. *Cetme* es el nombre de un arma fabricada por este Centro.

CEU: Centro de Estudios Universitarios.

CF: Club de Fútbol.

cf., **cfr.**: *confer* (compárese).

c. f. s.: coste, flete y seguro.

cgo.: cargo.

CGPJ: Consejo General del Poder Judicial.

ch/: cheque.

Cía., **C.ía**, **cía.**: compañía.

CIA: Central Intelligence Agency (Servicio Central de Información, de Estados Unidos).

CIF: Código de Identificación Fiscal.

CIR: Centro de Instrucción de Reclutas.

cit.: citado.

CiU: Convergència i Unió (Convergencia y Unión, de Cataluña).

CNAG: Confederación Nacional de Agricultores y Ganaderos.

CNT: Confederación Nacional del Trabajo.

cód.: código.

COE: Comité Olímpico Español.

COI: Comité Olímpico Internacional.

col: colección; columna.

COMECON: Council for Mutual Economic Assistance (Consejo de Asistencia Económica Mutua).

comp., **comp.ª**: compañía.

CONCA: Confederación Nacional de Cámaras Agrarias.

coop.: cooperativa.

COPE: Cadena de Ondas Populares Españolas.

COPYME: Confederación de la Pequeña y Mediana Empresa.

COU: Curso de Orientación Universitaria.

CP: Código Postal.

CPME: Confederación de Pequeñas y Medianas Empresas.

CSIC: Consejo Superior de Investigaciones Científicas.

CSJM: Consejo Supremo de Justicia Militar.

CSN: Consejo de Seguridad Nuclear.

CSP: Cuerpo Superior de Policía.

cta. cte.: cuenta corriente.

CTNE: Compañía Telefónica Nacional de España.

D

D.: Don.

D.ª: Doña.

dcha., dcho.: derecha, derecho.

d. de C., d. de J.C.: después de Cristo, después de Jesucristo.

dep.: deporte.

d/f.: días fecha.

DF: Distrito Federal.

DGT: Dirección General de Tráfico.

dim.: diminutivo.

dir.: director.

DIU: Dispositivo Intrauterino.

DL: Depósito legal.

D. m.: Dios mediante.

DNI: Documento Nacional de Identidad.

doc.: docena; documento.

DOMUND: Domingo Mundial (de Propagación de la Fe).

DP: distrito postal.

dpto.: departamento.

dr., dra.: doctor, doctora.

DRAE: Diccionario de la Real Academia Española.

DSE: Dirección de la Seguridad del Estado.

dto.: descuento.

d/v.: días vista.

E

E.: Este (punto cardinal).

EA: Eusko Alkartasuna (Solidaridad Vasca).

EAU: Emiratos Árabes Unidos.

ECU: European Currency Unit (Unidad de Cuenta Europea).

ed.: edición; editor.

edit.: editorial.

EE: Euskadiko Ezquerra (Izquierda de Euskadi).

EE. UU.: Estados Unidos.

EGB: Educación General Básica.

e. g. e.: en gloria esté.

ej.: ejemplo.

E. M.: Estado Mayor.

Em.ª: Eminencia.

Emmo.: Eminentísimo.

EMT: Empresa Municipal de Transportes.

ENAGAS: Empresa Nacional del Gas.

ENDESA: Empresa Nacional de Electricidad, S. A.

ENSIDESA: Empresa Nacional Siderúrgica, S. A.

entlo.: entresuelo.

e. p. d., E. P. D.: en paz descanse.

ERC: Esquerra Republicana de Catalunya (Izquierda Republicana de Cataluña).

ERT: Explosivos Río Tinto, S. A.

ESO: Enseñanza Secundaria Obligatoria.

esp.: español.

ETA: Euskadi ta Askatasuna (Patria Vasca y Libertad).

ETB: Euskal Telebista.

etc.: etcétera.

ETS: Escuelas Técnicas Superiores.

EUROVISION: Unión Europea de Radiodifusión.

Exc.ª: Excelencia.

Excma., Excmo.: Excelentísima, Excelentísimo.

F

Fac.: Facultad.

fact.: factura.

FAI: Federación Anarquista Ibérica.

FAO: Food and Agriculture Organization (Organización de las Naciones Unidas para la Agricultura y la Alimentación).

fasc.: fascículo.

FBI: Federal Bureau of Investigation (Oficina Federal de Investigación, de Estados Unidos).

FC: Fútbol Club.

FE: Falange Española.

FEA: Federación Española de Automovilismo; Federación Española de Atletismo.

FECSA: Fuerzas Eléctricas de Cataluña, S. A.

FEF: Federación Española de Fotógrafos; Federación Española de Fútbol.

fem.: femenino.

FENOSA: Fuerzas Eléctricas del Noroeste, S. A.

FERE: Federación Española de Religiosos de la Enseñanza.

FF. AA.: Fuerzas Armadas.

FIBA: Federación Internacional de Baloncesto Amateur.

FIFA: Federación Internacional de Fútbol Asociación.

fig.: figurado.

FITUR: Feria Internacional del Turismo.

FLG: Frente de Liberación Gay.

FLM: Frente de Liberación de la Mujer.

FMI: Fondo Monetario Internacional.

FNAPE: Federación Nacional de Asociaciones de Prensa de España.

f.º, fol.: folio.

FOP: Fuerzas de Orden Público.

FORPPA: Fondo de Ordenación y Regulación de Productos y Precios Agrarios.
FP: Formación Profesional.
fr.: fray.
fund.: fundación.

G

g/: giro.
GAL: Grupos Antiterroristas de Liberación.
GEO: Grupos Especiales de Operaciones (de la policía española).
Geogr.: Geografía.
GESTAPO: Policía de la Alemania nazi.
GRAPO: Grupos de Resistencia Antifascista Primero de Octubre.
gral.: general.
gta.: glorieta.

H

h.: hacia.
H.: hermano (religioso).
h.ª: historia.
HB: Herri Batasuna (Unidad Popular).
HF: High Frequency (Alta Frecuencia).
HI-FI: High Fidelity (Alta Fidelidad).
hist.: historia.
hnos.: hermanos.
HUNOSA: Empresa Nacional Hullera del Norte, S. A.

I

ib., ibíd.: *ibídem* (en el mismo lugar).
IB: Iberia (Líneas Aéreas de España).
IBM: International Business Machines (Máquinas de Oficina Internacional).
ICADE: Instituto Católico de Alta Dirección de Empresas.
ICAI: Instituto Católico de Artes e Industrias.
ICE: Instituto de Ciencias de la Educación.
ICI: Instituto de Cooperación Iberoamericana.
ICO: Instituto de Crédito Oficial.
ICONA: Instituto Nacional para la Conservación de la Naturaleza.
íd.: *ídem* (lo mismo).
IFEMA: Institución Ferial de Madrid.
IGA: International Gay Association (Asociación Internacional de Homosexuales).
IHS: Iesus Hominum Salvator (Jesús Salvador de los Hombres).
Ilma., Ilmo.: Ilustrísima, Ilustrísimo.
Iltre.: Ilustre.
IMPE: Instituto de la Mediana y Pequeña Empresa.
INB: Instituto Nacional de Bachillerato.
INBAD: Instituto Nacional de Bachillerato a Distancia.

INE: Instituto Nacional de Estadística.

INEF: Instituto Nacional de Educación Física.

INEM: Instituto Nacional de Empleo.

INI: Instituto Nacional de Industria.

INLE: Instituto Nacional del Libro Español.

INRI: Iesus Nazarenus Rex Iudaeorum (Jesús Nazareno, Rey de los Judíos).

INSALUD: Instituto Nacional de la Salud. Pronúnciese INSALUD, no INSÁLUD.

INSERSO: Instituto Nacional de Servicios Sociales.

INTERPOL: International Criminal Police Organization (Organización Internacional de Policía Criminal).

IPC: Índice de Precios al Consumo.

IPS: International Press Service (Servicio Internacional de Prensa).

IRA: Irish Republican Army (Ejército Republicano Irlandés).

IRPF: Impuesto sobre la Renta de las Personas Físicas.

IRTP: Impuesto sobre el Rendimiento del Trabajo Personal.

IRYDA: Instituto Nacional de Reforma y Desarrollo Agrario.

ISBN: International Standard Book Number (Número Internacional Uniforme para los libros).

ít.: *ítem* (del mismo modo, también).

ITE: Impuesto sobre el Tráfico de Empresas.

IU: Izquierda Unida.

IVA: Impuesto sobre el Valor Añadido.

izq., **izqda.**: izquierda.

J.C.: Jesucristo.

JEN: Junta de Energía Nuclear.

JHS: véase IHS.

JJ. OO.: Juegos Olímpicos.

JSE: Juventudes Socialistas de España.

K

KAS: Koordinadora Abertzale Sozialista (Euskadi).

KGB: Comité de Seguridad del Estado de la antigua URSS.

KO, **ko**: *knock-out* (fuera de combate).

L

LASER: Light Amplification by Stimulated Emission of Radiations (ampliación de la luz por la emisión estimulada de radiaciones).

LAU: Ley de Autonomía Universitaria; Ley de Arrendamientos Urbanos.

l. c.: *loco citato* (en el lugar citado).

LCR: Liga Comunista Revolucionaria.

lic., licdo.: licenciado.

LOAPA: Ley Orgánica para la Armonización del Proceso Autonómico.

loc. cit.: *loco citato* (en el lugar citado).

LODE: Ley Orgánica Reguladora del Derecho a la Educación.

LOGSE: Ley de Ordenación General del Sistema Educativo.

LRU: Ley Orgánica de Reforma Universitaria.

LSD: Lysergic Acid Diethylamide (Dietilamida del ácido lisérgico).

Ltda.: limitada.

M

m.: minuto, minutos; masculino.

M., MM.: Madre, Madres (aplicado a religiosas).

MAE: Ministerio de Asuntos Exteriores.

masc.: masculino.

máx.: máximo.

MC: Mercado Común.

m/c., m/cta.: mi cuenta.

MEC: Ministerio de Educación y Ciencia.

MERCASA: Mercados Centrales de Abastecimientos, S. A.

m/f.: mi favor.

mín.: mínimo.

MIR: Médico Interno Residente.

MLM: Movimiento de Liberación de la Mujer.

MOC: Movimiento de Objetores de Conciencia.

MOMA: Museum of Modern Art (Museo de Arte Moderno de Nueva York).

Mons.: Monseñor.

MOPU: Ministerio de Obras Públicas y Urbanismo.

ms.: manuscrito.

mtro.: maestro.

MUFACE: Mutualidad de Funcionarios de la Administración Civil del Estado.

m/v.: meses vista.

N

N.: Norte.

N.ª S.ª: Nuestra Señora.

NASA: National Aeronautics and Space Administration (Administración Nacional para la Aeronáutica y el Espacio, de Estados Unidos).

N.B.: *Nota Bene* (nótese bien, obsérvese).

NBA: National Basketball Association (Asociación Nacional de Baloncesto, de Estados Unidos).

N. del E.: nota del editor.

N. del T.: nota del traductor.

NBC: National Broadcasting Company (Sociedad Nacional de Radiodifusión de Estados Unidos).

NE: Nordeste.

NIF: Número de Identificación Fiscal.

n.º: número.

NO: Noroeste.

N. S.: Nuestro Señor.

N. T.: Nuevo Testamento.

ntra., ntro.: nuestra, nuestro.

núm.: número.

NY: New York (Nueva York).

O

O: Oeste.

ob. cit.: obra citada.

Obpo.: obispo.

OCDE: Organización para la Cooperación y el Desarrollo Económico.

OCU: Organización de Consumidores y Usuarios.

OEA: Organización de Estados Americanos.

OID: Oficina de Información Diplomática.

OIT: Organización Internacional del Trabajo.

OLP: Organización para la Liberación de Palestina.

O. M.: Orden Ministerial.

OMM: Organización Meteorológica Mundial.

OMS: Organización Mundial de la Salud.

OMT: Organización Mundial del Turismo.

ONCE: Organización Nacional de Ciegos Españoles.

ONU: Organización de las Naciones Unidas.

op. cit.: *opere citato* (en la obra citada).

OPA: Oferta Pública para la Adquisición de Acciones.

OPAEP: Organización de Países Árabes Exportadores de Petróleo.

OPEP: Organización de Países Exportadores de Petróleo.

ORA: Operación de Regulación del Aparcamiento de Madrid.

OTAN: Organización del Tratado del Atlántico Norte.

OTI: Organización de las Televisiones Iberoamericanas.

OUA: Organización para la Unidad Africana.

OVNI: Objeto Volador no Identificado.

P

p., pp.: página, páginas.

P., PP.: Padre, Padres (aplicado a religiosos).

p. a.: por autorización; por ausencia.

pág., págs.: página, páginas.

part.: particular.

PASOC: Movimiento Socialista Panhelénico (de Grecia).

pbro.: presbítero.

PCE: Partido Comunista de España.

p/cta.: por cuenta.

P. D.: Posdata (es lo que se añade en una carta después de la firma).

pdo.: pasado.

p. ej.: por ejemplo.

PGC: Parque Móvil de la Guardia Civil.

PIB: Producto Interior Bruto.

pl.: plural; plaza.

p. m.: *post merídiem* (después del mediodía).

pmo.: próximo.

PM: Policía Militar.

PNB: Producto Nacional Bruto.

PNV: Partido Nacionalista Vasco.

P. O., **p. o.**, **p/o.**: por orden.

pop.: popular.

POUM: Partido Obrero de Unificación Marxista.

PP: Partido Popular.

p. p.: por poder; porte pagado.

pral.: principal.

pref.: prefacio.

presb.: presbítero.

prof.: profesor.

prof.ª: profesora.

progr.: programa.

pról.: prólogo.

prov.: provincia.

P. S.: *Post Scríptum* (Posdata).

PSOE: Partido Socialista Obrero Español.

pta., **ptas.** *o* **pts.**: peseta, pesetas.

PVP: Precio de Venta al Público.

PYME: Pequeña y Mediana Empresa.

Q

q. b. s. m.: que besa su mano.

q. b. s. p.: que besa sus pies.

Q. D. G. *o* **q. D. g.**: que Dios guarde.

q. e. g. e.: que en gloria esté.

q. e. p. d.: que en paz descanse.

q. e. s. m.: que estrecha su mano.

R

RACE: Real Automóvil Club de España.

RADAR: Radio Detection and Ranging (Detección y localización por radio).

RAE: Real Academia Española.

RAH: Real Academia de la Historia.

RAI: Radio Audizioni Italia (Radiotelevisión italiana).

R.D.: Real Decreto.

Rdo. –a, **Rvdo. –a**: Reverendo, Reverenda.

ref.: referencia.

reg.: registro.

RENFE: Red Nacional de los Ferrocarriles Españoles.

R. I. P.: *Requiéscat in pace* (descanse en paz).

RN: Radio Nacional.

RNE: Radio Nacional de España.

R. O.: Real Orden.

rte.: remitente.

RTVE: Radiotelevisión Española.

RU: Reino Unido.

S

S.: San, Santo.
s.: siglo.
S. A.: Su Alteza.
S. A.: Sociedad Anónima.
s. a.: sin año.
SALT: Strategic Arms Limitation Talks (Conversaciones para la Limitación de Armas Estratégicas).
S. A. R.: Su Alteza Real.
s/c.: su cuenta; su cargo.
Sdad. Lda.: Sociedad Limitada.
SE: Sudeste.
S. E.: Su Excelencia.
SEAT: Sociedad Española de Automóviles de Turismo.
secr.: secretario.
SER: Sociedad Española de Radiodifusión.
s. e. u. o.: salvo error u omisión.
s. f.: sin fecha.
sg.: singular.
SGAE: Sociedad General de Autores de España.
sgte.: Siguiente.
SIDA: Síndrome de Inmunodeficiencia Adquirida.
sig., sigs.: siguiente, siguientes.
SIMO: Salón Informativo de Material de Oficina. Hoy es la Feria de Muestras Monográfica Internacional del Equipo de Oficina y de la Informática.
s. l.: sin lugar (de edición).
SL: Sociedad Limitada.
S. M.: Su Majestad.

SMI: Sistema Monetario Internacional.
s/n.: sin número.
s/o.: su orden.
SO: Sudoeste.
SOC: Sindicato de Obreros del Campo.
SONAR: Sound Navigation and Ranging (Orientación de la Navegación mediante sonido).
SONIMAG: Sonido e Imagen.
S. P.: Servicio Público.
Sr., Sra.: señor, señora.
Srs., Sres.: señores.
Srta.: Señorita.
S. S.: Su Santidad.
ss.: siguientes.
SS. AA. : Sus Altezas.
SS. MM. : Sus Majestades.
s. s. s.: su seguro servidor.
Sto., Sta.: Santo, Santa.

T

t.: tomo.
TALGO: Tren Articulado Ligero Goicoechea-Oriol.
tb.: también.
tel.: teléfono.
TER: Tren Español Rápido.
tip.: tipografía.
TM: Telemadrid.
TNT: Trinitrotolueno.
trad.: traducción.
trav.: travesera, travesía.
tít.: título.
trib.: tribunal.

TV: Televisión.
TVE: Televisión Española.
TWA: Trans World Airlines.

UCI: Unidad de Cuidados Intensivos.
Ud., **Udes.**: Usted, Ustedes.
UEFA: Union of European Football Associations (Unión de Asociaciones Europeas de Fútbol).
UGT: Unión General de Trabajadores.
UHF: Ultra High Frequencies (Frecuencias Ultraelevadas).
UNED: Universidad Nacional de Educación a Distancia.
UNESCO: United Nations Educational, Scientific and Cultural Organization (Organización de las Naciones Unidas para la Educación, la Ciencia y la Cultura).
UNICEF: United Nations International Children's Emergency Fund (Fondo Internacional de las Naciones Unidas para Ayuda a la Infancia).
UNIPYME: Unión de Organizaciones de la Pequeña y Mediana Empresa.
UPE: Unión Parlamentaria Europea.

UPG: Union do Povo Galego (Unión del Pueblo Gallego).
UPN: Unión del Pueblo Navarro.
USA: United States of America (Estados Unidos de América). Es preferible escribir EE. UU.
USO: Unión Sindical Obrera.
USP: Unión Sindical de Policías.
UVI: Unidad de Vigilancia Intensiva.

V

v.: véase.
V. A.: Vuestra Alteza.
V. E.: Vuestra Excelencia.
VCR: Video Cassette Recorder (Grabador de videocasete).
vda.: viuda.
v. g., **v. gr.**: verbigracia (por ejemplo).
VI: Vuestra Ilustrísima.
VIP: Very Important Person (Persona muy importante).
V. M.: Vuestra Majestad.
V.º B.º: Visto Bueno.
vol., **vols.**: volumen, volúmenes.
V. R.: Vuestra Reverencia.
vs: versus.
vta., **vto.**: vuelta, vuelto.
V. S.: Usía, Vuestra Señoría.
VV. AA.: Varios Autores.

Precisiones finales

○ Aunque a veces puedan dar viveza y animación al estilo –esto ocurre sobre todo con algunos pleonasmos–, deben evitarse las fórmulas estereotipadas, redundantes y enfáticas y las muletillas innecesarias y desgastadas por el uso.

La lista, que podría ampliarse con facilidad, la componen: *accidente fortuito; acontecimiento real; actualmente en vigor; a lo largo y ancho de; antagónicos entre sí; aquí y ahora; asignatura pendiente; asomarse al exterior; atención personalizada; a todos los efectos; autoridad pública; bien es verdad que; bocanada de aire fresco; buque insignia; celebrar juntos; ciclo de tiempo; claridad meridiana; claro está; colofón final; como es público y notorio; como suele decirse; compás de espera; contra viento y marea; cooperación mutua; coordinados entre sí; cortina de humo; dar luz verde; de alguna manera; deseo ferviente; de todos modos; divisa extranjera; doblar a muerto; edad longeva; en el sentido de; en mi modesta opinión; en otro orden de cosas; españolitos o españolitos de a pie; erario público; estrecha colaboración; extremadamente brillante; favorito a priori; fiel reflejo; funcionario público; hacer especial hincapié; hecho real; hemorragia de sangre; hijo primogénito; hondo pesar; jóvenes cachorros; la espiral de los precios; la espiral de la violencia; la pura verdad; las doce del mediodía; líquido elemento; mendrugo de pan; marco incomparable; no hay que olvidar; obsequio gratuito; palpitante actualidad; para empezar; parte integrante; peluca postiza; persona humana; pienso que; pisar encima; plena confianza; políticamente correcto; práctica totalidad; prensa escrita; prever con antelación; profundo abismo; protagonista absoluto; proyectos de futuro; pública almoneda; puso un broche de oro; querella criminal; reiterar varias veces; semblanza biográfica; serio problema; sincero pésame; sorpresa inesperada; testigo presencial; terrible desastre; totalmente gratis; túnel subterráneo; una cabeza bien amueblada; utopía inalcanzable; valorar positivamente; verdadera pena; vigente en la actualidad.*

❍ También cansan muchas de las expresiones relacionadas con el deporte: *dar la vuelta al marcador*; *el campo* (o *el estadio*) *se viene abajo*; *jugador en estado de gracia*; *la serpiente multicolor*; *lleno hasta la bandera*; *partido no apto para cardíacos*; *una ocasión de oro*; *un final de infarto*; *un gol de antología*, etc.

❍ Deben reservarse para lo que realmente lo merezca los adjetivos *maravilloso, soberbio, inigualable, extraordinario, grandioso*, etc.

❍ Evítese el empleo enfático de algunos adverbios en *mente* (*evidentemente, concretamente, indudablemente, particularmente, prácticamente, obviamente, positivamente*, etc). Tampoco hay por qué sustituir *hoy, ayer, anoche* y *esta mañana* por las construcciones perifrásticas *en el día de hoy, en el día de ayer, en la noche de ayer* y *en la mañana de hoy*.

   Lo mismo puede decirse de otros términos. Por ejemplo, *antes, después, a la vez, dentro, fuera, antes de, después de, mediante* y *para* son relegados, sin necesidad, por *previamente, seguidamente, contemporáneamente* o *simultáneamente, en el interior, en el exterior, con anterioridad a, con posterioridad a, por vía de* y *al objeto de* o *en orden a*, respectivamente.

❍ No debe abusarse de latiguillos en la conversación: *¿verdad?, o sea, ¿eh?, ¿vale?, ¿no?, entonces, bueno*, etc.

❍ Los términos demasiado vagos o de significado amplio (*cosa, tema, chisme, rollo, bonito*, etc.) deben dejar paso a otros más precisos, lo que conlleva una mayor economía lingüística. Completamos aquí las sustituciones de algunas palabras que figuran en las páginas 219-266 con una serie de verbos que pueden reemplazar ventajosamente a otros de los que se echa mano con excesiva generosidad:

   Dar: *esgrimir* (razones); *facilitar* (información); *fijar* (una fecha); *infundir* (miedo, ánimos); *inspirar* (lástima); *producir* (la impresión); *suministrar* (datos).

   Decir: *explicar* (el significado); *manifestar* (una opinión); *mencionar* (los nombres); *relatar* (una historia); *recitar* (un poema); *manifestar* (una opinión); *revelar* (algo).

   Echar: *expulsar* (de una reunión); *presentar* (una instancia); *proyectar* (una película); *pronunciar* (un discurso); *dar* (la bendición).

Haber: *alojarse* (huéspedes); *celebrarse* (un acto); *cometerse* (un asesinato); *experimentar* (un cambio); *producirse* (un accidente); *tramarse* (una conjura).

Hacer: *causar* (estragos); *cometer* (una falta); *componer* (un relato); *confeccionar* (una camisa); *construir* (una casa); *cursar* (estudios); *celebrar* (un banquete); *elaborar* (un informe); *ejecutar* (un movimiento); *formular* (preguntas); *obrar* (maravillas); *trabar* (amistad); *tributar* (un homenaje); *trazar* (una raya); *surtir* (efecto).

Poner: *colocar* (las cosas en su sitio); *establecer* (unas normas); *instalar* (algo); *fijar* (la mirada); *hincarse* (de rodillas); *conectar, encender* (la calefacción); *prestar* (atención); *proyectar* (una película).

Ser: en lugar de *fue*, puede decirse *constituyó* (una sorpresa); *ocurrió* (en Madrid); *redundó* (en beneficio de alguien).

Tener: *albergar* (la esperanza); *contraer* (obligaciones); *ejercer* (el mando); *establecer* (contactos); *experimentar* (una sensación); *gozar* (de buena salud); *desempeñar* (un cargo); *padecer* (una enfermedad); *disponer* (de tiempo). En lugar de *tener efecto*, puede decirse *celebrarse* o *efectuarse*.

○ Resulta fatigoso el uso reiterado de la fórmula ***verbo+complemento***, en lugar del verbo a secas: *dar a la publicidad* (publicar); *dar autorización* (autorizar); *dar aviso* (avisar); *dar comienzo* (comenzar); *dar lectura* (leer); *dar por finalizado* (finalizar, acabar, terminar, rematar, concluir); *darse cita* (citarse); *darse a la fuga* (fugarse); *efectuar una llamada* (llamar); *hacer acto de presencia* (presentarse); *hacer alusión* (aludir); *hacer su aparición* (aparecer); *hacer comentarios* (comentar); *hacer entrega* (entregar); *hacer la corte* (cortejar); *hacer mención* (mencionar); *hacer presión* (presionar); *hacer público* (publicar); *poner de manifiesto* (manifestar); *poner en duda* (dudar); *poner término* (terminar); *prestar atención* (atender); *proceder a la detención* (detener); *ser de la opinión* (opinar); *tener conocimiento de* (conocer); *tener efecto* (efectuarse, suceder); *tener lugar* (ocurrir, celebrarse, producirse, desarrollarse); *tomar el acuerdo* (acordar); *tomar tierra* (aterrizar).

○ Se han generalizado, innecesariamente, diversas voces (sobre
todo con las terminaciones *-ida* e *-izar*) para sustituir a otras
impuestas por el uso. Algunas, como *concretizar* (concretar) y
posicionar (tomar posición), figuran en el DRAE. Otras, como
las que siguen, no han recibido el respaldo oficial: *anexiona-
miento* (anexión); *aperturar* (abrir); *aptitudinal* (relativo a la aptitud); *atractividad* (atracción); *autentizar* (autenticar o autentificar); *basamentar* (basar); *comentariar* (comentar); *compleji-
zar* (hacer complejo); *conflictual* (conflictivo); *contextualizar*
(contextuar); *criminalizar* (incriminar); *culpabilizar* (culpar);
cumplimentación (cumplimiento); *decomisionar* (decomisar);
depauperizar (depauperar); *desfasamiento* (desfase); *dimensio-
namiento* (dimensión); *disfuncionalidad* (disfunción); *dimensionar* (medir); *dinamizar* (activar, estimular); *excepcionalidad*
(excepción); *gestionador* (gestor); *globalidad* (conjunto); *idolatrizar* (idolatrar); *ilegitimizar* (ilegitimar); *influenciación* (influencia); *instrumentalizar* (instrumentar); *intermediación* (mediación); *marginalizar* (marginar); *maximalizar* (maximizar);
medicamentación (medicación); *obstruccionar* (obstruir); *plebiscitar* (someter a plebiscito); *potencializar* (potenciar); *priorizar* (dar prioridad); *recepcionar* (recibir); *refrendamiento* (re-
frendo); *rentabilizar* (hacer rentable); *rumorología* (rumor o rumores); *secuencializar* (secuenciar); *sublimizar* (sublimar);
tensionar (tensar); *traccionar* (arrastrar, tirar); *transaccionar* (tratar, pactar); *tuteamiento* (tuteo); *uniformación* (uniformidad);
uniformizar (uniformar); *viabilizar* (hacer viable); *vivenciar* (tener vivencias).

Sobre esta moda escribe F. Lázaro Carreter: «Con mucha frecuencia, se producen simultáneamente la percepción de una novedad y su difusión: choca, de pronto, algo que se lee u oye, y no
pasan quince días sin asombrarse comprobando cómo la usa un
gentío con la misma soltura que si la hubiese ingerido vía pezón.
Radios, televisiones, tenderos, prensa, catedráticos, entrena-
dores, magistrados, locutores de radiotaxi, ministros del Gobierno o del altar, *starlettes*, y demás géneros de hablantes se en-
caprichan con ella, y la prodigan a su alrededor, ora profiriendo,
ora garabateando. Simultáneamente, montan una conjura de si-

lencio contra otros vocablos que ayer mismo gozaban de excelente salud, y los mandan al sumidero; se escurren los desahuciados apagadamente, dejando tan sólo y de milagro su imagen gráfica en los diccionarios; lo hemos repetido mucho. Una verdadera desgracia, porque así languidecen y se esfuman voces de suma utilidad que en paleoespañol permitían distinguir matices y expresarse mejor».

○ Hay que evitar la subordinación excesiva, las frases demasiado largas, las alteraciones del orden lógico de las palabras que puedan hacer ambiguo u oscuro lo que se quiere comunicar y el exceso de construcciones pasivas, habituales en documentos oficiales, con las que se corre el riesgo de hacer pesado el estilo. Frases como

> «*Se hizo saber por parte de los delegados*»
> y «*Por parte de los delegados se asegura*»,
> pueden sustituirse por «*Los delegados hicieron saber*» y «*Los delegados aseguran*».

○ La repetición de palabras, de sílabas y de sonidos en situación inmediata o próxima, las cacofonías, los sonsonetes y las asonancias y consonancias involuntarias dan la impresión de limitados recursos lingüísticos en el que se expresa. Así ocurre en los ejemplos que siguen:

> «*La mejor forma de ayudar a los enfermos es ayudarlos económicamente*»; «*No, no hay nada que ignore*»; «*La bruma se extendía por toda la bahía*»; «*Todos se opusieron a la creación de una comisión de investigación*»; «*Es una iniciativa que se ha iniciado*»; «*Llegó a mi oído un armonioso sonido*»; «*Es posible que pueda ser así*»; «*Los actores han tomado en consideración la propuesta, pero consideran que es insuficiente*»; «*El coche chocó contra un árbol*».

❍ El empleo de pronombres personales antepuestos al verbo como
    sujetos de la oración es admisible cuando pueden producirse an-
    fibologías. En los demás casos es redundante y enfático:

> *«Yo fui al cine ayer»;*
> *«Nosotros queremos marcharnos ya».*

❍ Deben evitarse expresiones, despectivas o absurdas, como las
    que siguen:

> *«Lo engañaron como a un chino»*; *«Pareces un
> gitano»*; *«Aquello era una merienda de negros»*; *«Fue
> una judiada»*; *«Esto es un trabajo de negros»*;
> *«Disfrutaron como enanos».*

En cambio, no hay necesidad de recurrir a algunos eufemis-
mos de moda: *de color* (por negro); *invidente* (por ciego); *reajuste de precios* (por subida de precios); *tercera edad* (por vejez);
conflicto laboral (por huelga); *dar a luz* (por parir); *económica-
mente débiles* (por pobres); *empleado de finca urbana* (por portero); *flexibilidad de plantilla* (por despido), etc.

❍ Por último, téngase en cuenta que no se demuestra una cultura
    superior por el empleo de palabras rebuscadas y altisonantes y
    de construcciones sintácticas forzadas. Pero tampoco debe ol-
    vidarse que la naturalidad excesiva puede conducir a la chaba-
    canería y a la vulgaridad.

Bibliografía básica

Alarcos Llorach, Emilio, *Gramática de la Lengua Española*, Madrid, Espasa-Calpe, 1994.

Alvar Ezquerra, Manuel y Miró Domínguez, Aurora, *Diccionario de siglas y abreviaturas*, Madrid, Alhambra, 1983.

Carnicer, Ramón, *Desidia y otras lacras en el lenguaje de hoy*, Barcelona, Planeta, 1983.

Casares, Julio, *Diccionario ideológico de la lengua española*, Barcelona, Gustavo Gili, 1959.

Gómez Torrego, Leonardo, *El léxico en el español actual: uso y norma*, Madrid, Arco/Libros, 1995.

Lázaro Carreter, Fernando, *El dardo en la palabra*, Barcelona, Galaxia Gutenberg-Círculo de Lectores, 1997.

Lázaro, Fernando y Tusón, Vicente, *Curso de Lengua Española*, Madrid, Anaya, 1978.

Lorenzo, Emilio, *El español de hoy, lengua en ebullición*, Madrid, Gredos, 1994.

– *Anglicismos hispánicos*, Madrid, Gredos, 1996.

Martínez de Sousa, José, *Diccionario internacional de siglas y acrónimos*, Madrid, Pirámide, 1984.

– *Diccionario de usos y dudas del español actual*, Barcelona, Biblograf, 1996.

Miró Domínguez, Aurora: véase Alvar Ezquerra, Manuel.

Moliner, María, *Diccionario de uso del español*, 2 vols., Madrid, Gredos, 1966-1967.

Real Academia Española, *Diccionario de la Lengua Española*, Madrid, Espasa-Calpe, 1992.

– *Esbozo de una nueva gramática de la Lengua Española*, Madrid, Espasa-Calpe, 1973.

Seco, Manuel, *Diccionario de dudas y dificultades de la lengua española*, Madrid, Espasa-Calpe, 1986.

– *Gramática esencial del español*, Madrid, Espasa-Calpe, 1989.

Sol, Ramón, *Manual práctico de estilo*, Barcelona, Urano, 1992.

Tusón, Vicente: véase Lázaro, Fernando.

Índice

Índice general